A MINDENT LÁTÓ KIRÁLYLÁNY

THE PRINCESS THAT SAW EVERYTHING

A válogatás a Világszép népmesék
és Illyés Gyula: Hetvenhét magyar népmese c. kötetek alapján készült.

Fordította: Bernard Adams
A fordítást ellenőrizte: Lojkó Miklós
Illusztrálta: Bereczky Péter
Szerkesztette: Kiscsatári Enikő
Tipográfia: Harsányi Tamás–Bátri József

ISBN 963 03 4778 4

Felelős kiadó: Csorba Katalin

Szedés: Windor Bt., Budapest
Nyomda: Szegedi Kossuth Nyomda

The selection has been made from the following volumes:
Világszép népmesék (The Gems of the World's Folk Tales),
and Gyula Illyés: *Hetvenhét magyar népmese* (Seventy-Seven Hungarian Folk Tales)

Translated by Bernard Adams
The translation has been read by Miklós Lojkó
Illustrated by Péter Bereczky
Edited by Enikő Kiscsatári
Print design by Tamás Harsányi–József Bátri

ISBN 963 03 4778 4

Publisher: Katalin Csorba

Typesetting: Windor Ltd., Budapest
Printed by: Kossuth Printing House, Szeged

A mindent látó királylány

Huszonnégy magyar népmese

The Princess That Saw Everything

Twenty-Four Hungarian Folk Tales

Acknowledgement

I am most grateful for the editorial assistance of Miklós Lojkó, lecturer at the Eötvös Loránd University, Budapest, who read the draft translation of these tales. His scholarship, enthusiasm and excellent English enabled him to offer many helpful comments and suggestions.

Bernard Adams

A mindent látó királylány

Hol volt, hol nem volt, volt a világon egy király, ennek a királynak meg egy olyan lánya volt, aki mindent meglátott az egész világon. Senki se tudott előle úgy elbújni, hogy meg ne látta volna.

Egyszer ez a király azt hirdette ki, hogy aki az ő lánya elől úgy elbújik, hogy rá nem akad, annak odaadja fele királyságát s gyönyörű szép lányát.

Uccu lelkem! Sokan próbálkoztak ezt megtenni! De hát mind hiába, senki se tudott elbújni a királykisasszony szeme elől. Cifrábbnál cifrább királyfiak készültek, elbújtak a világ minden részébe, de ezek is csak úgy jártak, mint a többiek, a királylány mindjárt meglátta. Már a földnek minden teremtése elrémült a próbától, senki se mert előállni.

Hát egyszer egy kondáslegény eszébe veszi, hogy biz ő mégis megteszi, aztán azt mondja anyjának:

– No, anyám, süssön nekem pogácsát, készítsen a tarisznyámba kenyeret, szalonnát, mert én megyek a királyhoz.

– Ne menj, édes fiam! Hisz úgyse tudsz te úgy elbújni! Lásd, mennyi emberfő van már a király tornácában, a te fejed is odakerül, ha rosszul üt ki a sorod.

– Ne búsuljon, édesanyám, csak készítsen élelmet a tarisznyámba!

No, megsül a pogácsa, beteszik a kenyeret, szalonnát, úgy indul el a kondáslegény; megy, mendegél, hát ahogy egy kis tavacska mellett ballag, meglát ott egy csepp halacskát úszdogálni.

– No, édes kis halacskám! Én téged elviszlek innen, mert ez a tó csakugyan kiszárad, így hát neked mindegy! Nekem pedig még hasznomra lehetsz.

Meg is fogta a kis halat, aztán a szűrujjából elővett egy zsíros ruhát, s abba csavargatta. Erre megint megindult, s ment, mendegélt tovább: hát ahogy így megy hegyen-völgyön keresztül, látja, hogy egy sas meg egy holló úgy ütik, tépik egymást, hogy a tajték is szakad róluk. A kondás meg akarja tudni, hogy miért van ez a nagy csetepaté, s egyenest hozzájuk rúgtat:

The Princess That Saw Everything

Once upon a time there lived a king, and he had a daughter who could see everything in the whole world. No-one could hide from her so that she should not see them.

One day the king proclaimed throughout his kingdom that if any could hide from her he would give him half his kingdom and his beautiful daughter.

My word! Many made the attempt! But all to no avail, none was able to hide from the princess. The most magnificent princes made plans and hid in every quarter of the globe, but they too fared as had the rest, the princess could see them at once. By this time everyone on earth shunned the test and no-one dared come forward.

Well, one day a young swineherd took it into his head that he would do it, so he said to his mother:

"Now, mother, bake me some oatcakes, and give me some bread and bacon for my bag, for I am going to see the king."

"Do not go, my dear boy! You will not be able to hide either! See how many men's heads there are already on the king's porch, and yours will be there too if luck deserts you."

"Do not worry, mother, just prepare food for my bag!"

Well, she baked the oatcakes, put in the bread and bacon, and off went the swineherd. He walked and walked, and in passing a little lake he saw a tiny fish swimming there.

"Well, my dear little fish! I will take you out of there, for this lake is drying up, and it will be all the same to you! And you may be of use to me."

He caught the little fish and took from the sleeve of his felt coat a greasy cloth in which he wrapped it. Then he set off again and walked on; and as he was crossing hill and vale he saw an eagle and a raven beating and rending one another so that sweat poured from them. The swineherd wished to know what was the cause of this great hullaballoo, and made straight for them:

– Jó napot adjon isten! Hát mit csináltok, miért veszekesztek annyira?

– Áldom az istened – mondja a sas –, ugyan hogyne veszekednénk! Lásd, mikor az apánk meghalt, egy csizmát hagyott ránk. Most már azon szeretnénk megosztozni, de sehogy se tudunk. Hát tedd meg te azt a szívességet, igazgasd dolgunkat, majd megszolgáljuk még valaha.

– Jól van, én megteszem a kívánságtokat, de tudjátok-e, mit? Te, sas koma, eredj, szállj fel erre a hegyre, te meg, holló, erre a másikra, majd ha odaértek mindketten, akkor egyet kiáltok, ti meg szálljatok ide énhozzám, amelyiktek hamarább ideér, azé lesz a csizma.

Úgy is lett. A sas is felszállt az egyik hegyre meg a holló is a másikra. Itt a kondás egyet kiált, azok meg szállnak, mint a szél, egymás ellen; de biz csak a sas ért a célra hamarébb, az övé is a csizma. A kondás aztán megint tovább-ballagott. Ahogy ment, mendegélt, észrevett az út szélén egy hervadásnak indult letört rózsát. Erre megáll, s azt mondja neki:

– Hej, édes rózsácskám, de meghervadtál! Ugyan elvigyelek-e innen, vagy ne vigyelek? No de mégis elviszlek, lehet, hogy még szerencsémre leszesz.

Ezzel megint elindult, a rózsát meg felszúrta a kalapja mellé. Alig ment egy hajtásnyira, egyszerre csak megszólal a rózsa:

– Hallod-e, kondás pajtás! Te most az életemet mentetted meg, de nem is felejtem el soha! Hanem ültess el engem a királykisasszony kertjének kellős közepébe, ott öntözgess meg minden reggel, majd meglásd, milyen szép leszek, de tudom istenem, nem is bánod meg.

Mit tett volna mást a kondás, mint hogy bevigye a királykisasszony kertjének a közepébe, és ott ültesse el. Aztán beköszönt a királyhoz:

– Szerencsés jó napot adjon isten, felséges uramatyám! Én bújni jöttem!

– Ejnye, hát te még ki sem állottad a próbát, mégis már atyádnak szólítasz?! No de majd megválik, hogy bújsz el: a próba három nap, ha azt kiállod, tulajdon lányomat s fele királyságomat adom neked; különben isten hozott, édes fiam! Tedd le a szűröd! Lesz itt enni-inni, holnap meg majd dologhoz látsz.

Azzal bort, pecsenyét tettek eléje, s vendégeskedett, mint egy hatökrös gazda.

"God grant you good day! Now, what are you doing, why are you fighting so?

"God save you," said the eagle, "why indeed should we not fight! See, when our father died he bequeathed us a pair of boots. Now we would like to divide it, but we simply do not know how. Do us the kindness, therefore, settle our difference, and we will render you service at some time."

"Very well, I will do as you desire, do you know what? You, friend eagle, fly to this hill here, and you, raven, to that hill there. Once you are both there I will give a shout, you both come flying here to me, and the one that arrives the sooner shall have the boots."

And so they did. The eagle flew to the one hill and the raven to the other. Then the swineherd gave a shout and they flew like the wind contending together; the eagle reached the goal the sooner, and the boots were his. Again the swineherd went on his way. As he walked he noticed at the side of the road a rose that had been broken off and was beginning to wither. At that he stopped and said to it:

"Now, my dear little rose, are you not withered! Shall I take you from here, or shall I not? Well, I think I will, it may be that you will bring me good fortune."

With that he set off again, and stuck the rose in the side of his hat. Scarcely had he gone a stone's throw than suddenly the rose spoke:

"Do you hear, friend swineherd! You have just saved my life, and I shall never forget! But plant me right in the middle of the princess's garden and water me every morning, and you shall see how beautiful I become, and I know, by God, you will not regret it."

What else could the swineherd do but take the rose to the middle of the princess's garden and there plant it. Then he went in to greet the king:

"God grant you a fortunate good day, exalted lord and father! I have come to hide!"

"Goodness, you have not yet undergone the test and you already call me father? We shall see how well you can hide: the test lasts three days, and if you succeed I shall give you my daughter and half my kingdom; but welcome, my dear boy! Take off your coat! Here is food and drink, and tomorrow you begin your task."

With that wine and roast meat were set before him and he was entertained like a farmer with six oxen.

Hajnalban mihelyst pitymallani kezdett, avval a szóval költötte fel a király a kondást:

– No, fiam, itt az idő, bújj el, ahova tudsz.

A legény nyakába veti a szűrét, s útnak indul széles e világba. De nagy szomorúságnak adja meg magát, mert nem tudott olyan helyet kigondolni, ahol a királykisasszony meg ne látta volna. Hát mit volt mit tenni, ment, mendegélt a Tisza-parton. Mikor meg elfáradt, egy kis bokor tövébe heveredett le. Ott a víz szélén sok apró hal úszkált fel s alá, ő meg a tarisznyájából kenyérmorzsát vett elő, s azt szórta be nekik. Erre még több hal gyűlt a parthoz. Itt jutott őkelmének eszébe, hogy neki is van a szűrujjában egy kis hala. Ki is vette egyszeribe, a tenyerére tette, s úgy merítette a víz alá, alig volt egy-két szempillantásig a kis halacska a víz alatt, mindjárt felelevenedett, de bezzeg el is tűnt a kondás tenyeréből. Csak ott búslakodik, csak ott szomorkodik magában a legény, hát egyszer csak egy nagy hal emelkedik ki a vízből – volt legalábbis oly nagy, mint egy ökör. Szétnéz a nagy hal, köszönti a kondást:

– Szerencsés jó napot, kondás pajtás! Ugye, te bújni jöttél?

– Bújni ám, hal pajtás! De mi haszna! Nem tudom, lesz-e belőle valami.

– Ne búsulj semmit, megmentetted egyszer az én életem, most hát segítek én is a sorodon. Tudod, mit? Ülj belém, majd leviszlek a Tisza legeslegfenekére, ott talán csak nem lát meg a királylány!

Úgy is lett, a kondás beleült a halba, és úgy mentek le a Tisza fenekére, ott aztán leheveredett, és hosszú szárú pipára gyújtott.

Délutáni egy órakor, mikor már megebédeltek, szólítja a király a lányát:

– Lányom, vigyázd a kondást.

A királylány kiáll a tornácba, tekint a napba: nincs, tekint a fába: nincs, tekint a kőbe: nincs, tekint a vízbe, ott meglátta.

– Hej, uramatyám! Még ilyen legényre sem akadtunk, aki így elbújjék!

– Hogyhogy, lányom?

– Mikor az a kondás a Tiszának kellős közepén egy hal belső részében pipázik hosszú szárú pipából!

– Hej, a csillagát, még ilyen betyárt se láttam többet!

At dawn, as soon as it became light, the king roused the swineherd with the words:

"Well, my lad, the time has come, hide where you can."

The lad put his coat over his shoulders and set out into the wide world. But to his great sorrow he could not conceive of any place where the princess might not see him. So what was he to do, he went along the bank of the river Tisza. When he was tired he lay down under a little bush. There at the water's edge many little fish were swimming up and down, and he took a piece of bread from his bag and threw it to them. At that more fish yet came to the bank. Then he recalled that in the sleeve of his coat there was a little fish. So he took it quickly out, placed it on his palm and lowered it into the water; scarcely had the fish been in the water a blink or two of an eye than it revived and vanished from his hand. There the lad sat, sorrowful and grieving, when suddenly out of the water rose a big fish - at least as big as an ox. The big fish looked around and greeted the swineherd:

"A fortunate good day, friend swineherd! You have come to hide, have you not?"

"Yes indeed, friend fish! But to what purpose? I do not know whether anything will come of it."

"Do not be downhearted, you have saved my life and now I will help you in your turn. Do you know what? Come inside me and I will carry you to the very depths of the Tisza, and there perhaps the princess will not see you!"

So it was, the swineherd went into the fish and they went down to the bottom of the Tisza; there he lay and lit a long-stemmed pipe.

At one in the afternoon, after they had lunched, the king said to his daughter:

"Daughter, look for the swineherd."

The princess went out onto the porch and looked into the sun: he was not there, she looked into wood: he was not there, she looked into stone: he was not there, she looked into water and there saw him.

"Look, father! We have never found a lad that hid like this!"

"What do you mean, daughter?"

"Because the swineherd is sitting right in the middle of the Tisza inside a fish, smoking a long-stemmed pipe!"

"Well I never! I have never seen such a rascal!"

Ekkor a hal már kifelé vitte a kondást:

– No, pajtás, megláttak, már így haszontalan minden mesterség!

Hej, nagy szomorkodva ment haza a kondás, hogy már egy próbát megtett, osztán semmit se használt. Csak két nap már az élet. Otthon a király enni-inni adott neki.

– Fiam, már te ugyancsak derék legény vagy, azt már mégse hittem volna, hogy a Tisza közepén egy halban pipázzál hosszú szárú pipából; no, de még két próba van hátra, majd meglátjuk, rendben lesz-e holnap a szénád.

Reggelre virradva megint felköltötte a király a kondást:

– No, fiam, szedd magad és indulj!

Nyakába vette szűrét, és ment, mendegélt, amerre a két szeme vitte. Szomorú volt, mint akinek a házát vitte el a víz, mert reménysége se volt a jó elbújáshoz. Hát ahogy magában epedezik, egyszer csak melléje száll egy sas.

– Ugye, kondás pajtás, te bújni akarsz?

– Bújni bizony, sas pajtás, de nem tudok sehova.

– No, ne búsulj semmit! Egyszer te is nagy jót tettél velem, mikor a csizmát nekem juttattad, most hát itt az idő, hogy megszolgáljam. Ülj a hátamra, majd felviszlek a nap másik oldalára, ott tudom, nem lát meg.

Úgy is lett, a sas felvitte a kondást a nap másik oldalára. Ebéd után szólítja a király leányát:

– Lányom, vigyázd a kondást, majd meglátjuk, elbújt-e most is, mint tegnap.

A királykisasszony is kiáll a tornácba, tekint a vízbe: nincs, tekint a fába: nincs, tekint a kőbe: nincs, tekint a napba, ott meglátta.

– Hahaj! Uramatyám, még ilyet soha világéletemben nem értem!

– Hogyhogy, lányom? Mi lehet az?

– Hát atyámuram, mikor az a kondás ott van a nap háta megett. Ezt sohase gondoltam volna!

– Már, lányom, csakugyan nagy mester ez a mi kondásunk, ilyet a nagyapám lelke se látott.

Ahogy a sas ezt megtudta, így szól a kondáshoz:

Then the fish brought the swineherd out:

"Well, my friend, you have been seen, every trick is just as useless!"

Oh, the swineherd went home very sorrowful at having made one attempt without success. He had only two more days to live. At home the king gave him food and drink.

"My boy, you are a stout fellow, I would never have believed that you would be smoking a long-stemmed pipe inside a fish in the middle of the Tisza; well, you have two further attempts, we shall see whether tomorrow will be your lucky day."

Next morning at dawn the king roused the swineherd:

"Well, my boy, up you get and off you go!"

He put his coat over his shoulders and walked where his eyes took him. He was as gloomy as one whose house has been swept away by a flood, for he had not a hope of hiding successfully. And as he was languishing all alone, suddenly an eagle flew to his side.

"Friend swineherd, you wish to hide, do you not?"

"Certainly I do, friend eagle, but I do not know anywhere."

"Well, be not downhearted! Once you did me a great kindness when you awarded me the boots, so here is the time for me to be at your service. Sit on my back and I will take you to the other side of the sun. There, I know, she will not see you."

So it was, and the eagle took up the swineherd to the other side of the sun. After luncheon the king said to his daughter:

"Daughter, look for the swineherd. Let us see whether he has hidden today as he did yesterday."

The princess went out onto the porch and looked into water; he was not there, she looked into wood; he was not there, she looked into stone; he was not there, she looked into the sun and there she saw him.

"Upon my word, my dear father, I have never seen such a thing in my life!"

"What do you mean, daughter? How can that be?"

"Well, father, there is the swineherd on the other side of the sun. I never would have thought it!"

"Well, daughter, this swineherd of ours is a very clever fellow. Even my grandfather's soul never saw the like."

As the eagle perceived this, it said to the swineherd:

– No, kondás pajtás, már meglátott a királylány, hiába minden, innen le kell mennünk, nem is tudom, hova bújsz most már, ha már itt is meglátott.

Mit volt mit tenni, lehozta a sas a napból, idelent elmegy a kondás a király elébe, ez meg csak elcsudálkozik, amint meglátja.

– No, fiam, ezt már csakugyan nem hittem volna! Az első bújásod is nagy volt, de hát még ez! Hajaj… a nap háta megett! No de most egyél-igyál, majd holnap megteszed a harmadik próbát. Ez lesz az utolsó, ha megteszed jól, akkor leányom s a fele királyságom kapod, de ha nem, akkor oda az életed.

Reggelre kelve megint felkölti a király a legényt, s imígy szól hozzá:

– Itt az idő, fiam; már csak ez az egy nap van hátra, menj isten hírével!

Hej, lelkem, nagy szomorkodva kullogott a kondás a királykisasszony kertjében. Hát ahogy ott sétálgat a gyönyörűbbnél gyönyörűbb virágok közt, egyszer megszólal olyan rózsa, amely az egész kertben legszebb volt:

– Szerencsés jó reggelt adjon isten, kondás pajtás! Ugye, te bújni jöttél?

– Adjon isten, rózsa pajtás! Biz' abban a szándékban volnék én, de nem tudom, lesz-e belőle valami, már elbújtam kétszer, először a Tisza fenekére, másodszor meg a nap háta megé; de most már nem tudom, hova leszek.

– Ne búslakodjál, pajtás! Jót tettél te is velem, hát nem veszem azt neked hiába. Tedd, amit mondok! Ülj belém mindjárt, a királykisasszony még délig templomba fog menni, neki meg hát mindig virágot szoktak szedni a kebelére. Majd ha a szobalányok eljönnek, engem törnek le, s engem tűznek a királykisasszony keblére: ne félj, nézhet akkor.

Úgy is lett az egész; amint a királykisasszony felkel, szólítja a szobalányokat:

– Lányok! Virágot hozzatok nekem, de a legszebbiket válogassátok ki.

Kiszaladtak a szobalányok, hát csak elcsodálkoztak, amint a rózsát látták, nem is állhatták meg szó nélkül, beszaladtak a kisasszonyhoz:

– Felséges királykisasszony! Még sose volt olyan szép virág a kertben, mint aminő most van, egy rózsa.

– No, az kell nekem! Tegyétek be a bokrétám közepébe, azzal fogok menni a templomba.

"Well, friend swineherd, the princess has seen you now, it has all been in vain, we must go down from here, I do not know where you will hide if she can see you even here."

There was nothing for it, the eagle took him down from the sun. On earth the swineherd went before the king, who was simply amazed when he saw him.

"Well, my boy, I really would not have believed it! Your first hiding-place was great, but this was more so! Goodness gracious... the other side of the sun! Well, have something to eat and drink, tomorrow will be your third attempt. That will be the last, and if you do well you shall have my daughter and half my kingdom, but if not, then your life is forfeit."

In the morning the king again roused the swineherd, and said to him:

"The time has arrived, my boy; this is the only day left now, God be with you!"

Oh, upon my soul, the swineherd lingered in the princess's garden. And as he was walking there among the flowers, each more lovely than the next, suddenly a rose spoke up, the most beautiful in the whole garden:

"God grant you a fortunate good day, friend swineherd! You have come to hide, have you not?"

"Greetings, friend rose! Certainly I am of that mind, but I do not know whether anything will come of it. I have already hidden twice, the first time on the bottom of the Tisza, the second behind the sun, but this time I do not know where to go."

"Be not downhearted, friend! You did me a good turn, and I will not let it pass unrewarded. Do as I say! Sit down at once in the midddle of me. The princess goes to church at mid-day, and a flower is always picked for her bosom. When the maids come out and break me off and pin me to the princess's breast, fear not, she can look then."

And so it all befell; when the princess rose she said to the maids:

"Girls! Bring me a flower, but choose the most beautiful one."

Out ran the maids and were simply overcome by wonder when they saw the rose; they could not but run inside to the princess:

"Your Highness! There was never so lovely a flower in the garden as one that is growing there now, a rose."

"Well, I must have it! Place it in the middle of my nosegay and I shall take it to church."

Úgy is lett, bevitték a rózsát, a királykisasszony el is ment a templomba, a rózsa meg ott volt a kebelén. Ebéd után szólítja a király a leányát:

– Lányom, vigyázd a kondást!

A királykisasszony kiáll a tornácba, tekint a napba: nincs, tekint a vízbe: nincs, tekint a kőbe: nincs, tekint a fába: nincs. Ekkor, lelkem, könnybe lábad a királykisasszony szeme:

– Jaj, atyám, sehol se látom a kondást!

– Nem lehet az, lányom, csak nézd meg jobban.

Megint tekint a napba: nincs, tekint a vízbe: nincs, tekint a kőbe: nincs, tekint a fába: nincs.

– Jajaj! Atyám, hova legyek, sehol se látom, akárhogy nézem is!

– No, csak nézd, lányom!

– Hiába, atyám! Már a vérkönnyű is csurog a szememűől, mégse látom.

De lelkem, a kondás se volt rest, kiugrik a királykisasszony kebeléről a rózsából, s nagy hirtelen megölelte, megcsókolta:

– No, szívem, szép szerelmem! Te az enyim, én a tied!

– Ejha, lélekadta kondása! – mondta az öreg király. – Megnyerted leányom s fele királyságom!

Ezzel megtették a nagy lagzit, táncoltak kivilágos virradatig, s most is élnek, ha meg nem haltak.

So it was, they took the rose in and the princess went off to church, the rose in her bosom. After luncheon the king said to his daughter:

"Daughter, look for the swineherd!"

The princess went out onto the porch, she looked into the sun; he was not there, she looked into water; he was not there, she looked into stone; he was not there, she looked into the wood; he was not there. Then, believe me, her eyes swam with tears:

"Alas, father, I cannot see the swineherd anywhere!"

"That cannot be, daughter, look harder."

Again she looked into the sun; he was not there, she looked into the water; he was not there, she looked into the stone; he was not there, she looked into the wood; he was not there.

"Alas, alas! Father, what is the matter with me? I cannot see him anywhere, however hard I look!"

"Well, keep looking, child!"

"It is in vain, father! My eyes are weeping tears of blood, I still cannot see him!"

But believe me, the swineherd was not slothful but sprang out of the rose in the princess's bosom and, much to her surprise, embraced and kissed her.

"Come, my heart, my beautiful love! You are mine and I am yours!"

"Well, you daring swineherd!" said the old king. "You have won my daughter and half my kingdom!"

With that a great wedding was held, they danced until dawn, and are still alive if they have not died.

A mindent látó királylány
The Princess That Saw Everything

A kis gömböc

Volt egyszer a világon, még az Óperenciás-tengeren is túl, egy szegény ember meg egy szegény asszony. Volt nekik három lányuk, meg egy kis malacuk. Mikor a malacot már jól meghizlalták, vagy ahogy ők mondták, annyira zsöndítették, hogy kétujjnyi zsír volt a hátán, megölték. A húsát felrakták a füstre, a gömböcöt pedig felkötötték a padláson a legelső gerendára, a szelemenre. Ötőjüknek csak annyi volt a kis malac húsa, mint egy eperszem. Már az orja, nyúlja, feje mind elfogyott. Egyszer a szegény asszony ráéhezett a gömböcre, azt mondja hát a legöregebb lányának:

– Eredj csak fel, lányom, a padlásra, akaszd le a szelemen gerendáról azt a kis gömböcöt, főzzük meg.

Felmegy hát a lány a padlásra; amint a szelemenről le akarja vágni a gömböcöt, csak azt mondja az neki:

– Hamm, mindjárt bekaplak! – S nem tréfált, hanem igazán bekapta.

Lesték, várták odalenn a lányt a gömböccel, hogy jön-e végre.

De biza nem haladt. Azt mondja hát az asszony a középső lányának:

– Eredj csak fel, lányom, a nénéd után, mondjad neki, hogy hozza azt a kis gömböcöt!

Felmegy hát a másik lány is, szétnéz a padláson, de nem látja sehol nénjét. Azzal odamegy a kémény mellé, s le akarja vágni a kis gömböcöt, de az azt mondja neki:

– Már a nénéd lenyeltem, hamm, téged is bekaplak!

Azzal szépen bekapta.

Odalenn csak lesi, csak várja a szegény asszony a lányokat. Mikor aztán megsokallta a várakozást, azt mondja a legkisebb lányának:

– Eredj csak fel, lányom, hídd le már a nénéidet; azok az isten nélkül valók bizonyosan az aszalt meggyet szemelgetik.

Amint felmegy a kislány a padlásra, azt mondja neki a kis gömböc:

The Little Bladder

Once upon a time, even beyond the sea of Óperencia, there lived a poor man and woman. They had three daughters and a little pig. When the pig had been fattened or, as they put it, filled out, so that there were two fingers of lard on its back, they killed it. They smoked the meat but tied up the bladder on the first beam, the purlin. For the five of them the meat of the pig was but a mouthful. Spare ribs, belly, head, all were used up. One day the poor woman felt a hunger for the bladder, and said to her eldest daughter:

"Go up into the loft and take down that little bladder from the purlin, and we will cook it."

So up went the girl to the loft; as she was about to cut down the bladder from the purlin it said to her:

"Yum yum, I am going to swallow you up." And it was in earnest, and really did swallow her up.

Downstairs they looked and waited for the girl eventually to bring the bladder. But of course she did not appear. So the woman said to her middle daughter:

"Go upstairs, daughter, after your elder sister, and tell her to bring that little bladder."

So up went the second girl too and looked around the loft, but nowhere could she see her sister. And so she went towards the chimney and was about to cut down the little bladder, when it said to her:

"I have already swallowed your elder sister, yum yum, I will swallow you too!"

And with that it actually did.

Downstairs the poor woman went on looking and waiting for the girls. When she was tired of waiting she said to her smallest daughter:

"Go upstairs, daughter, and call your sisters down; those good-for-nothings are taking the dried morellos, mark my words."

Then up went the little girl to the loft, and the little bladder said to her:

– Már két (nénéd elnyeltem, hamm, téged is bekaplak!

S bekapta azt is.

Az asszony már nem tudta mire vélni, hogy hol maradnak azok a lányok oly soká. Felment hát a nyújtófával, hogy majd lehívja őket, de úgy, hogy nem köszönik meg, mert elhányja a hátukon a bőrt. Amint felment, azt mondja neki a kis gömböc:

– Három lányodat már bekaptam, hamm, téged is bekaplak!

Azzal úgy bekapta, hogy még a kisujja sem látszott ki.

Aztán a gazda, a szegény ember is, mikor már elunta várni a lányait meg a feleségét, felment a padlásra. Amint odamegy a kémény mellé, azt mondja neki a kis gömböc:

– Három lányod, feleséged már bekaptam, hamm, téged is bekaplak!

És nem teketóriázott sokat, hanem ízibe bekapta; de a rossz kócmadzag már nem bírt meg öt embert, hanem elszakadt, a kis gömböc pedig leesett; azután, hogy feltápászkodott, elkezdett gurulni, s gurult, gurult a garádicson a földre.

Amint a kiskapun kigurult, kinn az utcán előtalált egy csoport kaszás embert, s azt az egész csoportot is mind egy szálig bekapta.

Azzal gurult, gurult tovább. Az országúton előtalált egy regement katonát. Azokat is minden bagázsitól együtt bekapta. Megint gurult tovább. Nem messzire onnan, az árokparton egy kis kanászgyerek legeltette a csürhét. A disznók szerteszéjjel cserkésztek, a kis kanászgyerek pedig ott ült az árokparton, s a bécsi bicskájával kenyeret, szalonnát evett. Odamegy a kis gömböc a kis kanászgyerekhez is, s azt mondja neki:

– Már három lányt apjostól-anyjostól, meg egy csoport kaszás embert, egy regement katonával együtt bekaptam, hamm, téged is bekaplak!

Hanem amint be akarta kapni, a bécsi bicska megakadt a kis gömböc szájában, az aztán kihasította. Csak úgy özönlött ki belőle a sok katonaság meg a sok ember. Azután ment mindenki a maga dolgára; a kis gömböcöt pedig otthagyták az árokparton kirepedve.

Ha a kis gömböcöt a kis kanász bécsi bicskája ki nem hasította volna, az én kis mesém is tovább tartott volna!

"I have already swallowed your two elder sisters, yum yum, I will swallow you too!"

And it swallowed her too.

By this time the woman did not know what to think about why the girls were taking so long. So up she went with the rolling-pin to call them down in a manner for which they would not thank her, as she would take the skin off their backs. When she went up the little bladder said to her:

"I have swallowed up your three daughters, yum yum, I will swallow you up too!"

And with that it swallowed her up so that not so much as her little finger was showing.

Then the farmer, the poor man himself, grew tired of waiting for his daughters and his wife, and went up into the loft. As he approached the chimney the little bladder said to him too:

"I have swallowed up your three daughters and your wife, yum yum, and I will swallow you too!"

And it lost no time, but took him in its mouth; the weak string, however, could not stand the weight of five people but broke, and the little bladder fell; then, as it struggled to rise, it rolled and rolled down the stairs to the ground.

As it rolled out of the garden gate into the street it encountered a party of men with scythes, and it swallowed up the whole group to the last hair.

Then it rolled and rolled onward. On the highway it met a regiment of soldiers; them too it swallowed bag and baggage, and rolled on. Not far from there a little pig-boy was grazing his pigs beside a ditch. The pigs were scattered in all directions, but the little lad was sitting by the ditch eating bread and bacon with his pocket-knife. Over went the little bladder to him and said:

"I have swallowed up three girls with their father and mother, a party of mowers and a regiment of soldiers, yum yum, and I will swallow you up too!"

But when it went to swallow him the pocket-knife stuck in its mouth and tore it. Then out poured all the many soldiers and people and went their way, leaving the little bladder lying burst by the ditch.

If the little pig-boy's pocket-knife had not torn the little bladder, my little story too would have lasted longer!

A kis gömböc
The Little Bladder

Fábólfaragott Péter

Volt egy szegény parasztember és a felesége. De hát azoknak soha gyerekük nem volt. Egyszer azt mondja az ember a feleségének:

– No, asszony, gondoltam én egyet!

– Hát mit, apjuk?

– Elmegyek az erdőbe, és fából faragok egy gyermeket.

Ezen nagyot kacagott az asszony.

Úgy is történt. Estére, mire a vacsora készen lett, az ember egy kifaragott gyermekkel hazaérkezett. Az ajtó sarkába állította, és leültek az asztal mellé vacsorázni. Ahogy vacsoráztak, maradt egy kis étel. Még azt mondja az asszony:

– No, éppen a fiunk részére megmaradott.

Akkor lefeküdtek. Egyszer éjfél felé megszólal a gyermek:

– Édesanyám, alusznak-e mélyen?

Megörült az asszony, felelt azonnal:

– Nem alszunk, édes gyermekem.

– No, ha nem alusznak, keljen fel, és adja ide a vacsorámat!

Hát a fából faragott gyermek megelevenedett. Addig gyönyörködtek benne, beszélgettek, hogy szépen meg is virradott.

Mikor háromnapos lett, kérte a gyermek, hogy engedjék ki az utcára, hadd keressen magának játszótársat. Kiment a kicsi fiú a kapu elé. Hát éppen egy fiú várta őt. Kérdi Fábólfaragott Péter:

– Te kis pajtás, lakik-e ebben a városban kardmester?

– Hogyne laknék, éppen ott van, nem messze!

Azzal Péter bemegy az apjához, s mondja:

– Legyen szíves, adjon nekem nyolc krajcárt!

– Ó, édes gyermekem, adok én neked többet, mit érsz azzal a csekélységgel?

– Nekem csak nyolc krajcár kell! – mondja Fábólfaragott Péter.

Azzal kifutott, s elment a pajtásával a kardmesterhez. Ott azt mondja:

Wooden Peter

There lived a poor peasant and his wife, but they never had any children. One day the man said to his wife:

"Now, wife, I have had an idea!"

"What is that, father?"

"I will go into the forest and carve a child out of wood."

At that the woman laughed aloud.

And so it was. That evening, when supper was ready, the man came home with a child carved out of wood. He stood it in the corner by the door and they sat down at table to eat. When they had eaten there was a little left over. And the woman said:

"Well, there is just a bit left for our son."

Then they went to bed. Suddenly in the night the child spoke:

"Mother, are you fast asleep?"

"We are not, my dear child."

"Well, if not, please get up and give me my supper!"

So the child carved of wood had come to life. They were delighted, and talked until it was broad daylight.

When he was three days old the child asked to be allowed out into the street to find a playmate. The little boy went outside the door, and there was a boy waiting for him. Wooden Peter asked:

"My little friend, is there a swordsmith in this town?"

"Of course, he lives just there, not far away!"

With that Peter went in to his father and said:

"Please let me have eight krajcár!"

"Oh, my dear child, I will give you more, what can you buy for that small sum?"

"I only need eight krajcár!" said Wooden Peter.

With that he ran off and went with his friend to the swordsmith. There he said:

– Kardmester úr, adja nekem nyolc krajcárért azt a kardot, amelyet legelőször készített.

– Ó, kedves öcsém – mondja a kardmester –, azt a rozsda is megette. De van itt réz-, arany- és gyémántkardom. Amelyik tetszik, azt veheted! Nem kérek azért egy krajcárt sem!

– Nem gyermek kezébe való az – feleli Péter –, hanem keresse ki azt a kardot, amelyen legelőbb tanult. Az kell nekem.

Elment a kardmester, s addig hányta a kardokat, amíg megtalálta azt a rozsdás kardot, amelyet legelőbb készített. Újból kutatni kezd, és megtalálja azt a tokot is, amelyikbe a kard illik.

Péter vette a kardot, fölkötötte. Hát úgy illett rá, mintha onnan nőtt volna ki derékból. Azt mondja:

– No, itt van nyolc krajcár, mert az első munkát meg kell fizetni.

Aztán nagy örömmel elment haza. Éppen másnap következett egy sokadalom abban a városban. Azt mondja Péter az édesapjának:

– Édesapám, menjünk ki a vásárba, hadd lássam, milyen gyülekezés van ott.

– Éppen úgy is akartam, édes fiam – mondja az apja –, menjünk, és vegyünk két ökröt.

Járnak a piacon az ökrök között. Hát egyszer hallják, hogy van itten két ökör két aranylánccal összekötve. Amelyik vitéz kettévágja a láncot, azé lesz a két ökör.

Azt mondja Fábólfaragott Péter az édesapjának:

– Menjünk, apám, arrafelé! Hadd lássam, milyen az a két ökör!

Hát látják, hogy milyen szép két aranyökör. Azt mondja Péter:

– Ha megengednék, én hozzávágnék.

Elcsodálkoznak, hogy mit akar ez a kisfiú, de meg kellett engedni. Ekkor Péter hozzávágott, s úgy elvágta az aranyláncot, hogy annak csengése-pengése tizenkét országon is keresztülhallott. A két ökör meg felcsapta a farkát, és egyenest futott hozzájuk az istállóba.

Ekkor azt mondja az gazdájuk:

– No, te Fábólfaragott Péter, menj haza, és adj nekik enni. De tudd meg, hogy ezeket hiába kínálod akármiféle takarmánnyal, mert ezek csak parazsat esznek!

Hazament Péter, s tizenkét öl fát meggyújtott. Mielőtt az elégett volna, vette az itatóvedret, és hányta a parazsat belé. Azt a két ökör mind egy szálig megette. Igen ám, de ekkor a két ökör felhányta a farát, és egyik ment napnyugatnak, a másik napkeletnek.

"Swordsmith, sir, sell me for eight krajcár the first sword that you made."

"Oh, my dear boy," said the swordsmith, "rust has eaten that up. But here I have swords of bronze, gold and diamonds. You may take whichever you please! I will not ask a single krajcár for it!"

"Those are not suitable for a child's hand," said Peter, "but pick me out the sword on which you learnt. That is the one I must have."

Away went the swordsmith and searched among the swords until he found that rusty sword, the first that he had made.

He searched again and found the scabbard into which it fitted.

Peter took the sword and put it on. It fitted him as if it had grown from his waist. He said:

"Well, here are the eight krajcár, for the first piece of work must be paid for."

The he went home, very pleased. The next day there was a crowd of people in the town. Peter said to his father:

"Father, let us go to market. I wish to see what the assembly is for."

"So do I, my dear boy," said his father, "let us go and buy two oxen."

They went and looked at the oxen on the market-place. Suddenly they heard that there were two oxen fastened together by two gold chains. The strong man that could cut the chain would take the two oxen.

Wooden Peter said to his father:

"Let us go there, father! Let me see what the two oxen are like!"

And so they saw what fine golden oxen they were. Peter said:

"If I were permitted I would make the attempt."

All were astonished at this small boy's request, but he had to be permitted. Then Peter struck and so cut through the golden chain that its clattering and tinkling could be heard in twelve lands. The two oxen flicked their tails and ran straight home into the stable.

Then their owner said :

"Now, Wooden Peter, go home and feed them. But be warned not to give these any ordinary fodder, for they only eat live coals."

Home went Peter and set fire to fifteen cords of wood. Before the wood had burnt out he brought the water-bucket and tossed the embers into it. The two oxen ate it all to the last bit. Yes, but then the two turned tail, and the one went west, the other east.

Ekkor azt mondja Fábólfaragott Péter:

– No, édesapám, jöjjön velem! Mutatok én magának egyet!

Kiment a kapu elé. Péter a kapu sarkában két helyre beleütötte az ujját. Egyik lyukból tiszta piros bor folyt, a másikból meg tiszta pálinka.

– No, édesapám, ide tegyen asztalokat, üvegeket. Itt ihatik mindenki, amennyi kell neki. No, most, édesapám, látja ezt a szántótaligát?

– Látom, kedves fiam!

– Hát ezt a malomkövet látja-e?

– Látom, kedves fiam.

– No, mikor ez a szántótaliga az ajtó elé áll magától, és a malomkő felmegyen a szántótaligára, a bor vízzé változik, a pálinka pedig piros vérré, akkor tudja meg, hogy én meghaltam. Akkor, ha fel akar keresni, üljön fel a szántótaligára, mert az éppen oda viszi, ahol én vagyok. Most, kedves édesapám, nekem el kell mennem világot látni, szerencsét próbálni.

Elindult Fábólfaragott Péter, hét országon, hét világon keresztülment: Elérkezett egy királyi városba. Beköszönt a királyhoz:

– Adjon isten jó napot, felséges királyom.

– Hozott isten, öcsém. Mi járásban vagy?

– Elindultam szolgálni, szerencsét próbálni.

– Az asztalosinasom éppen most halt meg! – mondja a király. – Mit kérsz egy esztendőre?

– Nem kérek én semmit, csak ételt-italt.

Ott maradt, végezte az asztalosinasi dolgát. Olyan ügyesen és kellemesen járt, hogy a király nagyon megszerette. A királynak volt egy lánya, az is annyira megszerette, hogy már meg akart halni, hogyha nem adják hozzá feleségül.

– No – azt mondja a király –, inkább megengedem, hogy hozzámenjen.

És azonnal hirdettek nagy lakodalmat. Jöjjenek elő grófok, bárók, hercegek, papok és hóhérok. Pap eskette, hóhér seprűzte őket. Aztán úgy éltek a királyi udvarban, mint férj és feleség.

Egyszer jön a királyhoz egy olyan írás, hogy fűt-fát állítson glédába, s itt és itt jelenjen meg a háborúban. Mikor ezt a király meghallotta, nagyon sírt. Kérdi Fábólfaragott Péter:

– No, felséges király, hát te miért sírsz?

– Hát hogyne sírnék, édes fiam – mondja a király –, mikor egy olyan írás érkezett, hogy fűt-fát állítsak glédába, és itt és itt jelenjek meg a háborúban.

Then Wooden Peter said to his father:

"Now, father, come with me! I have something to show you!"

He went outside and Peter dug his finger into the ground in two places at the corner of the door. From one hole flowed pure wine, from the other pure brandy.

"Now, dear father, put tables here and glasses. Here everyone can drink their fill. Now, father, do you see that plough?"

"Yes, dear boy!"

"And that mill-stone?"

"Yes, dear boy."

"Well, when the plough goes of itself to stand outside the door and the mill-stone goes on top of it, the wine changes to water and the brandy to red blood, then you will know that I have died. Now, dear father, I must be off to see the world and seek my fortune."

Off went Wooden Peter over seven lands, seven worlds. He reached the city of a king. He went and greeted the king:

"God grant you good day, exalted king!"

"Welcome, my lad! What is your errand?"

"I have come to enter service and seek my fortune."

"My carpenter's apprentice has just died!" said the king. "How much do you want for a year?"

"I want nothing beyond my keep."

There he stayed and completed his apprenticeship as a carpenter. He worked so cleverly and pleasantly that the king became very fond of him. The king had a daughter and she too fell so much in love with him that she wished to die if she could not be married to him.

"Well," said the king, "rather than that I will permit her to marry him."

And at once a great wedding was held. Along came counts, barons, dukes, priests and headsmen. A priest married them, a headsman flogged them. Then they lived in the king's court as man and wife.

One day there came to the king a decree that he should marshal his men and go to war. When the king heard this he wept greatly. Wooden Peter asked:

"Come, exalted king, why do you weep?"

"How should I not, dear by," said the king, "when a decree has come that I must marshal my men and go to war."

– No, ezért, felséges királyom, sose sírj. Elmegyek én oda egyedül is.

– Ó, kedves fiam, mit érsz te ott egyedül? Csak mint a szúnyog a bivaly mellett!

De Péter csak elment egyedül. Annyira harcolt a kardjával, hogy már olyan sok volt a holttest mellette, hogy neki csak fenn a kardja tudott mozogni, és a feje látszott ki. Akkor az ő fejét is levágták.

Akkor reggel a szántótaliga otthon elment az ajtó elé, a malomkő felment a szántótaligára magától, a bor vízzé változott, a pálinka piros vérré.

Látta ezt Péter apja, felült a szántótaligára, és elment oda, ahol Pétert levágták. Hát annyi holttest van ott, hogy egy fűszál sem látszik tőlük. És napkeletről az egyik, napnyugatról a másik aranyökör úgy jön, hogy ég-föld majd összeakad.

Ekkor a két aranyökör hányni kezdi a szarvával azt a sok testet, amíg Pétert kiveszik onnét. No de hát a nyaka le volt vágva, és semmi élet nem volt benne. Akkor azt kérdezi egyik ökör a másiktól:

– Hát te mit tudsz?

– Én tudok annyit, hogy össze tudom ragasztani. Hát te mit tudsz? – kérdi a másiktól.

– Én lelket tudok ereszteni belé.

Ekkor az egyik összeragasztotta, a másik lelket fútt belé. Fölkel Fábólfaragott Péter:

– Jaj, de jót aludtam!

– Aludtál volna bizony örökre, ha mi nem lettünk volna – mondják az ökrök.

Akkor megindult Péter és hazament.

Ahogy hazaértek, a király újra összehívta a grófokat, hercegeket, válogatott cigánylegényeket, és felavatták királynak. Még mai napig is folytatja a királyságot, ha véletlenül meg nem halt.

"Now, exalted king, do not weep on that account. I will go alone."

"Oh, dear boy, what will you be worth alone? It will be as a gnat against a buffalo!"

But off went Peter alone. He fought so with his sword that so many were the dead around him that he could only move his sword overhead, and only his head was visible. Then his head too was cut off.

Then in the morning at home the plough moved to the door and the mill-stone raised itself on top of it, the wine changed to water and the brandy to red blood.

Peter's father saw this, sat on the plough and rode to where Peter had been cut down. There were so many dead bodies that not a blade of grass could be seen for them. And from the east came one golden ox, from the west the other, like the meeting of earth and sky.

Then the two golden oxen began to toss aside the many bodies with their horns until they took out Peter. His neck was cut through and there was no life in him. Then the one ox asked the other:

"What can you do, then?"

"I can put him together. What can you do?"

"I can breathe life into him."

Then the one put him together and the other breathed life into him. Wooden Peter rose:

"Oh, I have slept a good sleep!"

"You would have slept for ever, indeed, had it not been for us," said the oxen.

Then Peter set off for home.

When they arrived the king once more summoned the counts, dukes and chosen Gipsy-lads, and they consecrated him king. He still holds sway to this day, if he has not perchance died.

Fábólfaragott Péter
Wooden Peter

A halál és a vénasszony

Egyszer volt, hol nem volt, még az Óperenciás-tengeren is túl, még az üveghegyeken is túl, kidőlt-bedőlt kemencének egy csepp oldala se volt, ahol jó volt, ott rossz nem volt, ahol rossz volt, ott jó nem volt, volt egyszer egy nekeresdi s ebkérdi kopasz hegy mellett egy folyó, ennek a partján volt egy vén, odvas fűzfa, annak minden ágán egy-egy ringyes-rongyos szoknya, ennek minden fércében-korcában egy-egy csorda bolha – s ezen bolhacsordának az legyen a csordása, ki az én mesémre figyelmesen nem hallgat. Ha pedig közüle csak egyet is elugrat: akkor az a bolhacsorda iszonyú vérontásának legyen kitéve, s csipkedjék agyon.

Hol volt, hol nem volt, volt hát a világon egy igen-igen vén asszony, aki öregebb volt az országútnál, vénebb volt az öreg isten kertészénél. Ez a vénasszony sohasem gondolt arra, még akkor se, mikor már a hamut is mamunak mondta, hogy még egyszer meg is kéne ám halni, hanem ahelyett úgy megdolgozott, úgy lótott-futott a gazdagság után; csetlett, botlott, sepert, kotort, az egész világot el akarta nyelni, pedig nem volt senkije sem, csak akkora se, mint az öklöm. De volt is ám az igyekezetének látatja, mert utóvégre úgy megszedte magát, úgy meghizakodott, hogy jobban se kellett; volt is annak a házánál kis fejsze, nagy fejsze, minden.

Egyszer azonban az ő nevét is kikrétázta a halál, el is ment hozzá, hogy elviszi magával; azonban a vénasszony sajnálta otthagyni a gazdagságot, kérte hát a halált, könyörgött neki, hogy ne vigye még el egy darab ideig, engedjen még neki ne többet, csak tíz esztendőt vagy csak ötöt, vagy csak egyet. De a halál sehogy se akart engedni, hanem azt mondta:

– Készülj hamar, oszt gyere, ha nem jössz, viszlek.

De a vénasszony nem hagyta, csak kért, csak rimánkodott, hogy engedjen még neki valami kis időt, ha nem sokat is. De a halál azt mondta, hogy már beírta a nagy könyvbe, nem tehet semmit. Végre mégis addig rimánkodott a vénasszony, hogy a halál azt mondta:

Death and the Old Woman

Once upon a time, far away, even beyond the Sea of Óperencia, even beyond the Glass Mountains, was a ruined furnace without a side, where it was good it was not bad, and where it was bad it was not good, beside a bare mountain, farther away than the back of beyond, was a river, and on its bank an ancient, hollow willow, and on every branch a ragged, tattered skirt, in every thread and hem of each of which was a horde of fleas – and let him that does not heed my story become the herdsman of those flea-hordes. And if he makes me forget just once, let him be consigned to the dread blood-letting of the horde of fleas, and be bitten to death.

Once upon a time, then, there lived a very, very old woman, older than the highroad, older than old God's gardener. Never did the old woman think, even when she said *mere* instead of *here*, that she would have one day to die, but instead she hurried and scurried after wealth; she was always on the look-out, sweeping, scouring, trying to swallow the whole world, even though she had no-one, not even anyone as big as my fist. But her efforts bore fruit, for in the end she feathered her nest, amassed a fortune and was in want no more; and in her house she had a small axe and a big axe, everything.

One day, however, Death chalked up her name and went to call on her to take her away; but the old woman was reluctant to leave her wealth and so she asked Death, pleaded with him, not to take her away for a while yet, to allow her no more than ten years, or five, or just one. But Death would on no account allow it, but said:

"Get ready quickly, if you will not come I shall take you."

But the old woman would not give up, but begged and pleaded that he should allow her a little time even if he would not give her much. But Death said that he had already entered her in the big book, there was nothing that he could do. Finally the old woman pleaded so much that Death said:

– Na, nem bánom, engedek hát három órát.

– Az nagyon kevés – mondja a vénasszony –, hanem ne vigyél el ma, inkább halassz holnapra.

– Nem lehet!

– No de mégis!

– Nem lehet!

– Ugyan már, no!

– No, ha olyan nagyon rád ásták – mondja a halál –, nem bánom, legyen!

– Oszt még azt kérném, hogy hát izé...írd fel ide az ajtóra, hogy holnapig nem jössz el... legalább biztosabb leszek, ha ott látom az írást az ajtón.

A halál nem akart több időt tölteni, nem kötelőzködött tovább, hanem elővette a zsebéből a krétát, s az ajtó felső részére felírta: „Holnap" – s avval elment dolgára.

Másnap reggel napföljötte után elment a halál a vénasszonyhoz, akit még akkor is a dunna alatt talált.

– Na, gyere velem! – mondja neki a halál.

– Nem addig van az, nézd csak, mi van az ajtón!

A halál odanéz, látja rajta az írást, hogy: holnap.

– Na, jól van, de eljövök ám holnap! – avval eloldalpálozott.

A halál meg is tartotta szavát, mert a következő nap ismét elment a vénasszonyhoz, aki még akkor is az ágyon nyújtózkodott – de most se ment vele semmire, mert az most is az ajtóra mutatott, ahol az volt írva: holnap.

Ez így ment egy hétig, egyszer azonban a halál unni kezdte ezt a mulatságot, azt mondja hát a hetedik nap a vénasszonynak:

– Na, nem szedsz rá többet! A krétára szükségem van, hazaviszem! – avval szépen letörölte az ajtóról az írást. – Holnap pedig, de jól megértsd, holnap érted is eljövök, s magammal viszlek!

A halál elment. A vénasszonynak pedig csak leesett az álla; már látta, hogy holnap vagy akarja, vagy nem, de meg kell halni; félt, reszketett, mint a kocsonya.

Már másnap reggel felé nem tudott hova lenni félelmében, belebújt volna a halál elől az üres palackba is, ha lehetett volna. Találgatta, hogy hova bújjék; volt a kamarában egy hordó csurgatott méz, beleült abba, s csak az orra, szeme, szája látszott ki belőle.

"Very well, then, I do not mind, I will allow you three hours."

"That is very little," said the old woman, "but do not take me today, rather come tomorrow."

"Out of the question!"

"Oh, come on!"

"Impossible!"

"Oh, please, now!"

"Well, if it means so much to you," said Death, "I do not care, so be it!"

"I say, one more little thing...write here on the door that you will not come until tomorrow... I shall be more at ease if I can see it written on the door."

Death did not wish to waste any more time and delayed no longer, but took the chalk from his pocket, wrote 'Tomorrow' on the door and with that went off about his business.

Next morning after the sun had risen Death came to the old woman's house, and found her still under the quilt.

"Now, come with me!"

"It's not time, look what it says on the door."

Death looked, and saw the writing there: tomorrow.

"Very well, I will come tomorrow!" and he sidled away.

Death kept his word, for he came again the following day to the old woman's house and again she was still lying abed, and this time too he made no headway with her, for again she pointed out the door, where was written 'tomorrow'.

So it continued for a week, but one day Death began to tire of the game, and on the seventh day he said to the old woman:

"Now, you shall deceive me no more! I need the chalk, I shall take it home!" and with that he wiped the writing off the door. "Tomorrow, mark my words, tomorrow I shall come for you and take you away!"

Death went away. The old woman's shoulders drooped; she could see now that next day, like it or not, she would have to die. She was frightened and shook like a jelly.

Next day, as morning approached, she did not know where to put herself in her terror. She would have hidden from Death in an empty bottle, if she could. She looked and looked for a place to hide; there was in the pantry a barrel of liquid honey. She sat in it so that only her eyes and nose were showing.

– De hátha ott is rám talál?! Jobb lesz, ha a dunnába búvok.

Kijött hát a mézből, s belebújt a dunnába a toll közé, de ezt sem javasolta magának; ki akart hát jönni a dunnából, hogy más, jobb búvóhelyet keres, és amint bújt kifelé, éppen akkor toppant be a halál, aki el nem tudta gondolni, hogy micsoda istencsudája lehet az a tollas szörnyeteg, s úgy megijedt tőle, hogy ijedtségében úgy elszaladt, hogy még tán máig se ment felé a vénasszonynak.

"But what if he finds me there? It would be better to hide in the quilt."

So she climbed out of the honey and hid among the feathers in the quilt, but she did not care for that either; so she decided to come out of the quilt and look for another, better hiding-place, and as she did so in came Death, who could not think what on earth that feathered monster might be, and was so alarmed by it that he ran away in fright, and perhaps to this day has not been for the old woman.

A halál és a vénasszony
Death and the Old Woman

Fehérlófia

Egyszer volt, hol nem volt, még az Óperenciás-tengeren is túl volt, volt a világon egy fehér ló. Ez a fehér ló egyszer megellett, lett neki egy fia, azt hét esztendeig szoptatta, akkor azt mondta neki:

– Látod, fiam, azt a nagy fát?

– Látom.

– Eredj fel annak a legtetejébe, húzd le a kérgét.

A fiú felmászott, megpróbálta, amit a fehér ló mondott, de nem tudta megtenni. Akkor az anyja megint szoptatta hét esztendeig, megint felküldte egy még magasabb fára, hogy húzza le a kérgét. A fiú le is húzta.

Erre azt mondta neki a fehér ló:

– No, fiam, már látom, elég erős vagy. Hát csak eredj el a világra, én pedig meghalok.

Azzal meghalt. A fiú elindult világra. Amint ment, mendegélt, előtalált egy rengeteg erdőt, abba be is ment. Csak bódorgott, csak bódorgott, egyszer egy emberhez ért, ki a legerősebb fákat is úgy nyűtte, mint más ember a kendert.

– Jó napot adjon isten! – mondta Fehérlófia.

– Jó napot, te kutya! Hallottam hírét annak a Fehérlófiának, szeretnék vele megbirkózni.

– Gyere no, én vagyok!

Megbirkóztak. De alig csavarított egyet Fehérlófia Fanyűvőn, mindjárt a földhöz vágta.

– Már látom, hogy erősebb vagy, mint én – mondja Fanyűvő. – Hanem tegyük össze a kenyerünket, végy be szolgálatodba.

Fehérlófia befogadta, már ketten voltak.

Amint mennek, mendegélnek, előtalálnak egy embert, aki a követ úgy morzsolta, mint más ember a kenyeret.

– Jó napot adjon isten! – mondja Fehérlófia.

– Jó napot, te kutya! Hallottam hírét annak a Fehérlófiának, szeretnék vele megbirkózni.

Whitehorseson

Once upon a time, even beyond the Sea of Óperencia, there lived a white horse. This white horse one day gave birth to a son and suckled him for seven years. Then she said to him:

"My son, do you see that big tree?"

"I do."

"Climb right up to the very top and strip off the bark."

The boy climbed up and tried to do as the white horse had ordered, but could not. Then his mother suckled him another seven years and again sent him up an even taller tree to strip off the bark. And he did it.

At that the white horse said:

"Well, my boy, now I can see that you are strong enough. Out you go, then, into the world, and I shall die."

And with that she died. The boy went into the world. As he walked along he came upon a huge forest and went into it. As he wandered and wandered he came to a man who was uprooting the most mighty trees as another would hemp.

"God grant you good day!" said Whitehorseson.

"Good day, you young puppy ! I have heard tell of that Whitehorseson, and I would like to wrestle with him."

"Come then, I am he."

They wrestled. Scarcely had Whitehorseson grappled once with Uprooter than he had thrown him.

"I can see that you are one stronger than I," said Uprooter. "But let us join forces, take me into your service."

Whitehorseson agreed and they were two.

As they walked along they came upon a man who was crushing stones as another would bread.

"God grant you good day!" said Whitehorseson.

"Good day, you young puppy! I have heard tell of that Whitehorseson and would like to wrestle with him."

– Gyere no, én vagyok!

Megbirkóztak. De alig csavarított Fehérlófia Kőmorzsolón hármat-négyet, mindjárt a földhöz vágta.

– Már látom, hogy teellened nem csinálhatok semmit – mondja Kőmorzsoló. Hanem tudod, mit, végy be szolgálatodba, hű szolgád leszek halálig.

Fehérlófia befogadta, már hárman voltak. Amint mentek, mendegéltek, előtaláltak egy embert, aki a vasat úgy gyúrta, mint más ember a tésztát.

– Jó napot adjon isten! – mondja neki Fehérlófia.

– Jó napot, te kutya! Hallottam hírét annak a Fehérlófiának, szeretnék vele megbirkózni.

– Gyere no, én vagyok!

Sokáig birkóztak, de nem bírtak egymással. Utoljára Vasgyúró gáncsot vetett, földhöz vágta Fehérlófiát, erre ez is megharagudott, felugrott, s úgy vágta a földhöz Vasgyúrót, hogy majd odaragadt. Ezt is szolgálatába fogadta, már négyen voltak.

Amint tovább mennek, mendegélnek, rájuk esteledett, ők is megtelepedtek, kunyhót csináltak.

Másnap azt mondja Fehérlófia Fanyűvőnek:

– No, te maradj itt, főzz kását, mi elmegyünk vadászni.

Elmentek. De alighogy tüzet rakott, s a kásafőzéshez fogott Fanyűvő, ott termett egy kis ördög; maga nagyon kicsi volt, de a szakálla a földet érte. Fanyűvő nem tudott hova lenni ijedtében, mikor meglátta, hát még mikor rákiáltott:

– Én vagyok Hétszünyű Kapanyányimonyók, add ide azt a kását, ha nem adod, a hátadon eszem meg!

Fanyűvő mindjárt odaadta. Hétszünyű Kapanyányimonyók megette, azzal visszaadta a bográcsot. Mikor hazajöttek a cimborák, nem volt semmi ennivaló, megharagudtak, jól eldöngették Fanyűvőt, de az nem mondta meg, hogy miért nincs kása.

Másnap Kőmorzsoló maradt otthon. Amint kezdte főzni a kását, odament őhozzá is Hétszünyű Kapanyányimonyók, és kérte a kását:

– Ha ide nem adod, a hátadon eszem meg!

De Kőmorzsoló nem adta, Hétszünyű Kapanyányimonyók sem vette tréfára a dolgot, lenyomta a földre, hátára tette a bográcsot, onnan ette meg a kását.

"Come then, I am he."

They wrestled. Scarcely had Whitehorseson grappled three or four times with Stonecrusher than he had thrown him.

"I can see that I am powerless against you," said Stonecrusher. "But do you know what, take me into your service and I will be your faithful servant all my life."

Whitehorseson agreed, and they were three. As they walked along they came upon a man who was kneading iron as another would dough.

"God grant you good day!" said Whitehorseson.

"Good day, you young puppy! I have heard tell of that Whitehorseson and would like to wrestle with him."

"Come then, I am he!"

They wrestled for a long time, but neither could prevail. At last Ironkneader tripped Whitehorseson and threw him, at which he was enraged, leaped up and threw Ironkneader so hard that he stuck to the ground. He took him too into his service and they were four.

As they strolled along evening began to fall and they made camp and built a hut.

Next day Whitehorseson said to Uprooter:

"Now, you remain here and make porridge, we will go a-hunting."

Off they went. But scarcely had Uprooter lit a fire and begun to make porridge than there appeared an imp; he was very small of stature, but his beard reached to the ground. Uprooter did not know what to do, so frightened was he at the sight of him and at hearing him cry: "I am the imp Skullayard wide. Give me that porridge, and if you do not I will eat it on your back!"

At once Uprooter gave it to him. Skullayardwide ate it up and handed back the empty cauldron. When the friends returned there was nothing to eat; they were angry and beat Uprooter soundly, but he did not tell them why there was no porridge.

Next day Stonecrusher stayed in camp. As he began to make the porridge he too was visited by Skullayardwide, who demanded the porridge:

"If you do not give it to me I will eat it on your back!"

But Stonecrusher would not give it to him. Skullayardwide did not regard the matter lightly, knocked him to the ground, set the cauldron on his back and ate the porridge from there.

Mikor a többi három hazafelé ment, Fanyűvő előre nevette a dolgot, mert tudta, hogy Kőmorzsolótól is elveszi a kását Hétszünyű Kapanyányimonyók.

Harmadnap Vasgyúró maradt otthon. De a másik kettő se neki, se Fehérlófiának nem kötötte az orrára, miért maradtak két nap kása nélkül.

Ahhoz is odament Hétszünyű Kapanyányimonyók, kérte a kását, s hogy nem adta, a meztelen hasáról ette meg. Amint a többi három hazajött, ezt is jól elpáholták.

Fehérlófia nem tudta, miért nem csinált egyik se kását. Negyednap maga maradt otthon. A többi három egész nap mindig nevette Fehérlófiát, tudták, hogy ahhoz is odamegy Hétszünyű Kapanyányimonyók. Csakugyan oda is ment, de bezzeg megjárta, mert Fehérlófia megkötözte szakállánál fogva egy nagy fához.

Amint a három cimbora hazaért, mindjárt feltálalta a kását. Amint jóllaktak, megszólalt Fehérlófia:

– Gyertek csak, mutatok valamit.

Vezette volna őket a fához, amelyikhez Hétszünyű Kapanyányimonyókot kötötte, hát látja, hogy nincs ott, hanem elvitte a fát is magával. Mindjárt elindultak a nyomon. Mindig mentek, hét nap, hét éjjel, akkor találtak egy nagy lyukat, amelyen a másik világra ment le Hétszünyű Kapanyányimonyók. Tanakodtak, mitevők legyenek, utoljára arra határozták, hogy lemennek.

Fanyűvő font egy kosarat, csavart egy hosszú gúzst a faágakból, s azon leeresztette magát. De meghagyta, hogy húzzák fel, ha megrántja a kötelet. Alig ért le negyedrészre a mélységnek, megijedt, felhúzatta magát.

– Majd lemegyek én – mondja Kőmorzsoló. De harmadrészről az útnak ő is visszahúzatta magát.

Azt mondja Vasgyúró:

– Ejnye, be gyávák vagytok! Eresszetek le engem! Nem ijedek én meg ezer ördögtől sem!

Le is ment feleútjáig, de tovább nem mert, hanem megrángatta a gúzst, hogy húzzák fel.

Azt mondja Fehérlófia:

– Eresszetek le engem is, hadd próbáljak szerencsét!

When the other three came home, Uprooter laughed at the matter, for he had known that Skullayardwide would take the porridge from Stonecrusher too.

The third day Ironkneader stayed behind. But the other two had told neither him nor Whitehorseson why they had gone without porridge for two days.

Skullayardwide visited him too, demanding the porridge, and as he refused to give it to him he ate it off his bare stomach. When the other three came home he too was soundly thrashed.

Whitehorseson did not know why none of them had made any porridge. On the fourth day he stayed at home himself. The other three spent all day laughing at Whitehorseson, because they knew that Skullayardwide would call on him too. And so indeed he did, but to his discomfiture, because Whitehorseson tied him to a tree by his beard.

When the three friends returned home they immediately found the porridge. When they had eaten their fill Whitehorseson said:

"Come here, I have something to show you."

He meant to take them to the tree to which he had tied Skullayardwide, but he saw that he was gone and had taken the tree with him too. They immediately set out to follow his tracks. They went on and on for seven days and seven nights, and then came to a great hole by which Skullayardwide had gone down to the underworld. They took counsel together concerning what to do, and at last resolved to go down.

Uprooter wove a basket, twined long withes from the branches of a tree and so let himself down. But he gave instructions to be hauled back up if he tugged on the rope. He was scarcely a quarter of the way down when he took fright and had himself pulled up.

"I will go down," said Stonecrusher. But a third of the way down he too had himself pulled back.

Ironkneader said:

"Goodness, what cowards you are! Lower me down! I am not afraid of a thousand devils!"

And down he went to halfway, but no farther, and tugged on the rope to be pulled up.

Whitehorseson said:

"Lower me too, let me try my luck!"

Bezzeg nem ijedt ez meg! Lement a másvilágra, kiszállt a kasból, elindult széjjelnézni. Amint így kódorog előre-hátra, meglát egy kis házat, bemegy bele, hát kit lát? Nem mást, mint Hétszünyű Kapanyányimonyókot. Ott ült a kuckóban, kenegette a szakállát meg az állát valami zsírral; a tűzhelyen ott főtt egy nagy bogrács kása.

– No, manó – mondja neki Fehérlófia –, csakhogy itt vagy! Másszor te akartad az én kásámat megenni a hasamról; majd megeszem én most a tiedet a te hasadról.

Azzal megfogta a Hétszünyű Kapanyányimonyókot, a földhöz vágta, hasára öntötte a kását, úgy ette meg, azután kivitte a házból, egy fához kötötte, s odábbment.

Amint megy, mendegél, előtalál egy várat rézmezővel, rézerdővel körülvéve. Amint meglátta, mindjárt bement; odabent egy gyönyörű királykisasszonyt talált, aki nagyon megijedt, amint meglátta a felvilági embert.

– Mit keresel itt, felvilági ember, ahol még a madár se jár?

– Hát biz én – felelt Fehérlófia – egy ördögöt kergettem.

– No hát most jaj neked! Az én uram háromfejű sárkány, ha hazajön, agyonvág. Bújj el hamar!

– Nem búvok biz én, inkább megbirkózom vele!

Arra a szóra ott termett a sárkány.

– No, kutya – mondja Fehérlófiának –, most meg kell halnod! Hanem viaskodjunk meg, gyerünk a rézszérűmre!

Meg is viaskodtak. De Fehérlófia mindjárt a földhöz vágta a sárkányt, s levágta mind a három fejét. Azzal visszament a királykisasszonyhoz. Azt mondja neki:

– No, most már megszabadítottalak, királykisasszony, gyere velem a felvilágra!

– Jaj, kedves szabadítóm – felel a királykisasszony –, van nekem idelent két testvérem, azokat is egy-egy sárkány rabolta el, szabadítsd meg őket, neked adja az én atyám a legszebb leányát meg fele királyságát.

– Nem bánom, hát keressük meg.

Elindultak megkeresni. Amint mennek, találnak egy várat ezüstmezővel, ezüsterdővel körülvéve.

– No, itt bújj el az erdőben – mondja Fehérlófia –, én majd bemegyek.

He certainly was not afraid! Down he went into the underworld, climbed out of the basket and set off to explore. As he was wandering this way and that he caught sight of a little house. In he went, and whom should he see? None other than Skullayardwide. There he sat in the chimney-corner, putting some sort of grease on his beard and shoulder. There on the hearth was cooking a great cauldron of porridge.

"Now, imp!" said Whitehorseson to him, "so there you are! Twice you wanted to eat my porridge off my stomach; now I mean to eat your porridge off your stomach."

Then he seized Skullayardwide, threw him to the ground, poured the porridge onto his stomach and so ate it. Then he took him outside, tied him to a tree and went on.

As he strolled along he came upon a castle surrounded by a meadow of brass and a forest of brass. On seeing it he immediately went in; there he found a lovely princess, who was greatly startled at the sight of a man from the upper world.

"What is your errand here, mortal, where not even a bird flies?"

"Well, in truth," replied Whitehorseson, "I was pursuing a devil."

"Then woe betide you! My husband is a three-headed dragon, and when he comes home he will brain you. Hide quickly!"

"Indeed I will not, I will rather wrestle with him."

As he spoke the dragon appeared.

"Well, you young puppy," said he to Whitehorseson, "now you shall die! Let us go to my brass threshing-floor and wrestle!"

And fight they did. And Whitehorseson straight away threw the dragon to the ground and cut off all his three heads. Thereupon he went back to the princess and said to her:

"There, I have set you free, princess, come with me to the upper world!"

"Alas, my dear deliverer," replied the princess, "I have two sisters down here, dragons have enslaved each of them too. Set them free and my father will give you his most beautiful daughter and half his kingdom."

"Very well, let us search for them."

They set off to search. As they went they came upon a castle surrounded by a silver meadow and a silver forest.

"Now, you hide here in the forest," said Whitehorseson, "and I will go in."

A királykisasszony elbújt, Fehérlófia meg megindult befelé. Odabent egy még szebb királykisasszonyt talált, mint az első. Az nagyon megijedt, ahogy meglátta, s rákiáltott:

– Hol jársz itt, felvilági ember, hol még a madár se jár?

– Téged jöttelek megszabadítani.

– No, akkor ugyan hiába jöttél, mert az én uram egy hatfejű sárkány, ha hazajön, összemorzsol.

Arra a szóra ott termett a hatfejű sárkány. Amint meglátta Fehérlófiát, mindjárt megismerte.

– Hej, kutya – mondja neki –, te ölted meg az öcsémet, ezért meg kell halnod! Hanem gyere az ezüstszérűmre, viaskodjunk meg!

Azzal kimentek, soká viaskodtak, utoljára is Fehérlófia győzött, földhöz vágta a sárkányt, levágta mind a hat fejét. Azután magához vette mind a két királykisasszonyt, s így hárman útnak indultak, hogy a legfiatalabbat is megszabadítsák. Amint mennek, mendegélnek, találnak egy várat aranymezővel, aranyerdővel körülvéve. Itt Fehérlófia elbújtatta a két királykisasszonyt, maga meg bement a várba. A királykisasszony majd meghalt csodálkozásában, amint meglátta.

– Mit keresel itt, ahol még a madár se jár? – kérdi tőle.

– Téged jöttelek megszabadítani – felelt Fehérlófia.

– No, akkor hiába fáradtál, mert az én uram egy tizenkétfejű sárkány, aki, ha hazajön, összevissza tör.

Alig mondta ezt ki, rettenetes nagyot mennydörgött a kapu.

– Az én uram vágta a buzogányát a kapuba – mondja a királykisasszony –, mégpedig tizenkét mérföldről. De azért ebben a nyomban itt lesz. Bújj el hamar!

De már ekkor, ha akart volna, se tudott volna elbújni Fehérlófia, mert a sárkány betoppant. Amint meglátta Fehérlófiát, mindjárt megismerte.

– No, kutya, csakhogy itt vagy! Megölted két öcsémet, ezért, ha ezer lelked volna is, meg kellene halnod! Hanem gyere aranyszérűmre, birkózzunk meg!

Nagyon soká viaskodtak, de nem tudtak semmire se menni. Utoljára a sárkány belevágta Fehérlófiát térdig a földbe; ez kiugrik, belevágja a sárkányt derékig; a sárkány kiugrik, belevágja Fehérlófiát hónaljig; már itt Fehérlófia nagyon megharagudott, kiugrott, s belevágta a sár-

The princess hid and Whitehorseson made for the castle. Inside he found a princess even more beautiful than the first. She was very startled at the sight of him and cried:

"What is your errand, mortal man, here where not even a bird flies?"

"I have come to set you free."

"In that case you have come in vain, for my husband is a six-headed dragon, and if he comes home he will crush you."

As she spoke the six-headed dragon appeared. On seeing Whitehorseson he recognised him at once.

"Ho, you young puppy," he said, "you have killed my brother, and for that you must die! Come onto my silver threshing-floor, let us wrestle!"

With that they went out. They fought for a long time and at last Whitehorseson was victorious, threw the dragon to the ground and cut off all his six heads. Then he took with him both princesses and the three of them set off to find the youngest. As they walked along they came upon a castle surrounded by a golden meadow and a golden forest. Here Whitehorseson hid the two princesses and himself went into the castle. The princess all but died of amazement at seeing him.

"What is your errand here, where not even a bird flies?"

"I have come to set you free," replied Whitehorseson.

"In that case you have fatigued yourself in vain, for my husband is a twelve-headed dragon, and if he comes home he will tear you in pieces."

Scarcely had she spoken when there came a great thundering from the door.

"That is my husband striking the door with his club," said the princess, "and he is twelve leagues away. But he will be here this instant. Hide quickly!"

But by that time Whitehorseson could not have hidden even had he wished, for the dragon had made his entrance. On seeing Whitehorseson he recognised him at once.

"So, you young puppy, here you are! You have killed my two brothers, and for that, though you had a thousand lives, you would have to die! Come to my golden threshing-floor and let us wrestle!"

They fought for a very long time but without result. At last the dragon drove Whitehorseson knee-deep into the ground; he sprang out and drove the dragon into the ground up to the waist; the dragon sprang out and drove Whitehorseson into the ground up to the armpits; at this

kányt, hogy csak a feje látszott ki, erre kikapta a kardját, levágta a sárkánynak mind a tizenkét fejét.

Azután visszament a várba, elvitte magával mind a három királykisasszonyt. Elérkeztek ahhoz a kosárhoz, amelyiken Fehérlófia leereszkedett, próbálgatták minden módon, hogy férhetnének belé mind a négyen, de sehogy se boldogultak. Így hát Fehérlófia egyenként felhúzatta a három királykisasszonyt, ő maga meg várta, hogy őérte is eresszék le a kosarat. Csak várt, csak várt, három nap, három éjjel mindig várt. Várhatott volna szegény akár ítéletnapig is. Mert amint a három szolga felhúzta a három királykisasszonyt, arra határozták, hogy ők maguk veszik el a három királykisasszonyt, s nem eresztik megint le a kosarat Fehérlófiáért, hanem otthagyják őt a másvilágon. Mikor Fehérlófia már nagyon megunta a várakozást, kapta magát, elment onnan nagy búslakodva. Alig ment egy kicsit, előfogta egy nagy záporeső, ő is hát belehúzta magát a szűrébe, de hogy úgy is ázott, elindult valami fedelet keresni, ami alá behúzódjék. Amint így vizsgálódik, meglát egy griffmadárfészket három fiókgriffmadárral; de nemcsak hogy el nem szedte őket, hanem még be is takarta a szűrével, maga meg bebújt egy bokorba. Egyszer csak jön haza az öreg griffmadár.

– Hát benneteket ki takart be? – kérdi a fiaitól.

– Nem mondjuk meg, mert megölöd.

– Dehogy bántom, nem bántom én, inkább meg akarom neki hálálni!

– No hát ott fekszik a bokor mellett, azt várja, hogy elálljon az eső, hogy levehesse szűrét rólunk.

Odamegy a griffmadár a bokorhoz, kérdezi Fehérlófiától:

– Mivel háláljam meg, hogy megmentetted fiaimat?

– Nem kell nekem semmi – felel Fehérlófia.

– De csak kívánj valamit, nem mehetsz úgy el, hogy meg ne háláljam.

– No hát vigy fel a felvilágra!

Azt mondja rá a griffmadár:

– Hej, ha ezt más merte volna kívánni, tudom, nem élt volna egy óráig, de neked megteszem; hanem eredj, végy három kenyeret meg három oldal szalonnát, kösd a kenyeret jobbról, a szalonnát balról a hátadra, s ha jobbra hajlok, egy kenyeret, ha balra, egy oldal szalonnát tégy a számba. Ha nem teszel, levetlek.

Whitehorseson became very angry, sprang out and drove the dragon into the ground so hard that only his heads remained above it. Then he drew his sword and cut off all the dragon's twelve heads.

Then he went back into the castle and took with him all three princesses. They came to the basket in which Whitehorseson had come down and the four of them tried their utmost to fit into it, but without success. And so Whitehorseson had the princesses pulled up separately and waited for the basket to be lowered for himself. He waited and waited, three days and three nights he waited. The poor fellow could have waited until the Day of Judgement, for when the three servants had pulled up the three princesses they decided that they would take them for themselves, and not lower the basket again for Whitehorseson, but leave him below in the underworld. When Whitehorseson had grown weary of waiting he made his mind up and went away, feeling very sorrowful. He had not gone very far before it came on to rain heavily, so he wrapped himself in his felt coat; even so he became wet and set off to find a roof under which to shelter. As he was searching he caught sight of a griffin's nest with three griffin chicks; but rather than take them out he covered them with his coat and himself took shelter in a bush. Suddenly the griffin came home.

"So who has covered you up?" she asked her sons.

"We will not say, for you will kill him."

"Of course I shall not do him any harm, rather I want to reward him!"

"Well, there he is, lying by that bush, waiting for the rain to stop so that he can take his coat off us."

The griffin went over to the bush and asked Whitehorseson:

"How can I reward you for saving my sons?"

"I have no need of a reward," replied Whitehorseson.

"Please ask for something, I cannot let you go without rewarding you."

"Well then, take me up to the upper world!"

The griffin said:

"Well, if another had dared to ask for such a thing he would not have lived an hour, but for you I will do it; but hurry, take three loaves and three sides of bacon, tie them on your back with the bread on the right and the bacon on the left, and if I bank to the right put a loaf in my mouth, if I bank to the left a side of bacon. If you do not I will throw you off."

Fehérlófia éppen úgy tett mindent, ahogy a griffmadár mondta. Elindultak azután a felvilágra. Mentek jó darabig, egyszer fordult a griffmadár jobbra, akkor beletett a szájába Fehérlófia egy kenyeret, aztán balra, akkor meg egy oldal szalonnát. Nemsokára megint megevett egy kenyeret meg egy oldal szalonnát, azután az utolsót is megette. Már látták a világot idefent, hát egyszer csak megint fordítja a griffmadár balra a fejét. Fehérlófia kapta a bicskáját, levágta a bal karját, azt tette a griffmadár szájába. Azután megint fordult jobbra a griffmadár, akkor a jobb lába szárát adta neki.

Mire ezt is megette, felértek. De Fehérlófia nem tudott se té-, se tovamenni, hanem ott feküdt a földön, mert nem volt se keze, se lába.

Itt benyúl a griffmadár a szárnya alá, kihúz egy üveget tele borral. Odaadja Fehérlófiának.

– No – mondja neki –, amiért olyan jószívű voltál, hogy kezed-lábad nekem adtad, itt van ez az üveg bor, idd meg.

Fehérlófia megitta. Hát lelkem teremtette – tán nem is hinnétek, ha nem mondanám –, egyszerre kinőtt keze-lába! De még azonfelül hétszer erősebb lett, mint azelőtt volt.

A griffmadár visszarepült az alvilágba. Fehérlófia meg útnak indult megkeresni a három szolgáját. Amint megy, mendegél, előtalál egy nagy gulyát. Megszólítja a gulyást:

– Kié ez a szép gulya, hé?

– Három úré: Vasgyúró, Kőmorzsoló és Fanyűvő uraké.

– No hát mutassa meg kend, hol laknak!

A gulyás útba igazította, el is ért nemsokára a Vasgyúró kastélyához, bement, hát majd elvette a szeme fényét a nagy ragyogás, de ő csak ment beljebb. Egyszer megtalálta Vasgyúrót, aki, mikor meglátta Fehérlófiát, úgy megijedt, hogy azt se tudta, leány-e vagy legény. Fehérlófia megfogta, kihajította az ablakon, hogy mindjárt szörnyethalt. Azután ment tovább, egyenest Kőmorzsolóhoz, hogy majd azzal is elbánik, de az is meg Fanyűvő is meghalt ijedtében, mikor megtudta, hogy Fehérlófia a három királykisasszonyt elvezette az apjukhoz.

Az öreg király rettenetesen megörült, amint a leányait meglátta. S hogy megtudta az egész esetet, a legfiatalabbat Fehérlófiának adta fele királyságával együtt. Nagy lakodalmat csaptak, s még máig is élnek, ha meg nem haltak.

Whitehorseson did everything just as the griffin had ordered Then they set off for the upper world. They travelled a goodly way, and the griffin turned to the right; then Whitehorseson put a loaf in her mouth; then to the left, and he put in her mouth a side of bacon. Soon she ate another loaf and another side of bacon, and then the last. By this time light could be seen above, but suddenly the griffin turned her head to the left once more. Whitehorseson took out his knife, cut off his left arm and put that in the griffin's mouth; then she turned to the right, and he gave her his right shank.

When she had eaten that they arrived. But Whitehorseson could go neither one way nor another, but lay on the ground, for he had neither hand nor leg.

At this the griffin reached under her wing and brought out a bottle full of wine. This she gave to Whitehorseson.

"Here," she said, "since you were so kind-hearted as to give me your arm and leg, take this bottle of wine. Drink it up."

Whitehorseson drank it up. Well, upon my soul! You might not believe it if I did not tell you, but his arm and leg grew at once! And in addition he was seven times as strong as before.

The griffin flew back to the underworld. Whitehorseson set off to find his three servants. As he walked along he came to a great flock of sheep. He spoke to the shepherd:

"Whose is this fine flock, eh?"

"It belongs to three lords: Ironkneader, Stonecrusher and Uprooter."

"Well then, tell me where they live, my good man!"

The shepherd set him on his way and before long he came to Ironkneader's mansion. He went in and the brightness all but blinded him, but he went farther. Suddenly he found Ironkneader, who, when he saw Whitehorseson, was so alarmed that he did not know whether he was man or maid. Whitehorseson seized him and flung him from the window, and he died on the spot. Then he went farther, straight to Stonecrusher to deal with him too, but he and Uprooter both died of fright when they discovered that Whitehorseson had taken the three princesses to their father.

The old king was greatly pleased when he saw his daughters. And when he had heard the whole tale he gave the youngest to Whitehorseson together with half his kingdom. A great feast was held, and they are living to this day, if they have not died.

Fehérlófia
Whitehorseson

A szélkötő Kalamona

Egyszer volt, hol nem volt, de mán hol volt, azt nem tudom, de hogy volt, azt tudom: volt egy király. De az a király nem olyan közönséges király volt, hanem minden királynak ő volt a feje. Pedig olyan fiatal ember volt még, hogy nem is volt felesége. Mindig is azt gondolta magában, hogy ő bizony még tán meg se házasodik, mert arra gondolt, hogy ha ővele úgy tenne az asszony, mint teszem, sok emberrel, nem is tudja, mit csinálna vele. Telt, múlt az idő, a vénasszonyok körül-körülfogták, hogy mégse akart megházasodni, de ő avval tért ki előlük:

– Hát nincs, akit elvegyek, aki nekem megfelelne.

– Dehogyis nincs – mindjárt soroltak neki el húszat is. – Mind nagyon jó kezefogású, nagyon jóravaló, nem esik ki a kezéből semmi dolog.

De ő erre azt mondta:

– Míg lány, mind olyan nagyon jó, a kutyafáját neki, hát akkor az a sok rossz asszony kiből van?

A vénasszonyok elkullogtak nagy csendesen. De a király, mikor magában maradt, mégis elkezdett gondolkozni: hogy jó volna tán házasodni, mert mindennap eltelik egy nap. Másnap össze is szedte magát, felöltözött takarosan, a bajuszát kipederte jó szagú bajuszpedrővel, avval befogatott a kocsissal, elindultak jánynézni. Amerre mentek, mindenki nézte őket, jó öt ló volt befogva, sallangos szerszámmal. Mikor behajtottak a szomszéd király udvarára, azok nem tudták, hogy hova legyenek örömükben, mert jó előre tudták, hogy a főkirály jánynézőbe készül. A lány is észrevette a konyhából, éppen kolompért reszelt, mert másnap sütni akartak, de annyira nézelődött kifelé az udvarra, hogy az ujját elreszelte, arra rögtön avas hájat kötöttek. A főkirályt bevezették a nagyházba, kérdezte tőle mindjárt a másik király:

– Mi újság a ti országotokban?

– Nincsen semmi – mondta a főkirály –, csak annyi, hogy meg akarok házasodni, aztán úgy gondoltam, hogy ha hozzám adná a jányát, hát elvenném.

The Kalamona and the Binding of the Winds

Once upon a time there was a king, where I do not know, but I do know that there was. He was no ordinary king but was over all kings. And he was still such a young man that he had no wife. He had always thought to himself that would never marry, because he thought that a woman would treat him as, I suppose, she would many people, and he had no idea what he would do about it. Time passed, went by, and the old women thronged about him because he still would not marry, but he countered them:

"Well, there is none that I shall marry, none that would suit me."

"How can there be none?" and they immediately reeled off a list of twenty. "They are all capable, very worthy, never drop a single thing."

And to that he would answer:

"While they are girls they are all very good, a plague upon it, so from where do all the bad women come?"

The old women slunk away very quietly. But when the king was alone he began to ponder: perhaps it might be good to marry, because every day was a day gone by. Next day he stiffened his resolve, dressed smartly, twirled sweet-smelling pomade into his moustache, had his coachman harness the carriage and set off a-wooing. Wherever they went everyone looked at them, five fine horses harnessed, with decorated tack. When they drove into the courtyard of the neighbouring king they were beside themselves with joy, for they had learned beforehand that the High King was about to go a-wooing. The girl noticed him from the kitchen, as she was just scraping potatoes, because they meant to bake next day, but she was looking into the courtyard so much that she scraped her finger and immediately bound it up with rancid lard. The High King was conducted into the great palace, and the other king asked him at once:

"What news in your country?"

"Nothing at all," said the High King, "merely that I wish to marry, and so I thought that if you would give me your daughter I would marry her."

– Én nem bánom, a jány dolga, ha ő igen, én nagyon örülök rajta.

Bekiáltotta az apja a lányt, jött mindjárt, de a szeme ki volt sírva, a keze meg be volt tekerve egy kanavászdarabbal, csak úgy jött alóla kifelé a jó avas háj szaga. Kérdezi tőle, hogy mi lelte, hogy úgy ki van a szeme sírva.

Elmondta, hogy elreszelte az ujját.

– Semmi az – mondta az apja –, ebcsont beforrad. Gyere csak beljebb, nézd meg, hogy ki van ott.

– Láttam én már a konyhából – mondta a lány.

– Igen? Akkor azért reszelted el az ujjadat!

A lány csak úgy szégyellte magát, nem szólott se jót, se rosszat. Elmondta neki az apja, hogy-mint áll a dolog, bele is egyezett a lány, hamarosan meg is esküdtek.

Telt, múlt az idő, mán gondolta a király: „Be jó, hogy megházasodtam, jobb így!" Hát még mikor született egy kislányuk, hogy örült neki! Aztán született egy kisfiúk, akkor lett még csak nagy az öröm. De az öröm se sokáig tartott, mert kihíresztelték, hogy a Kalamona jár a világon, osztán a királyoktul a lányokat kéri el, ha nem adják, olyat csinál, hogy mindenki megkeserüli. A hírét is hallották, hogy ezét meg ezét a királyét elvitte.

Az a Kalamona olyan ocsmány szerzet volt, hogy nem tudta senki, ember-é vagy állat. Ő ugyan azt tartotta, hogy ember, pedig egy szeg se volt benne ember. Akkora szája volt, hogy mikor ásított, egy hatosfogat ágyúval könnyen megfordulhatott benne. Hát előre féltek tőle.

Egy fergeteges éjszaka bekopogtatott a királyhoz Kalamona, de a király nem nyittatta ki az ajtót. Az erre a kéményen keresztül benyújtotta a fejét, a tűzhelyen meg bejött, s elmondta, mi járatban van. A király azt mondta neki:

– Nekem nincs eladó lányom.

Kalamona megharagudott.

– Ha nincsen eladó lányod, akkor megkeserülöd, de nemcsak te, hanem az egész világ, mivelhogy te vagy a főkirály, megmutatom, hogy nem lesz eső többet, míg a lányod hozzám nem adod. Megyek innen egyenesen, megkötöm a három szelet, csak az északit nem, hadd fagyjatok meg a télen, hadd pusztuljatok el az éhínségben.

"I have no objection, but the girl must decide. If she agrees, then I am very happy about it."

The father called the girl in, but she was in tears, her hand was wrapped in a piece of canvas, from which came the pungent smell of rancid lard. He asked her what had happened, that she should be weeping.

She explained that she had scraped her finger.

"That is nothing," said her father, "it's only a scratch. Come right in and see who is here."

"I saw him from the kitchen," said the girl.

"Did you? So that is why you scraped your finger!"

The girl was so embarrassed that she could find not a word to say. Her father explained to her how things stood, she gave her consent and they were quickly married.

Time passed, went by, and the king thought: 'Indeed it is good that I married, it is better so!' And when their little girl was born how delighted he was!

Later a little boy was born to them, and then delight was all the greater. But it did not last long, for it was noised abroad that the Kalamona was about, demanding of kings their daughters; and if they did not give them to him he caused everyone to regret it. The rumour was heard that he had taken this king's and that.

This Kalamona was so vile a creature that no-one knew whether he was man or beast. He maintained that he was a man, but there was not a shred of humanity about him. His mouth was so big that when he yawned a gun-limber and six could easily have turned in it. And so dread of him went before.

One stormy night the Kalamona knocked at the king's door, but the king did not open it. At that he put his head down the chimney and came in through the fire-place, and stated his business. The king said to him:

"I have no daughter to sell you."

The Kalamona became angry.

"If you have no daughter to give me you will be sorry, and not only you but the whole world, since you are High King. I will show you, there shall be no more rain until you give me your daughter. I shall go directly hence and tie up the three winds, but not the north wind, that you may freeze in winter and perish of famine."

Avval menni akart nagy mérgesen visszafele, de nem tudott visszahúzódni, nem volt mit tenni, bejött egészen a szobába, ott megfordult, úgy ment ki a kéményen.

A király hitte is, nem is, de azért nem tudott elaludni. Ez úgy aratás előtt volt, nem is fújt szél. Nem akart a búza se érni, nem tudták az emberek kitalálni, hogy miért nem lengedez most a szél, hogy érne a búza. Ma is nézték, holnap is, de nem akart még sárgulni se. Mondogatják egymásnak: nemhiába tartották a régi öregek, meg kell a búzának érni, mert mindennap szél éri. De már a kukoricára is nagyon kellett volna az eső, mert már csövesedett erősen. De nem volt szél, ami hozza a hasznos esőt.

Csak a főkirály tudta, mi az oka, hogy nem fúj a szél, de nem merte megmondani senkinek, mert félt, hogy akkor addig erőltetik, míg oda nem adja a lányt a Kalamonának. Jött az ősz, málét nem is kellett szedni, csak a kórót vágták le, nem termett egy cső sem, a földjét se tudták bevetni, mert száraz volt nagyon. Eljött a tél, már András-napkor volt olyan fagya a földnek, hogy a krumpli mind megfagyott a veremben. Fújt az északi szél, a hideg állhatatlan volt, akinek volt kutyája, ölbe vitte ki ugatni. A királynak csak volt még más esztendőről való máléja meg búzája, ő nem éhezett meg.

De a király már nem tudta tovább titkolni, hogy mi az oka a szűk világnak, kihíresztelte, hogy aki elengedi a szeleket, annak adja a lányát feleségül. Hej, sok királyfi szeretett volna menni, de azt se tudták, hogy kén odamenni. A királylány nagyon szép volt, olyan, hogy a napra lehetett nézni, de rá nem.

Lakott abban az országban egy ember, annak nagyon derék fiai voltak. A legkisebbiket ugyan Rontónak hívták, mert az mindig abban járt, hogy mit rontson el. Most is, mikor olyan szűk világnak nézett elébe az ember, az anyja bevetette a kenyeret a kemencébe, ő meg felvette a csákányt, fejszét, elbontotta a kemencét. Hanem volt is neki nemulass, elverték alaposan, úgyhogy három napig a szénában feküdt, a kenyeret persze meg se lehetett enni.

Ennek a Rontónak az anyja valami javasasszony lehetett hajdanában. Most is azon törte a fejét, hogyan kellene ügyesen szert tenni egy kis providing málére. Gondolta, elmegy a királyhoz, aztán megkéri, hogy hátha tudna neki juttatni vagy egy kis málét, vagy egy kis búzát. Kérdezte az urától, hogy mit tegyen, de az azt mondta:

With that he made to leave in great rage but could not pull himself back; there was nothing for it but to come completely into the room, turn round there and leave again by the chimney.

The king both believed him and did not, and consequently was unable to sleep. It was the time before harvest and there was not a breath of wind. The wheat would not ripen, nor could the people make out why the wind did not rise so that it should. They looked one day and the next, but it still would not turn yellow. People said to one another: 'they were quite right in the old days, the wheat must ripen because every day the wind blows on it'. But by this time the maize too was badly in need of rain, because it had eared well. But there was no wind to bring the precious rain.

Only the High King knew the reason why the wind did not blow, but he dared not tell anyone because he feared that he would then be forced to give his daughter to the Kalamona. Autumn came and there was no need to pick the maize, just to cut down the dry stems, for not a cob had grown; nor could the fields be sown, as it was very dry. Winter came, and as early as St. András's day the ground was so frosted that all the potatoes froze in the clamp. The north wind blew, the cold was unbearable; those that had dogs took them out in their arms to bark. Only the king had another year's supply of maize and wheat, he did not go hungry.

But the king could no longer keep secret the cause of the hard times, and he issued a proclamation that he who could release the winds should marry his daughter. Goodness, many a prince would have liked to go, but they had no idea how to go about it. The princess was very beautiful; one might look upon the sun, but not upon her.

There lived in that land a man who had very worthy sons. The smallest was named Spoiler, because he was always looking for something to damage. Now too, when people were facing such hard times, his mother put bread in the oven and he took a pick and an axe and smashed the oven. He was punished; they threw him out of the house, so that for three days he slept in the fields and of course was not allowed to eat bread.

This Spoiler's mother must have been something of a quack-doctor in bygone days. Now she racked her brains as to how she might contrive to acquire a little maize. She thought of going to the king, to ask whether he might be able to let her have a little, or a little wheat. She asked her husband what to do, but he said:

– Én tudom, nem mennék, ha éhen halnék se, te elmehetsz, ha akarsz, te valamikor forogtál olyas helyeken.

Hogy az ura nem nagyon ellenezte, kapta magát az asszony, felöltözött, avval útnak indult. De Rontó is megsejtette, hogy az anyja megy a királyhoz, ő is menni akart, hogy legalább majd elhozza a zsákot. Felserdült fiú volt, elbírt vagy másfél vékát. Útnak is indultak anyjostól, mentek, mendegéltek; egyszer azt mondta Rontó az anyjának:

– Édesanyám, én megmondom a királynak, hogy elmegyek én a szelet eloldani.

Az anyja szidta, hogy ne veszítse el a fejét, inkább menjen vissza. Mentek, mendegéltek, elérték a király városát. Megkérdezték, hogy hol lakik a király, de nem tudta senki, mégis addig mentek, hogy ráakadtak. Bementek. Rontó csak meghúzódott az anyja hátánál, köszönt az asszony, s mondja, hogy mi járatban van. A király azt mondja:

– Jaj, lányom, nem adhatok, mert már sokan kértek, még ha előbb jöttél volna.

Szégyenkezett az asszony, s már jönni akart kifele, egyszer hallja, hogy a másik házban nagyon ordít egy kisgyermek. Kérdezte a királytól, mi a baja. Mi lelheti a lelkem kis királyfit?

– Ó, hagyja el, jó asszony, egész éjjel-nappal úgy ordít, mint a fába szorult féreg, nem tudunk vele mit csinálni, már valamennyi doktor volt, mind nézte, azt mondták, belepusztul.

– Dehogy pusztul – mondta az asszony. – Mindjárt meggyógyítom én.

Avval bement. Rontó meg kint maradt.

Mihelyt az anyja betette az ajtót maga után, Rontó mondja a királynak, hogy ő elmenne eloldani a szelet, mert mán hallotta hírét, hogy azé lenne a királykisasszony. Azt mondja erre a király:

– Hej, öcsém, de nagyot mondottál! Ugyan hogyan tudnád kölyök létedre azt, ami még egy királyfinak se sikerült?

Rontó nem szólott semmit. Közben az asszony odatette a fürösztővizet, meg is fürdette a kis királyfit. Az, mintha elvágták volna, kukkja se volt tovább, elaludt, mint a tej. Hej, megörült a királyné asszony, a király is bejött akkorára, volt annak is nagy öröme. Mindjárt lett is málé, búza három szekérrel. Négy nagy ökröt fogtak minden szekérbe. Rontó meg az anyja felültek a szekérre az élet tetejére, vígan mentek hazafelé. Az asszony azon tanakodott Rontóval, hogy most már málé van, de disznó honnan lesz.

"I know I would not go, even if I were dying of hunger, but you can go if you wish, you used to move in such circles."

As her husband did not really oppose the idea she made ready, dressed and set off. But Spoiler had guessed that his mother was going to see the king, and he wished to go too, at least to carry the sack. He was a big lad and could carry a bushel and a half or so. Off he went with his mother, and as they walked Spoiler said:

"Mother, I will tell the king that I will go and release the wind."

His mother told him not to say anything so foolish, rather to go back. They walked on and came to the king's city. They asked where the king lived but no-one knew, but they went on until they came upon it by chance. In they went, Spoiler trailing behind his mother. She spoke a greeting and stated her errand. The king said:

"Alas, my dear, I cannot give you any, for many have already asked, even if you had come earlier..."

The woman was ashamed and was about to leave, when she heard a child crying loudly in the next room. She asked the king what was the matter. What might be wrong with the dear little prince?

"Oh, never mind him, my good woman, he cries like that day and night, like a stuck pig. All the doctors have been and examined him and they say that he is dying."

"Of course he is not dying," said the woman. "I will cure him right away."

With that in she went. Spoiler stayed outside.

Once his mother had closed the door behind her Spoiler said to the king that he would go and release the wind, for he had heard it said that the princess would be his. To that the king said:

"Really, my lad, you have a lot to say for yourself! How can a puppy like you succeed where even princes have failed?"

Spoiler said nothing. Meanwhile the woman had put the bath-water on and had bathed the little prince. He did not make another sound, as if he had been cut short, but went straight off to sleep. My word, the queen was delighted, and at that moment the king came in and he too was glad. At once there were three wagon-loads of maize and wheat, each pulled by four oxen. Spoiler and his mother mounted the wagon atop the grain and set off happily for home. The woman discussed with Spoiler where the pig was to come from now that they had maize.

– Azon ne búsuljon, édesanyám, az majd lesz valahogy!

Hazaértek, lerakták az életet, a szekerek visszamentek a király városába. Volt mit enni, volt málé.

Rontó, mikor kipihente magát, felkelt egy hajnalban, kiment az erdőre, hogy hajt haza vaddisznót, az is jó lesz, ha meghízik. Amint bement az erdőbe, hát egy medvefiú ott nyöszörgött, egy nagy tőke alá volt téve a farka, nem tudott elmenni. Ahogy meglátta Rontót, rimánkodott neki, hogy szabadítsa meg őt, nem bánja meg. Rontó megszánta, kiszabadította. Azt mondja a medvének:

– No de most aztán háláld meg, mert különben egy nagyobb tőkét teszek rád.

– Hát te mi járatban vagy?

Rontó elmondta.

– Akkor éppen jó, mert az én apám itt ügyel a vaddisznókra, az ad neked három-négy malacot, ha mondod neki, hogy te szabadítottál meg.

Mindjárt oda is értek, ahol az öreg medve ült egy nagy fa alatt; a fia elmondta neki, hogy-mint áll a dolog. Akkor a vén medve belefújt egy sípba, jöttek is előfele a vaddisznók. Mikor Rontót meglátták, mindnek az ég felé állott a sörénye.

– No, válassz belőle – mondta a medve.

Rontó vágott egy sanyarún nőtt galagonyát, kiválasztott három disznót, s hazahajtotta őket. Mikor az utcán meglátták az emberek, azt mondogatták egymásnak:

– Tán megbolondult ez a Rontó?

Ahogy hazaért a legény, behajtotta a disznókat egy sövényes disznóólba. De a többi bátyja azt mondta:

– Ha hazahajtottad, hát etesd is őket, mi nem adunk neki enni.

– Úgysem bízom rátok, mert akkor sose híznának meg.

A bátyjai már alig várták, hogy jöjjön az étetés ideje, hogy mit csinál majd Rontó. Mert még eddig nem étetett se marhát, se disznót. Hát délfele Rontó veszi a vékát, leteszi a disznóól elébe, megy a kamarába, kihoz három zsák csöves málét, leteszi a véka mellé. Felnyitja az ólat, két vaddisznó meg neki, szájtátva. Rontó gyorsan telitöltötte a vékát a málével, azt beleöntötte az egyik disznó szájába, avval töltött a másiknak is. Mire az egyikkel végzett, már a másik tátotta a száját. Két zsákkal megettek. Amikor jóllaktak, Rontó összeszedte a csutkákat, s bevitte a tűzhely alá. De a harmadik disznó nem kelt fel; gondolta Rontó, nem éhes, biz-

"Do not worry, mother, we will find one somehow!"

They reached home, stored away the grain, and the waggons returned to the king's city. Now they had food and maize.

When Spoiler had rested a little he rose early one morning and went out into the forest to bring home a wild pig; that would be good when it was fattened. As he entered the forest there was a bear-cub whimpering; its tail was caught beneath a big tree-stump and it could not escape. When it saw Spoiler it pleaded with him to set it free if he would be so kind. Spoiler thought and did so. Then he said to the bear:

"And now show gratitude, or I will put a bigger tree-stump on you."

"What is your errand, then?"

Spoiler explained.

"That is good, because my father keeps wild pigs here, and he will give you three or four little ones if you tell him that you set me free."

Soon they came to where the old bear was sitting beneath a big tree; his son explained to him how things were. Then the old bear blew on a whistle and the wild pigs came out. When they saw Spoiler all their manes stood on end.

"There, take your pick," said the bear.

Spoiler cut a thin hawthorn stick, picked three pigs and drove them home. When people saw him in the street they said one to another:

"Has that Spoiler lost his senses?"

When the lad reached home he drove the pigs into a wattle pig-sty. But the other brothers said:

"You have brought them home, you feed them, we will give them nothing."

"I shall not entrust them to you, for then they will not grow fat."

His brothers could scarcely wait for feeding-time to come, to see what Spoiler would do. Previously he had not fed either cows or pigs. So towards noon Spoiler took a bushel, set it down in front of the pig-sty, went into the pantry, brought out three sacks of maize-cobs and put them down by the bushel. He opened the sty and two wild pigs went to him, their mouths open. Quickly Spoiler filled the bushel with maize and poured it into the mouth of the one pig, then filled it a second time. When he had finished with one the second one had its mouth open. They ate two sackfuls. When they had fed, Spoiler collected the fragments and took them in to put by the hearth. But the third pig did not

tosan azért nem mozdul. Eljött a másik etetés ideje, de a harmadik disznó még akkor se kelt fel. Rontó azt gondolta, hogy farkasfoga van, azért nem eszik. Bebújt az ólba, lekucorodott, hogy megnézze, mi baja van. Mikor nyitni akarja kifele a száját, a disznó megszólalt:

– Nem vagyok én disznó, hanem táltos ló vagyok. Tavasz fele újra táltos ló leszek, addig tart az átok, amelyiket egy boszorkány tett rám, amiért nem vittem el őtet, ahová mondta. Hanem addig csapjál ki engem a nyájba, mert unalmas nekem itt lenni. Akkor aztán a segítségedre leszek.

Rontó úgy tett. A másik két disznó közben úgy meghízott, mintha tapasztották volna rá a húst meg a szalonnát. Nem is csoda, minden etetéskor két zsák málét ettek meg. Eljött aztán a karácsony hete. Rontóék megölték a két nagy disznót. A disznóólat le kellett bontani, mert az ajtón nem fértek ki. Hasadt is róluk olyan szalonna, akár hiszitek, akár nem, hogy a hátán volt három méter vastag, a hasán meg csak egy méter. Szekeren vitték fel őket a kertből, egy összetett kas színig volt velük. Rontó rászabadította az egész falut a hízott jószágra, hordott mindenki annyit, amennyit akart. De még az egyikből így is megmaradt a két hátulsó sódar, a másik meg egészen az övék lett, volt hát télen mit enni.

Eljött a tavasz is, mondta a disznó Rontónak:

– Holnap készülj, mert holnapután megyünk, rakjál tarisznyát, mondjad, hogy engem hajtol a vásárra.

Rontó úgy is tett. Mondta az anyjának, hogy már csak nem akar az a süldő meghízni, eladja, viszi holnap a vásárra. Az anyja sütött mindjárt neki hamuban sült pogácsát. Rontó útnak indult a süldővel, egy szőttest a lábára kötött, egy vesszővel meg hajtotta. Mikor kiértek a falu végére, a malac megrázkódott, s olyan táltos paripa lett belőle, hogy olyat még a világ nem látott. Aranyos nyereg volt rajta, aranyos a szőre is. Azt mondja Rontónak:

– A pakktáskában van az aranyos ruha, vedd fel, hogy te is mutass valamit!

Rontó kivette az aranyos ruhát, olyan vitéz lett belőle, hogy még a haja is aranyos lett. Akkor azt kérdezte a táltos:

– Mit parancsolsz, édes gazdám?

Azt felelte Rontó:

get up; Spoiler thought that it was not hungry, and had not moved for that reason. Came the second feeding-time and the third pig still did not get up. Spoiler thought that it had a wolf-tooth and that was why it did not eat. He went into the sty to see what was the matter with it. When he tried to open its mouth the pig spoke:

"I am not a pig, but a magic horse. I shall become a horse again in spring, but until then I shall be under the curse that a witch has put on me because I would not take her where she wished. But let me out with the flock, because I am bored in here, and I will be of assistance to you.

Spoiler did so. Meanwhile the other two pigs grew fat as if the flesh and lard were being stuck onto them. And no wonder, for at every feeding-time they ate two sacks of maize.

Came Christmas week and Spoiler and his family killed the two big pigs. The sty had to be pulled down, because they were too big to pass through the door. The lard was simply dropping off them; believe it or not, it was three metres thick on their backs and a metre on their bellies. They were taken from the garden on a waggon, and its wattle sides were full to the top with them. Spoiler gave freely of the fatted meat to the whole village, took to each as much as they required. But even so the rear hams of one were left, and the other was entirely theirs, so that they had food for the winter.

Came the spring, and the pig said to Spoiler:

"Be prepared tomorrow, for the day after we leave. Pack your bag and say that you are taking me to market."

So Spoiler did. He told his mother that the piglet was going to become no fatter and he was going to sell it, take it to market next day. His mother at once baked him oatcakes in the ashes and he set off with the piglet, a length of homespun tied to its leg, driving it with a stick. When they reached the edge of the village the pig shook itself and became a magic horse the like of which had never been seen. It had a gilded saddle and a golden coat. It said to Spoiler:

"There is a golden suit in the pannier, put it on so that you too can look the part!"

Spoiler took out the golden suit and became such a knight that even his hair turned gold. Then the horse asked:

"What is your command, dear master?"

Spoiler replied:

– Én a szelet szeretném eloldani.

A táltos egy kicsit gondolkozott.

– Az bizony egy kicsit bajos dolog, de azért megcsináljuk, hacsak lehet. Ülj fel, egyébbel ne törődj, jól fogóddz meg!

Avval a táltos elvágtatott, mint a forgószél. Mán Rontó megunta, annyi ideig ment vele, meg is kérdezte a paripától:

– Meddig megyünk még, édes lovam?

– Elmegyünk a Kőszáli királyhoz, megkérdezzük, merre kell oda menni, ahol a szél meg van kötve, mert én még nem voltam arra, nem tudom a járást.

Mentek még három napot, egyszer megállott a táltos:

– Itt vagyunk, leszállhatsz, édes gazdám!

Rontó úgy is tett, széjjelnézett, hát egy olyan szikla tetején voltak, hogy nem lehetett felegyenesedni, mert az égbe ütik a fejüket. Ott, ahol a legmagosabb a szikla, ott ült a Kőszáli király, és éppen egy három esztendős tinót vacsorázott. A táltos kérdezte, hogy merre van az út, amerre ők akarnak menni.

– Megmondom én az utat, de nem tudom, el tudtok-é oda menni, mert az út el van foglalva. Az ördögök versenyt futnak rajta, mert most van a királyválasztásuk, aztán amelyik legjobban tud futni, az lesz a király.

– Semmi az, csak tessék megmondani – felelte Rontó.

A Kőszáli király megmondta, a táltos útnak indult. Hamarosan elérték azt az utat, ahol az ördögök szaladni akartak. Hát volt ott annyi ördög, hogy nem látszott az út! A táltos megállott, várta, hogy hadd induljanak el, majd elmennek utánuk. Meg is indultak az ördögök, de egy ottmaradt. Mikor már jól elhaladtak, a táltos is neki akart rugaszkodni, de az ördög, amelyik ottmaradt, rimánkodni kezdett, hogy ő is hadd üljön fel, aztán akkor elébe megy a többinek, ő lesz a király, aztán ha ő lesz a király, még segítségükre lehet. A táltos váltig nem akarta, gondolta, nehéz lesz kettő, mert lehetett az ördög hat vagy hét mázsa. Rontó azt mondta, hogy vigye el, mert hátha rászorulnak még. Végül is felkuporodott a nyeregbe hátul. A többi ördög már úgy elfutott, hogy már pora nem maradt egynek se. A táltos is nekirugaszkodott, egy szempillantás alatt elébe ment a sok ördögnek. Mikorára a többiek odaértek, ők már jöttek is szembefelé. A többit majd megölte a méreg, így aztán az az ördög lett a király, akit a táltos vitt a hátán.

"I would like to release the wind."

The horse thought for a while.

"That is certainly a somewhat troublesome matter, but we will do it if it is possible. Mount up, pay no heed to anything else but hold on tight."

"Where are we going, dear horse?"

"To see the king of the Crag. We will ask him which way to go to where the winds are tethered, for I have never been that way, and do not know the road."

They travelled for three days, and then the horse stopped:

"Here we are, you may dismount, dear master!"

Spoiler did so and looked about; they were at the top of a cliff so high that it was impossible to stand upright as they hit their heads on the sky. There on the topmost rock sat the king of the Crag, dining off a three-year-old bullock. The horse asked him which was the way that they should take.

"I will tell you the way, but I do not know whether you will be able to reach the place, for the road is busy. The devils are running races on it, for they are now choosing their king, and he will be the one that can run the fastest."

"That does not matter, please tell us," said Spoiler.

The king of the Crag told them and the horse set off. They soon came to the road where the devils were about to run, and there were so many devils that the road could not be seen! The horse stopped and waited for them to start so as to follow after them. Off they went, but one remained behind. When the rest were well on their way the horse wished to be off, but the devil that remained began to beg to be allowed to mount so as to overtake the rest; he would then be king, and as king would come to their assistance. The horse was most unwilling, thinking that two riders would be heavy, as the devil must have weighed more than half a ton. Spoiler told him to take the devil as he might come in useful and finally he got up and perched behind the saddle. By this time the other devils were so far away that not even their dust was left. The horse sprang off, and in a moment was in front of all the devils, and when they arrived at the finish there it was waiting for them. The rest of the devils all but died of rage, and the one that the horse had carried on his back became king.

De a táltos nem sokat törődött vele, repült tovább, oly sebesen, mint a gondolat, még tán annál is sebesebben. Egyszer csak valami lánccsörgést hall Rontó, s kérdi a táltostól:

– Mi az?

– Az a szél a láncon, nem bírja elszakítani, akárhogy rángatja.

– Hiszen akkor már mindjárt odaérünk.

– Csak az nem lesz még hamar. Hanem álljunk meg egy kicsit, egyél te is, én is eszek.

Rontó leszállott, elővette a hamuban sült pogácsát, jóllakott a táltos is, evett ő is a pogácsából, ivott is az érből, akkor aztán újra elindultak. Úgy mentek, mint a villámlás, még annál is sebesebben. Mentek még vagy három hétig, akkor értek oda, ahol a szél meg volt kötve, de volt rajta olyan lánc, hogy egy-egy szem olyan volt, mint egy káposztáshordó. Lakat is volt rajta, mint egy kád, akkora. Mikor a szél meglátta őket, elkezdett rimánkodni, hogy szabadítsák meg. Rontó leugrott, próbálta a lakatot kinyitni, de nem ért semmit. A táltos azt mondta:

– Már itt nem tudunk mit csinálni, vissza kell menni a Kőszáli királyhoz, aztán meg kell kérdezni, hogy hol a palotája a szélkötő Kalamonának, aztán, Rontó gazdám, avval meg is kell verekedni, csak akkor lehet leverni a lakatot.

Vissza is fordultak azon az úton, amelyiken jöttek. Mentek, mint a gondolat, még annál is sebesebben. Egyszer azt mondja Rontó a táltosnak:

– Jó volna, ha meglátnánk azt az ördögöt, akiből királyt csináltunk, úgyis azt mondta, hogy majd segít, ha kell.

Alighogy ezt kimondta, az ördögkirály ott termett, s már kérdezte is:

– Nem tudtátok a szelet eloldani?

– Nem biz a! – mondta Rontó.

– Hát most hova mentek?

– Megyünk, megkeressük a szélkötő Kalamonát, aztán kinyittatjuk vele a lakatot.

– De avval meg kell verekedni – mondta az ördög.

– Nem baj – felelte Rontó.

– Hanem most visszasegítem, amit velem tettetek, mikor király lettem. Jöjjetek utánam.

Avval megindult, a táltos meg utána. Mikor a pokolba értek, elősípolta valamennyi ördögöt, azt mondta nekik:

But the horse did not dally long with him, and flew onward as fast as thought, perhaps even faster. Suddenly Spoiler heard a chain being rattled, and asked the horse:

"What is that?"

"That is the wind on a chain, and it cannot escape however hard it tugs."

"Then we must be almost there."

"Not so fast. Let us stop for a while. Have something to eat and I will do likewise."

Spoiler dismounted and took out the ash-baked oatcakes; the horse too ate its fill of the oatcakes and drank from a brook, and then they set off once more. They went like lightning, perhaps faster still. They travelled for three weeks or so until they reached the place where the wind was tethered, and the chain on it was such that every link was like a cabbage-pickling barrel. There was a lock on it too, the size of a bath-tub. When the wind saw them it began to beg to be set free. Spoiler jumped down and tried to open the lock but could achieve nothing. The horse said:

"There is nothing that we can do here, we must return to the king of the Crag and ask him where the palace of Kalamona the Wind-binder is, and then, master Spoiler, you will have to fight him. Only then will it be possible to strike off the lock."

Back they went by the way they had come. They went as fast as thought, or even faster. Suddenly Spoiler said to the horse:

"It would be good if we saw the devil whom we made king, as he said that he would help us if he could."

Scarcely had he spoken than there was the devil, who asked:

"Were you not able to release the wind?"

"No indeed!" said Spoiler.

"Now where are you going?"

"We are going to find Kalamona the Wind-binder, to make him undo the lock."

"You will have to fight him," said the devil.

"Never mind," answered Spoiler.

"But now I will help you in return for what you did for me when I became king. Follow me."

With that he set off, the horse following. When they reached Hell he whistled for all the devils and said to them:

– Gyertek elő, van itt egy nagy kő a fegyverház ajtaja előtt, azt hömbörítsétek félre.

Azok megtették.

– Mehettek – mondta.

Akkor Rontóval bement az ördögkirály a fegyverházba, válogatott, pengette a kardokat, egyet aztán odaadott Rontónak:

– Ezt azért adom neked, mert a te kardoddal hiába vágod a Kalamonát, nem ér semmit, nem fogja, de ha evvel hozzálátol, ez úgy vágja, mint a jó kés a szalonnát.

Rontó felkötötte a kardot, kiment a táltoshoz, a táltos addig jóllakott zabszalmával. Rontó felült, s már repültek is, mint a villámlás, még annál is sebesebben. Mentek egyenesen a Kőszáli királyhoz. Mikor a király meglátta őket, kérdezte, hogy mire jártak.

– Semmire – felelte a táltos. – Most már mennénk Kalamonához, csak nem tudjuk az utat!

A Kőszáli király megmondta, merre menjenek. Avval újra felült Rontó a táltosra. Az ment, mint a villámlás, még annál is sebesebben. Mikor már vagy három hétig száguldottak, látja Rontó, hogy valami fénylik messzi. Kérdezi a táltostól, hogy mi látszik ott.

– Az a Kalamona palotája, tiszta gyémántból van, azért fénylik annyira. Három nap múlva ott leszünk, csak most szállj le, és együnk valamit – felelte a táltos.

Rontó leszállott, lenyergelte a lovat, elővette a tarisznyát, volt még benne három pogácsa, megette, vízben nem szűkölködtek, jót ivott, mert hiszen fellegek közt vezetett az út. A táltos alig lelt magának ennivalót, elment arrább, ott egy hófellegből harapott egy kis darabot. Mikor jóllaktak mind a ketten, újra útnak indultak. Mentek tovább, mint a forgószél. Mikor már közel értek, kérdi a táltos Rontótól:

– Hát aztán, gazdám, meg mersz-e verekedni avval a Kalamonával?

– Meg én.

– De úgy hallottam, nem fogja a kard a testét.

– Az az ördög, amelyikből királyt csináltunk, adott nekem egy kardot, azt mondta, ez vágja, mint a jó kés a szalonnát.

A táltos megnézte a kardot:

– Be jó, hogy felvettük az ördögöt – mondta. – Ez a kard megéri; igaz, hogy nehéz volt, de már kipihentem.

"Come here, there is a great stone outside the door of the armoury. Move it aside."

They did so.

"You may go," he said.

Then the devil king took Spoiler into the armoury and chose from the swords, making them ring, then gave one to Spoiler:

"I will give you this because with your sword you will try in vain to injure Kalamona, it will be useless and will not harm him; but if you strike him with this it will go though him like a sharp knife through lard."

Spoiler put on the sword and went out to the magic horse, which was feeding on oat-straw. Spoiler mounted and they flew like lightning, and even faster. They went straight to the king of the Crag, who, when he saw them, asked how they had fared.

"We failed," replied the horse. "Now we would go to the Kalamona, but we do not know the way."

The king of the Crag told them which way to go. With that Spoiler mounted the horse once more. It went like lightning, even faster than that. When they had galloped for some three weeks Spoiler saw something gleaming in the distance. He asked the horse what he could see there.

"That is the palace of the Kalamona. It is of pure diamond, that is why it shines so. In three days we shall be there, but now dismount and let us eat something," answered the horse.

Spoiler dismounted, unsaddled the horse and took out his bag. There were still three oatcakes left in it; he ate them. They were not in need of water; he had plenty to drink, as their way had lain among the clouds. The horse scarcely needed any food for itself, but went over and bit a little piece off a snow-cloud. When they had both eaten they set off again. On they went like a whirlwind. When they were almost there the horse asked Spoiler:

"Now then, master, do you dare fight with the Kalamona?"

"I do."

"But I have heard that no sword can touch his body."

"That devil whom we made king has given me a sword and he says that it will go through him like a knife through lard."

The horse looked at the sword.

"It was good that we picked the devil up," it said. "This sword will serve the purpose. True, he was heavy, but I have recovered now."

Mentek tovább, mán annyira voltak a gyémántpalotához, mint egy rendes láb föld, a táltos ugrott vagy kettőt, s ott voltak a kapuban. Rontó leugrott, a táltos azt mondta:

– Én itt leszek! Úgy látom, amott a sövény zabszalmával van fedve, addig jóllakok.

Rontó bement a gyémántpalotába, mikor ment befele, látja, hogy arrább egy palota jégből van, azt sok szegény asszony üli körül. Tovább-megy, felfele, de ahogy lép egyet, csak úgy cseng-kong a palota. Hanem az ő sarkantyúja se pengett még olyan szépen soha. Járkál tovább a palotában, az egyik ajtót becsukja, a másikat meg kinyitja. Amikor újra kinyit egy ajtót, a legutolsót, még a szeme világa is majd odaveszett, olyan szép asszonyt látott meg. Az volt a Kalamona felesége. Az asszony mindjárt megszólította.

– Üljön le, vitéz uram. De hogy tudott ide eljutni?

– Hát bizony egy kicsit nehezen, a szükség hajtogat engem, mert otthon nincsen eső, mert a szelet megkötötte a Kalamona, hát azért kerestem fel.

– Haj, lelkem vitéz úr, azt elég rosszul gondolta ki, mert az a szörnyeteg megöl mindenkit, aki csak anyától született.

– Igen, ha hagyja magát – mondta Rontó.

– Jaj, lelkem, az nagyon erős, nem embererővel rendelkezik.

– Igaz, hogy én nem vagyok olyan erős, de ha maga jó szándékkal volna hozzám, nekem megmondaná, miben van az ereje.

– Megmondanám én nagyon szívesen, de félek, hogy nem tudja legyőzni, s akkor engem az a szörnyeteg a ló farkához köttet.

– Attól ne féljen, ha én olyan erős leszek, mint ő, akkor adok én neki pogácsát.

– Hiszen alig várjuk mi itt, hogy megszabaduljunk, mert látta ott a jégpalota mellett azt a sok asszonyt?

– Láttam – mondta Rontó.

– No, látja, azok mind királylányok, egy-egy esztendeig volt a felesége mind, akkor rabolt mást. Én is csak addig leszek, míg hazajön, mert most odavan, ha tud rabolni egy szép királylányt, engem is oda ültet, ahol az a sok rongyos asszony van. Mert tudja, miért vannak ott?

– Ha megmondja, asszonyom, akkor tudom.

– Hát azoknak a jégpalotára fújni kell a hideget, hogy el ne olvadjon, mert így nyárban, mikor melege van, ott szokott aludni abban a palotában.

They went on and were now a mere stone's throw from the diamond palace. The horse gave a couple of bounds and there they were at the gate. Spoiler jumped down and the horse said:

"I will be here! I can see that the hedge is full of oat-straw, and I will eat the while."

Spoiler went into the diamond palace and as he did so he saw that to one side was a palace of ice with many poor women seated around it. He went on and upward, and at every step the palace clanged and rang. Never had his spurs jingled so finely. He walked on in the palace, closing one door and opening another. When he opened another door, the last, he was almost blinded, so beautiful was the woman that he saw. She was the wife of the Kalamona, and addressed him forthwith:

"Sit down, Sir Knight. How did you find the way here?"

"Well, indeed it was a little difficult, but need drove me, for at home we have no rain because the Kalamona has tethered the wind, and that is why I seek him."

"Ah, my dear knight, that was ill conceived, for the monster kills every man born of woman."

"Yes, if he is allowed to," said Spoiler.

"Oh, my dear, he is very strong, it is no mere human strength that he possesses."

"True, I am not very strong, but if you were well disposed towards me you would tell me wherein lies his strength."

"Gladly I would tell you, but I fear that you may fail to defeat him, and then the monster will tie me to the tail of his horse."

"Do not fear that. If I am as strong as he, then I will withstand him."

"Truly, we can scarcely wait to escape, for did you see all the poor women by the palace of ice?"

"I did," said Spoiler.

"Well, do you see, they are all princesses, each has been his wife for a year and then he has captured another. I too shall be his wife only until he returns, because he is now away, and if he can capture a beautiful princess he will put me too where all those ragged women are. And do you know why they are there?"

"If you will tell me, madam, I shall know."

"Well, they have to blow cold on the palace of ice so that it does not melt, for in summer, when he feels warm, that is where he sleeps."

– Hát éppen ezért tessék megmondani, miben van az ereje.

– Megmondom: a gatyamadzagjában. Megyek, kihúzok egyet, addig, míg kinn leszek, húzza ki a magáéból, aztán azt belehúzza, akkor csakolyan erős lesz.

Úgy is lett. Az asszony behozta a madzagot, Rontó az ajtó mellé állott, belehúzta a gatyájába a madzagot. Mihelyt megkötötte, érezte, hogy mán olyan erős, mint az acél. Ott beszélgettek aztán egyről-másról, egyszer csak elkezd a gyémántpalota mozogni.

– Jaj, lelkem, menjen kifele, mert mindjárt itthon lesz, akkor szokott mozogni a palota, mikor jön.

Rontó kiment a kapuba, a táltos meg már nem győzte várni. Kérdi Rontótól:

– Bent van-e a Kalamona?

– Még nincs itthon, mindjárt jön, aztán megverekedek vele, csak ügyelj, mert ő is táltoson jár, meg azon is verekedik.

– Jó, jó – mondja a táltos –, csak te ügyelj, a nyakát irányozd.

Alig telt el egy szempillantásnyi idő, jött a Kalamona hazafele. A nyeregben előtte egy szép királylány elájulva. Rontó mindjárt megismerte, hogy az ő királyának a lánya; gondolta, biztosan most ezért volt, elrabolta, ha szépen nem adták. Nagyon mérges lett, mert látta, amint bement az udvarra, hogy a lányt letette a tornácra, és beordított az asszonynak:

– Hé, kutya, kiféle idegen járt itt, míg én odavoltam! Itt van még most is, nem ment az el!

Rontó is rápattant a lovára, avval beugratott a kapu tetején:

– Hát itt vagyok, te kutya Kalamona!

– Hogy mertél idejönni, te senkiházi, mindjárt megfojtalak!

– Ha hagyom magam. Azért jöttem, hogy a szelet eloldjad, de tüstént.

– A szelet csak akkor engedem el, ha velem megverekedel.

– Hiszen én is éppen azt akarom.

– Hát aztán hogy akarsz verekedni, lóháton vagy földön?

– Lóháton.

– Kezdhetjük.

Felpattant egy táltosra, de az olyan nagy volt, hogy Rontó elfért a hasa alatt. Kirántotta a kardját mind a kettő, összecsaptak, de a Kalamona mindjárt érezte, hogy kivel van dolga, hogy Rontó csakolyan erős, mint ő.

"Well, for that very reason I beg you to tell me just wherein lies his strength."

"I will tell you: in the cord that holds up his trousers. I will go and pull some out, and while I am gone pull the cord out of yours, then put that in and you will be as strong as him."

So it was. The woman brought in the cord. Spoiler stood by the door and drew the cord into his trousers. When he had tied it he felt that he was now as strong as steel. Then they talked of this and that, and suddenly the diamond palace began to shake.

"Alas, my dear, go outside, for he will be home in a moment; the palace shakes like this when he is coming."

Spoiler went outside and the horse was still waiting. It asked Spoiler:

"Is the Kalamona in?"

"Not yet, he is coming in a moment, and then I shall fight him, but be warned, for he too is on a magic horse, and will fight on it."

"Very well," said the horse, "only take care to strike at his neck."

Scarcely had a moment gone by than the Kalamona came home. In front of him on the saddle was a lovely princess, in a swoon. Spoiler immediately recognised his king's daughter; he thought that evidently he had kidnapped her if they would not give her up to him. He became very angry for he could see that, as he went into the courtyard, Kalamona put the girl down on the porch and shouted in to the woman:

"Hey, bitch, a stranger has been here while I was away! And he is still here, he has not gone away!"

Spoiler too spurred his horse and galloped up to the gate.

"Here I am, then, Kalamona, you dog!"

"How dare you come here, you nobody, I shall strangle you at once!"

"If I let you. I have come to make you release the winds, and this minute."

"I shall only release the winds if you fight me."

"That is precisely what I wish."

"So how do you wish to fight, on horseback or on foot?"

"On horseback."

"We can begin."

He sprang onto a magic horse, so big that Spoiler fitted under its belly. Both of them drew their swords and came together, but the Kalamona sensed at once that he had met his match, that Spoiler was his equal in

Egyik se tudta megvágni a másikat. Elmentek messzi egymástól, úgy vágtattak össze. A Rontó táltosa ügyesebb volt, mint a Kalamonáé, jól közel ment a másik táltoshoz, a Kalamona túlvágott rajta. Rontó se volt rest, felhasználta az alkalmat, mindjárt lecsapta a Kalamona jobb karját. Akkor elkezdett rimánkodni a Kalamona, hogy ne ölje meg.

– Jól van – mondta Rontó –, nem öllek meg, hanem idehívom azt a sok királylányt amonnan a jégpalotából, azok öljenek meg, ha megérdemled tőlük.

Elkiáltotta magát, jöttek is rögtön.

– Ha akarjátok, öljétek meg a gyalázatost – azok meg is ölték egy perc alatt, amennyi hozzáfért, annyi ölte.

Ezalatt Rontó királyának a lánya is felocsúdott a tornácon. Széjjelnézett. Kérdezte a sok királylánytól, hogy ő ugyan hol van. Azok mondták, hogy már ne féljen, mert megszabadította őket Rontó vitéz. Rontó is ott termett, kérdezte, ki ija-fia. Az mondta. Rontó is beszélni kezdett:

– E mán beszéd, én is abból az országból való vagyok.

– Vitéz úr, ha megölte a Kalamonát, akkor hát én a felesége leszek, úgyis az apám annak ígért, aki a szelet elereszti.

Avval a nyakába ugrott, ölelte, csókolta, persze, Rontó is őt. A többi királylány levetette a rossz ruhát, a jégház is elindult olvadni, mert nem volt, aki fújja rá a hideget, a nap meg jól sütött, éppen július utolja fele volt az idő. Mindjárt hozzáfogtak, sütöttek, főztek, csaptak olyan lakodalmat, három napig tartott, ettek, ittak, mulattak. A táltos is evett ott kinn, mind a kettő azt, amit leltek. Negyedik nap azt mondja Rontó:

– Induljunk hazafele, mert úgyis ősz lesz, mire hazaérünk.

Volt ott egy nagy szekér, abba a Kalamona táltosát befogták, mind felültek, éppen háromszázan voltak, de a nagy táltos úgy vitte őket, mint a semmit. Rontó a feleségét maga mellé vette a nyeregbe, ő ment elöl, a szekér utána. Volt a szekéren olyan hemzsegés, a sok fehércselédnek úgy pergett a nyelve, mint az orsó. Mentek, mint a gondolat. Három nap múlva elérték a Kőszáli király birodalmát, ott, ahol az út eltér hazafelé, meg amerre a szél meg volt kötve. Ott elkezdett gondolkozni Rontó, mit csináljon most már, mert a lakatkulcsot ottfelejtette. Vissza hiá-

strength. Neither was able to injure the other. They withdrew to a distance and galloped together. Spoiler's horse was more nimble than the Kalamona's, passed close to the other and the Kalamona's blow missed. Spoiler was not slow to take advantage and at once cut off the Kalamona's right arm. Thereupon the Kalamona began to beg him not to kill him.

"Very well," said Spoiler, "I shall not kill you, but I shall call hither all those princesses around the ice-palace and they shall kill you if you deserve it of them."

He called out and they came quickly.

"If you wish kill the scoundrel," and they killed him in a moment, as many as could lay hands on him.

Meanwhile the daughter of Spoiler's king had come to on the porch. She asked the many princesses where she was. They told her not to be afraid, because the gallant Spoiler had set them free. Spoiler appeared at her side and she asked him whose son he was. He told her. And Spoiler too began to speak:

"By what I hear, I too am from that land."

"Sir Knight, if you have killed the Kalamona, then I am to be your wife, for my father has promised me to him that releases the wind."

With that she flung her arms round his neck, embraced and kissed him, and of course Spoiler did the same. The other princesses took off their inferior clothes and the ice-palace began to melt because there was none to blow cold on it and the sun was shining warmly as the season was towards the end of July. At once they set to baking and cooking and held a wedding-feast; it lasted three days, they ate and drank and made merry. The magic horses too ate outside, both of them, all that they could find. On the fourth day Spoiler said:

"Let us set out for home, for it will be autumn by the time we arrive."

There was a great waggon there, and they harnessed the Kalamona's magic horse to it and all took their places in it. There were three hundred of them, but the great horse pulled them as if it were nothing. Spoiler took his wife with him in the saddle and went in front, the waggon following. There was such a to-do in the waggon, the tongues of all those members of the fair sex rattled like bobbins. They went like thought. After three days they reached the domain of the king of the Crag where the way led both homeward and to where the wind was tethered. At that point Spoiler began to wonder what he should do, because he had forgot-

ba mennének, mert a jégpalota elolvadt, mindent ellepett a víz. Ahogy ott gondolkozott, ott termett az ördögkirály. Kérdezte, mivel lehetne segítségére.

– Én csak azt kívánom, hogy ennek a sok asszonynak készíts itt egy palotát, hogy lakjanak benne, amíg én elmegyek a szelet eloldani. Csak el ne felejtsem mondani: ezt a kardot edzd meg, hogy vágja a láncot.

Az ördögkirály elősípolta az ördögöket, azok egy szempillantás alatt olyan palotát építettek, hogy ritkítja párját. A király meg elszaladt, a kardot megedzette egy perc alatt, mert tűz volt éppen a pokolkemencében. Rontó azt mondta, hogy várják meg itt, míg visszajön, mert ha elindulnak, eltévednek. Azzal felült a táltosra, a feleségét is vitte magával. A többi bement a palotába, ettek-ittak, jókedvük volt, elfelejtették, milyen sanyarúságban éltek eddig.

Rontó meg repült a táltoson, mint a villám. Már mentek vagy három hétig, akkor értek oda, ahol a szelek le voltak láncolva. Rontó leugrott a táltosról, kihúzta a kardot, úgy vágta vele a láncot, mint a jó kés a szalonnát. Egy perc alatt szabad lett a szél, elkezdett fújni. Ő meg felült a táltosra a felesége mellé, megindult visszafele, mint a villámlás, még annál is sebesebben. Otthon a Rontó falujában is észrevették, hogy fúj a szél, azon tanakodtak, hogy ki oldotta el. Lett nemsokára eső is, mire eljött a vetés ideje, meg is puhult a föld. Lehetett vetni.

Rontóval három álló hétig vágtatott a táltos, míg elért oda, ahol a többiek maradtak. Azok jó ennivalóval várták őket. Mikor megérkeztek, Rontó lenyergelte a táltost, adott neki enni-inni, ő meg bement a feleségével a palotába. Itt újra megtartották a lakodalmat, három álló napig ettek-ittak, csak úgy folyt a sárga lé. Negyedik nap útnak indultak hazafelé. De mielőtt elindultak volna, Rontó felment a Kőszáli királyhoz megköszönni az útbaigazítást, avval megindult ő elöl, a nagy táltos meg utána. Mentek három hétig, míg elérték Rontó országát, ott újra megpihentek. Azt mondta a lányoknak, amelyik a járást tudja, az már hazamehet. Bezzeg mind tudta a járást, elszéledtek. Ahogy Rontó ottmaradt a feleségével, hozzáfogott nyergelni, hogy induljanak a király városa felé, hadd legyenek már nyugodtak az öreg király meg a felesége, hogy megvan a lányuk.

De a felesége azt mondja:

ten the key to the lock. To go back would be in vain, for the ice-palace had melted and the water had covered everything. As he pondered there appeared the devil-king, and asked how he might help.

"All I ask is that you build a palace here for these many women, where they can live while I go and free the wind. And lest I forget: temper this sword, so that it will cut the chain."

The devil-king whistled up the devils, and in a flash they had built a palace the like of which is seldom seen. The king ran off and in a trice had tempered the sword because there was a fire in the furnace of Hell. Spoiler told them to wait there for his return, for if they set off they would lose the way. With that he mounted the magic horse and took his wife with him. The rest went into the palace, ate and drank, made merry and forgot in what misery they had hitherto been living.

Spoiler flew like lightning on the horse. When they had travelled for some three weeks they reached the place where the winds were chained. Spoiler leapt from the horse, drew the sword and with it cut the chain as a sharp knife does lard. In a moment the wind was free and began to blow. Spoiler mounted the horse beside his wife and set off home like lightning, and even faster than that. At home in Spoiler's village too it was noticed that the wind was blowing, and they wondered who had set it free. Soon there was rain too, when the time came for sowing; the ground was softened, and the seed could be sown.

The magic horse galloped for three weeks with Spoiler until it came to where the rest still were, awaiting them with good things to eat. When they arrived Spoiler unsaddled the horse, fed and watered it, and he and his wife went into the palace. There they celebrated their marriage once more, eating and drinking for three whole days, so did the yellow wine flow. On the fourth day they set out for home, but before they did so Spoiler went up to the king of the Crag to thank him for his directions. Then he set off, Spoiler leading and the big magic horse following. They travelled for three weeks before reaching Spoiler's land, and there they rested once more. He told the girls that those that knew the way might go home. Every single one knew the way and they scattered. When Spoiler and his wife were left alone he saddled up to go to the king's city, so that the old king and his wife could be set at ease over their daughter's well-being.

But his wife said:

– Ne siessünk hazafele, legyünk még itt vagy három nap.

– Igen, de otthon nagyon nyugtalan a király apánk.

– Ha kiállották eddig, csak kiállják három napig.

Avval lefeküdt a gyepre. Rontó gondolta: „Ha te nem sietel, én miért sietnék?" A táltosról levette a nyerget, elcsapta, hadd gyepeljen, volt ott jó gyep.

Ezalatt otthon a király udvarában nagy volt a bánat. Az öreg király nem örült neki, hogy fúj a szél, meg esik a szép csendes eső, neki már ugyan eshetik, ha nincs meg a lánya. Sem nem evett, sem nem ivott. Egyszer mondta a feleségének:

– Úgy vehetjük, mintha meghalt volna a lányunk, legalább temessük el, mintha itthon halt volna meg.

Mindjárt ki is híresztelte az országban, hogy aki csak járni tud, mindenki menjen a király udvarába, mert eltemetik a királykisasszonyt.

Hej, csődültek a király sorja felé, már annyian voltak az udvaron, hogy alig fértek. A király egy üres koporsót kitétetett az udvar közepére, mert annyi népet hova tett volna a házban. Egy jó torkú ember elkezdte az éneket, a többi körülvéve utána. Mikor egy éneket elénekeltek, a pálinkásüveg körüljárt. Ez így tartott három nap, három éjszaka. A király jajgatott, hát még a felesége, az a földhöz is verte magát.

Mikor negyedik nap megtetszett a hajnal, Rontó megkereste a két táltost, az övét felnyergelte, a Kalamonáét meg vezetéknek kötötte, felült a feleségével a nyeregbe. Megindult a táltos, mint a forgószél, egyenesen a fővárosba, toronyirányban, árkon-bokron keresztül. Az asszony elszunnyadt, Rontó meg azon gondolkozott, hogy milyen jó lesz, most már biztosan ő lesz a király. Meg annak is örült, hogy neki milyen szép fiatal felesége van. Ahogy ott gondolkozott, egyszer csak megáll a táltos, hát ott vannak a király városa szélén. A feleségét felköltötte, mert a nap is már jó magasan járt. A városban már csak lépést mentek a táltosok. Egyszer hallanak valami éneklést, de olyan hangosat, hogy a fülük majd beszakadt. Kérdik az egyik gyereket, miféle éneklés ez.

– Jaj, lelkem vitéz úr, hát nem tetszik tudni, hogy most temetik a királykisasszonyt, amelyiket elvitt a Kalamona?

Ahogy ezt Rontó felesége meghallotta, azt mondta az urának:

– Szóljon már a táltosnak, édesem, minél hamarébb érjünk oda.

"Let us not hurry home, but stay here three days or so."

"Yes, but at home our lord king will be very anxious."

"If they have endured it so long, let them do so for just three days."

With that she lay down on the grass. Spoiler thought: 'If you are not in a hurry, why should I be?' He unsaddled the horse and let it go and graze as there was good grass there.

Meanwhile at home there was great anxiety in the royal court. The old king was not pleased that the wind was blowing and that nice steady rain was falling; it could fall for all he cared if his daughter was not there. He neither ate nor drank. One day he said to his wife:

"We may take it that our daughter is dead, at least let us hold a funeral for her as if she had died at home."

At once the king proclaimed throughout the land that all that could so much as walk should attend the royal court, for the princess's funeral was to take place.

Goodness, the people thronged thither, and there were so many in the courtyard that there was scarcely room. The king had an empty coffin placed in the middle of the courtyard, for where could such a crowd have gone indoors. A man with a strong voice led the singing and the rest took it up after him. When a hymn had been sung the brandy bottle was passed around. So it went on for three days and three nights. The king mourned aloud as did his wife, and flung himself to the ground.

When dawn broke on the fourth day, Spoiler caught the two magic horses, saddled his own and mounted together with his wife, leading the one which had belonged to the Kalamona. The horse set off like a whirwind straight for the capital, cross-country, over hill and dale. The woman fell asleep and Spoiler thought how pleasant it was to be, for he was now bound to become king. He was further delighted to have so young and beautiful a wife. As he so thought, suddenly the horse stopped and there they were at the edge of the king's city. He woke his wife, for the sun was now high. The horses entered the city at a walk. Suddenly they heard singing, but so loud that their eardrums all but burst. They asked a child what singing this was.

"Alas, sir knight, do you not know that it is the funeral of the princess that was taken by the Kalamona?"

When Spoiler's wife heard that she said to her husband:

"My dear, tell the horse to go as fast as it can."

Rontó megsarkantyúzta a táltost, az, mint a villám, megindult.

Hát ott volt annyi nép! Ott volt az egész ország apraja-nagyja, már vinni akarták a koporsót. Az apja, anyja rá volt borulva, úgy sírtak-ríttak, hogy majd megszakadtak bele. Rontó odaugrott a koporsóhoz, odakiáltott a királynak:

– Kit sirat, király apám, hiszen itt a lánya!

A vén király megdörzsölte a szemét, hogy jobban lásson, hát csakugyan a kedves lánya állt előtte. Lett olyan öröme, hogy még újra csak sírt. Csókolta Rontót is meg a lányát is, nem tudott hova lenni örömében. Kérdezte:

– Ki vagy te, jó vitéz, hogy haza merted hozni a lányomat?

– Az uram – mondta a lánya.

– Még csak lesz – mondta a király.

– Mi már megesküdtünk a Kalamona birodalmában, volt ott egy cigány pap, de hát pap pap, mindegy.

– Hát én, király apám, az a fiú vagyok, aki itt volt az anyjával máléért.

– Most mán ismerlek, fiam, bátor vitéz vagy, megérdemled a lányomat.

Bementek a házba, ott beszélgettek, a vén király meg kiszólott a sok emberhez, hogy senki haza ne menjen, mert holnap megtartják a lakodalmat. Az asszonyok elkezdték egymásnak mondani:

– Én gondoltam, hogy hazajön a kisasszony.

– Hisz én tudtam.

– Lehetett azt gondolni – mondta a harmadik.

A kocsisokra Rontó ráparancsolt, hogy jól viseljék gondját a táltosoknak, mert azoknak lehet köszönni, hogy itthon van a kisasszony. Az öreg megkérdezte, hogy mikor akarják megtartani a lakodalmat. Rontóné azt mondta:

– Én nem bánom, ha holnap lesz is.

Elbeszélte aztán, hogy már két lakodalmat laktak.

– No, lányom, itt meg lesz a harmadik, úgyis három a magyar igazság.

Ki is üzent a gulyásnak, hogy hajtsa haza a gulyát. Jött is már estére hazafelé, csak úgy szólott a harang a nagy, kövér tinókon. Bezzeg volt dolga a mészároslegénynek, míg a gulyát levágták. De még az asszonyoknak is, míg megsütötték-főzték. De hát kellett is egy egész országnak!

Spoiler spurred the horse and it was off like lightning.

Well, there were so many people! The whole populace was there, big and small, about to take up the coffin. Her father and mother were bending over it, weeping and wailing till they all but died. Spoiler sprang towards the coffin and called to the king:

"Whom do you mourn, my king and father, your daughter is here!"

The old king wiped his eyes so as to see better, and there indeed before him was his beloved daughter. He was so happy that he began to weep once more. He embraced Spoiler and his daughter, beside himself for joy. He asked:

"Who are you, good knight, that has dared to bring my daughter home?"

"He is my husband," said the girl.

"For the present he only shall be," said the king.

"We have already been married, in the Kalamona's kingdom, there was a gipsy priest there, but he was a priest, it is all in order."

"And I, my king and father, am that lad who came here with his mother for maize."

"Now I recognise you, my boy, you are a brave knight, you deserve my daughter."

They went indoors and there talked, and the old king sent out word to the people that none should depart home for next day the wedding would take place. The women began to say one to another:

"I thought that the princess would come home."

"I knew she would."

"It was to be expected," said a third.

Spoiler gave orders to the coachmen to take good care of the magic horses, because it was thanks to them that the princess was home. The old man asked when they should hold the wedding. Spoiler said:

"I do not mind if it is tomorrow."

Then he told him that they had already had two weddings.

"Well, daughter, this will be the third, for three is the right number for Hungarians."

And he sent out to the herdsman to drive home the herd. As evening fell they arrived, and the bells rang on the big, fat bullocks. The butcher-lads were very busy slaughtering the herd, as were the women, baking and roasting. After all, they were providing for a whole country!

Másnap alig virradt, már szólott a banda. Az udvaron terítettek, jó idő is volt, meg a házban nem fértek volna meg. Három álló napig tartott a lakodalom. Rontó meg a felesége nagyon jól érezték magukat. Harmadik nap estére már alig volt a gulya marhából, a bor is fogyatékán volt. Akkor a vén király felállott, jó hangosan mondta:

– Hallgassatok ide, itt van ez a vitéz, aki eloldotta a szelet, megölte a Kalamonát, hazahozta a lányomat. Most már jutalmul én átadnám neki a királyságot, én már úgyis öreg vagyok, ha ti nem haragudnátok érte.

– Mi hogy haragudnánk? Mi is úgy akarjuk, éljen az új király!

Ordítottak úgy, hogy majd megsüketült az ember. Rontó is felállott, előbb megköszönte az apósának, aztán meg a népnek. Erre az öreg király azt mondta:

– Most mán mindenki menjen haza, mert eljött a vetés ideje, vetni kell, hogy jövőre legyen mit aratni.

Az embereknek nem is kellett kétszer mondani, mind hazamentek. Rontóból nagyon jó király lett, más esztendőben nem szedtek adót se. A Kalamona táltosával szántott magának. Egymagában megszántotta azt, amit azelőtt annyi sok ló meg ökör alig bírt megszántani. Az öregek elmentek falura lakni. Az új király élt a feleségével bú nélkül. Még most is élnek, ha meg nem haltak.

Next day had scarcely dawned than the gipsy orchestra struck up. The weather was fine, and so tables were laid in the courtyard, as there would not have been room indoors. The feasting went on for three days. Spoiler and his wife felt very happy. By evening on the third day the herd was almost all gone and the wine was running out. Then the old king rose and said loud and clear:

"Hear me! This is the knight that has released the wind, killed the Kalamona and brought home my daughter. As a reward I would now give him my kingdom, for I am old, if you would find no fault in that."

"How should we find fault? That is our desire too, long live the new king!"

The shouts were deafening. Spoiler too rose and thanked first his father-in-law, then the people. To this the old king said:

"And now all of you go home, for the time of sowing has come, and you must sow, that there may be something to reap for next year."

The people needed no second bidding and all went home. Spoiler became a very good king and every other year gathered no taxes. He ploughed his own land with the Kalamona's magic horse. By itself it ploughed as much as many horses and oxen had done before. The old people retired to live in the country. The new king lived with his wife free of care, and they are still living now if they have not died.

A szélkötő Kalamona
The Kalamona and the Binding of the Winds

Adj isten egészségére!

Hol volt, hol nem volt, volt egyszer egy király. Ez a király olyan hatalmas volt, hogy ha eltüsszentette magát, az egész ország népségének rá kellett mondani: „Adj isten egészségére!" Minden ember mondta, csak a csillagszemű juhász nem akarta soha mondani. Megtudta ezt a király, nagyon megharagudott, maga elé hívatta a juhászt.

Elmegy a juhász, megáll a király előtt. A király pedig trónusán ült, és igen hatalmas volt, no meg rettenetesen mérges. De akármilyen hatalmas volt, akármilyen mérges volt a király, a csillagszemű juhász mégsem félt tőle.

– Mondd mindjárt: adj isten egészségemre! – rivallt rá a király.

– Adj isten egészségemre! – szólt vissza a juhász.

– Nekem, nekem, nekem! Te korhely, te betyár!

– Nekem, nekem, nekem! Felséges úr! – felelt amaz.

– De nékem, énnékem – ordított a király, és mérgesen verte a mellét.

– Nékem hát, persze hogy énnékem! – mondta megint a juhász, és szelíden verte hozzá a mellét.

Már akkor a király nem tudta, mit tegyen mérgében. Beleszólt a hoppmester:

– Azt mondd te, tüstént azt mondd: adj isten egészségére, mert ha nem mondod, halál fia vagy!

– Nem mondom én addig, míg a királykisasszonyt nekem nem adják! – felelte a juhász.

A királylány is ott volt a szobában. Királyapja mellett ült egy kisebb trónuson, és olyan gyönyörűségesen szép volt, akár csak az aranygalamb. Elnevette magát a juhász szavára, mert neki is megtetszett a csillagszemű juhász. Jobban megtetszett, mint minden királyfi.

A király erre azt parancsolta mérgében, hogy vessék a juhászt tüstént a fehér medve tömlöcébe! El is vitték a darabontok, és bevetették a juhászt a fehér medve tömlöcébe. A medvének akkor már hat napja nem adtak enni, hogy annál dühösebb legyen.

God Bless!

Once upon a time there was a king, who was so mighty that if he sneezed all the people in the land had to say "God bless him!". Every man said it, but the starry-eyed shepherd never would. The king learned of this, was very angry, and summoned the shepherd to appear before him.

Off went the shepherd and stood before the king, who was seated on his throne, very mighty and, furthermore, terribly angry. But however mighty, however angry the king was, the starry-eyed shepherd did not fear him.

"Say this minute: God bless me!" stormed the king.

"God bless me," responded the shepherd.

"Me, me, me! You rascal, you villain!"

"Me, me, me! Your Majesty!" came the reply.

"I mean me, myself," roared the king, pounding his chest in rage.

"All right, me, me, certainly!" said the shepherd again, and gently tapped his chest.

Now the king was beside himself with fury. The captain of the guard interposed.

"Say it, and say it at once: God bless him, for if you do not you are dead meat!"

"I shall not say it until I am given the princess!" answered the shepherd.

The king's daughter was in the room. She was seated beside the king her father on a little throne, and she was as lovely as a golden dove. She burst out laughing at the shepherd's words, because she liked the starry-eyed shepherd. He had made a better impression than any prince.

The king commanded in his rage that the shepherd be taken to the dungeon of the white bear! The guards took him away and led him thither. The bear had not been fed for a week, so that he should be the more savage.

Mikor az ajtót betették, mindjárt megrohanta a juhászt, hogy széttépje, és felfalja. De mikor a csillagszemét maglátta, úgy megijedt, hogy majdnem magát falta be. A legtávolabbi szögletbe kucorodott. Onnan nézte, de bántani nem merte, pedig olyan éhes volt, csak úgy nyaldosta a talpát az éhségtől. A juhász meg le nem vette róla a szemét, és hogy ébren tartsa magát, nótákat fújt. Tudta, ha elaludna, a medve rögtön széttépné.

Reggel jön a hoppmester, megnézni a juhász csontjait. Hát látja, hogy annak semmi baja. Felvezette a királyhoz. Az rettenetesen megharagudott, és azt kérdezte:

– Na, most közel voltál a halálhoz! Mondod-e már, adj isten egészségemre?

De a juhász csak azt mondta:

– Nem félek én tíz haláltól sem! Csak akkor mondom, ha a királykisasszonyt nekem adják feleségül!

– Eredj hát tíz halálba!

És a király megparancsolta, hogy vessék a juhászt az óriás sündisznók tömlöcébe! Be is vetették a darabontok. A tüskésdisznóknak nem adtak egy hétig enni, hogy annál gonoszabbak legyenek.

Amint a disznók nekirohantak, hogy felfalják, a juhász kivett szűre ujjából egy kis furulyát. Elkezdett rajta furulyázni. Erre a disznók visszahökkentek, és egymásba kapaszkodva táncba ugrottak. A juhász kacagni szeretett volna, amikor az ormótlan állatokat táncolni látta, de nem merte abbahagyni a furulyázást. Tudta, hogy akkor mindjárt rárohannak, és felfalják. Ezeknél hiába volt csillagszeme, a tíz disznónak nem nézhetett egyszerre a szeme közé. Addig fújta, hogy nem győzték már az aprózást, és egészen kifáradva egyrakásra dőltek. A juhász csak nevetett, de úgy nevetett, hogy még reggel is, mikor a hoppmester jött megnézni, maradt-e valami a csontjaiból, könnyek futottak az arcán a nagy kacagástól.

Felvezették aztán a királyhoz. Az most még dühösebb volt, hogy a disznók sem tudták elpusztítani a juhászt.

Mondja neki:

– No, most közel voltál tíz halálhoz. Hát mondod-e már, adj isten egészségemre?

A juhász belevágott a szóba:

– Nem félek én száz haláltól sem. Csak akkor mondom, ha a királykisasszonyt nekem adják feleségül.

When the door had been shut the bear immediately rushed at the shepherd to tear him in pieces and devour him. But when it saw his starry eyes it was so startled that it all but devoured itself. It cringed in the farthest corner and looked at him from there, but dared not harm him, although it was so famished that it was licking its paws from hunger. The shepherd did not take his eyes off it, and so as to keep himself awake he played tunes. He knew that if he fell asleep the bear would instantly tear him apart.

In the morning the captain of the guard came to look at the shepherd's bones, but he saw that he was unharmed. He took him to the king, who was exceedingly angry and asked him:

"See, you have been close to death! Are you going to say 'God bless me'?"

"You can send me to ten deaths!"

And the king commanded that he be taken to the dungeon of the gigantic hedgehog-pigs. The guards led him thither. The spiny pigs had not been fed for a week so that they should be all the more evil.

When the pigs rushed upon him to devour him the shepherd took from the sleeve of his felt coat a little flute and began to play. At that the pigs recoiled, clasped one another and began to dance. The shepherd would have liked to roar with laughter at the sight of the clumsy animals dancing, but he dared not leave off playing. He knew that they would immediately rush upon him and devour him. On this occasion his starry eyes were of no avail, as he could not look ten pigs in the eye at the same time. He played until they could dance no more and collapsed one on another in complete exhaustion. The shepherd laughed and laughed, so much so that when in the morning the captain of the guard came to see whether anything remained of his bones, tears were still streaming down his face.

Then he was taken up to the king, who was even more furious yet that the pigs had failed to destroy the shepherd.

He said to him:

"Now then, you have been close to ten deaths. So will you say 'God bless me'?"

The shepherd interrupted him:

"I do not fear a hundred deaths. I will say it only when the princess is given me to wife."

– Eredj hát a száz halálba! – kiáltotta a király, és megparancsolta, hogy vessék a juhászt a kaszásverembe.

El is vitték a darabontok a sötét tömlöcbe. Ennek a közepén egy mély kút volt, körülrakva éles kaszákkal. A kút fenekén egy mécs égett, hogyha valakit belevetnek, meglássák, leért-e a fenekére.

Ahogy odavitték a juhászt, arra kérte a darabontokat, hogy menjenek ki egy kicsit, míg ő belenéz a kaszásverembe. Talán még meggondolja magát, mondja-e a királynak: adj isten egészségére – gondolták a darabontok, és kimentek.

A juhász felállította a verem mellé a fokosát, arra ráakasztotta a szűrét, a tetejébe meg a kalapját tette. De előbb még a tarisznyát is felakasztotta, hogy test is legyen a szűrben. Akkor aztán kiáltott a darabontoknak, hogy már meggondolta, ő bizony mégsem mondja.

A darabontok odamentek, belökték a szűrt, kalapot, tarisznyát a verembe. Utánanéztek, mint oltotta ki a mécsest. Aztán egészen megnyugodva, hogy most már igazán vége a juhásznak, elmentek. Az pedig a sötét szögletben csak nevetett.

Másnap jön a hoppmester a lámpással, hát majd hanyatt esett, ahogy meglátta a juhászt. Felvezette a királyhoz. Az most még sokkal mérgesebb lett. De azért mégis megkérdezte:

– No, most már száz halálba voltál, mondod-e már: adj isten egészségemre?

De a juhász csak azt felelte:

– Nem mondom én addig, míg a királykisasszonyt nekem nem adják feleségül.

„Tán olcsóbbért is megalkuszunk – gondolta a király. – Majd a kincsek elkápráztatják." Látta már ugyanis, hogy semmi módon el nem pusztíthatja a juhászt. Megparancsolta tehát, hogy fogjanak be a királyi hintóba. Akkor maga mellé ültette a juhászt, és elhajtatott az ezüsterdőbe.

Ott így szólt hozzá:

– Látod ezt az ezüsterdőt? Ha azt mondod: adj isten egészségemre, neked adom. – A juhász csak elhűlt, de azért mégis így felelt:

– Nem mondom én addig, míg a királykisasszonyt nekem nem adják feleségül.

A király elszomorodott. Odább hajtatott. Elértek az aranyvárhoz. Ott ezt mondta:

"Away then to a hundred deaths!" cried the king, and commanded that he be taken to the scythe-pit.

Off the guards led him to the dark dungeon. In the middle of this was a deep well surrounded by sharp scythes. At the bottom a candle burned, so that if anyone was put therein it could be seen when he had reached the bottom.

When the guards led him thither he asked them to go out for a moment while he looked into the scythe-pit. Perhaps, thought the guards, he was thinking of saying to the king 'God bless you'. They went out.

The shepherd placed his whip in the middle of the pit, hung his coat on it and set his hat on the top. But first he hung his bag there too, so that there should be a body under the *szűr*. Then he called to the guards that he had considered, and would certainly not say it.

In came the guards and hurled coat, hat and bag into the pit. They looked after them and saw that the candle had been extinguished. Then, fully assured that was the end of the shepherd, they left. He, however, was laughing in a dark corner.

Next day the captain of the guard came with a lantern and fell flat at the sight of the shepherd. He took him before the king, who was a great deal more furious still. But still he asked him:

"Well, now you have faced a hundred deaths; will you say 'God bless me'?"

But the shepherd replied:

"I will not, until the princess is given me to wife."

'Perhaps we can reach a cheaper agreement,' thought the king to himself. 'Treasure will seduce him'. By this time, of course, he saw that he could in no way destroy the shepherd. Therefore he commanded that the royal coach be harnessed, and he seated the shepherd at his side and drove to the silver forest.

There he said:

"Do you see this silver forest? If you will say 'God bless me' I will give it to you." The shepherd was amazed, but replied nonetheless:

"I will not say it until the princess is given me to wife."

The king was saddened and drove on. They came to the golden castle, and there he said:

– Látod ezt az aranyvárat? Ezt is neked adom, az ezüsterdőt is, csak mondd azt nekem: adj isten egészségére.

A juhász csak ámult-bámult, mégis ezt mondta:

– Nem, nem mondom addig, míg a királykisasszonyt nekem nem adják feleségül.

Erre a király nagy búnak eresztette a fejét. Odább hajtatott a gyémánttóig.

Ott azt mondja:

– Látod ezt a gyémánttavat? Még azt is neked adom, ezüsterdőt, aranyvárat, gyémánttavat, mind-mind neked adom, csak azt mondd nekem, adj isten egészségére.

Már akkor a juhásznak be kellett hunynia a csillagszemét, hogy ne lásson, de mégiscsak azt felelte:

– Nem, nem, nem, nem mondom addig, míg a királykisasszonyt nekem nem adják feleségül.

A király látta, hogy nem boldogul vele, megadta magát:

– No, nem bánom, hozzád adom a lányomat. De aztán mondd ám nekem igazán, hogy: adj isten egészségére!

– Mondom hát, hogyne mondanám! Persze hogy akkor mondom.

A király ennek nagyon megörült. Kihirdette, hogy örüljön az egész ország népsége, mert a királylány férjhez megy. Tartottak aztán olyan lakodalmat, hogy az egész országban mindenki evett-ivott, táncolt, még a halálos betegek is, még az aznap született gyerekek is. De a király házánál volt a legnagyobb vigasság. A legjobb banda ott húzta, a legjobb ételeket ott főzték. Tenger nép ült az asztal körül, a jókedv a házfedelet emelgette. De amint a vőfély felhozta a tormás disznófejet, s a király maga elé vette, hogy szétossza, akkor egyszerre csak nagyot tüsszentett a király az erős tormától.

– Adj isten egészségére! – kiáltott a juhász legelőször. A király ennek úgy megörült, hogy örömében menten szörnyethalt.

Akkor a csillagszemű juhász lett a király. Igen jó király lett belőle, sohase terhelte a népet szeszélyeivel. Igen szerették, mert nagyon jó király volt. Még mindig uralkodik valahol.

"Do you see this golden castle? I will give it to you, and the silver forest too, only say to me 'God bless you'."

The shepherd merely stared in amazement, but still replied:

"No, I will not say it until the princess is given me to wife."

At that the king lowered his head in great grief. He drove on to the diamond lake.

There he said:

"Do you see this diamond lake? I will give you all, silver forest, golden castle and diamond lake, only say to me 'God bless you'."

By this time the shepherd had to close his starry eyes so as not to see, but nevertheless he replied:

"No, no, no, I will not say it until the princess is given me to wife."

The king saw that he could not prevail against him and yielded:

"Very well, then, I will give you my daughter. But then truly say to me 'God bless you'!"

"I will, without fail! Of course I will say it!"

At that the king was greatly pleased. He proclaimed that all the people in the land should rejoice, for the princess was to be married. Then such a wedding-feast was held that all in the whole kingdom ate and drank and danced, even those that were mortally sick and children born that day. But the greatest gaiety was in the king's house. He summoned the best gipsy band and the best food was cooked there. A sea of people sat to table and good humour raised the roof. And as the best man brought in the pig's head in horse-radish and the king set it before himself to carve, suddenly the strong horse-radish caused him to sneeze.

"God bless you!" exclaimed the shepherd first of all. At that the king was so delighted that he died on the spot of pleasure.

Then the starry-eyed shepherd became king. He became a very good king and never burdened the people with his whims. He was dearly loved, for he was a very good king, and somewhere he rules to this day.

Adj isten egészségére!
God Bless!

Csihán királyúrfi

Egyszer volt, hol nem volt, hetedhét országon túl, még azon is túl, kidőlt kemencének bedőlt oldalában egy jegenyefa, annak a jegenyefának volt hatvanhat ága, s azon minden ágán hatvanhat varjú. Aki az én beszédemet meg nem hallgatja, annak vájja ki a szemét.

Volt egy olyan kevély molnárlegény, hogyha tojásra lépett volna, az sem törött volna el. No de hiába a kevélység, ha nem őröl a malom, egyszer megunta a sok éhezést, s azt mondta:

– Én istenem, vigy' ki ebből a malomból!

Volt annak a molnárlegénynek egy furulyája, egy fűrésze s egy bárdja. Megyen ő hetedhét országon keresztül, addig jár, addig bolyong, hogy itt a Gagy vizén, Martonoson alul talál egy horpadt-korhadt malmot. Még a csihán is benőtte. Azt építette, építgette magának a molnár.

Mikor elkészítette azt a malmot, várta, hogy majd csak jön valaki őrleni, de nem ment senki sem. Hanem egy királynak volt tizenkét vadásza, azoknak a kopói hajtottak egy rókát. Azt mondja a róka a molnárnak:

– Dugj el engemet valahová, te molnár, aztán jótét helyébe jót várj.

– Ugyan, te róka, hát én hova dugjalak el tégedet, mikor látod, hogy nincs semmim, csak ami gúnya van rajtam, semmi egyebem?

Azt mondja a róka:

– Te molnár, úgy látom, hogy a vályú előtt egy rossz zsák van, azt vesd rám. Mikor azok a kopók ide találnak jőni, a söprűvel hajtsd el őket a zsák közeléből.

Jönnek a vadászok és kérdezik:

– Te molnár, nem láttál-é egy rókát?

– Honnét láttam volna?

Elmennek a vadászok, és mikor elmentek, egy kis idő múlva azt mondja a róka:

– Te molnár, köszönöm neked ezt a barátságot. Mondd csak, nem házasodnál-é meg?

Prince Csihán[1]

Somewhere in a far, far land, a poplar grows at the crumbling side of a ruined furnace, and on that poplar are sixty-six branches, and on each branch sixty-six crows. May they peck out his eyes who
does not listen to my words.

There lived a miller-lad, so proud that if he had trodden on an egg it would not have broken. But pride is of no avail if the mill does not grind, and one day he had had enough of hunger and said:

"Oh God, take me away from this mill!"

That miller-lad had a flute, a saw and a hatchet. He crossed seventy-seven lands, roved and roamed, until at Martonos on the river Gagy he came to a derelict, tumbledown mill. It was even overgrown with nettles. The miller built it up and restored it for himself.

When he had finished he waited for someone to come and grind, but no-one came. A certain king, however, had twelve huntsmen, and their hounds pursued a fox. The fox said to the miller:

"Hide me somewhere, miller, and your good deed will bring you a reward."

"Come now, fox, where am I to hide you, when you can see that I have the clothes on my back and nothing besides?"

The fox said:

"Miller, I can see a tattered sack in front of the trough, throw that over me. If those hounds happen to come in here, drive them away from the sack with a broom."

The huntsmen came and asked:

"Miller, have you by any chance seen a fox?"

"How should I have seen one?"

The huntsmen went away and a little after they had gone the fox said:

"Miller, thank you for your kindness. Tell me, would you not care to be married?"

---

1 The Hungarian *csihán* is a dialectal variant of *csalán* 'nettle'.

– Édes kicsi rókám – azt mondja a molnár –, ha én kapnék olyan feleséget, aki magától idejőne, úgy megházasodnám, de különben nem, mert nem tudok guzsalyasba menni ilyen rongyos ruházatban.

Elbúcsúzik a szegény róka ahajt a molnártól. Nem telik egy fertályóra, jön vissza a molnárhoz, s hoz egy darab rezet a szájában.

– Nesze, te molnár, tedd el ezt a rezet, mert ennek hasznát veszed még.

Elteszi a molnár, elmegy a róka. De jön ám vissza hamarost, hoz egy darab ezüstöt a szájában.

– Ezt is tedd el, mert ennek hasznát veszed még. Nem házasodnál-é még? – azt mondja.

– Én biz' én, édes kicsi rókám, jó szívvel házasodnék.

Eltűnik a róka ismét, de rögvest jön, s hoz a szájában egy darab aranyat.

– No – azt mondja –, te molnár, nem kérlek többet, hogy házasodjál, megházasítlak én téged. Hoci ide azt a darab rezet!

Odaadja a molnár a darab rezet, kapja magát a róka, megindul hetedhét országon keresztül. Mindaddig utazik, amíg a Sármán királyt föltalálja. Bemegyen a Sármán királyhoz és köszön:

– Adjon isten jó napot, fölséges király, életem-halálom kezedben, azt hallottam, hogy egy leányod van férjhez adó. Hát én követ vagyok. Csihán királyúrfi küldött, hogy add neki a leányodat feleségül.

– Jó szívvel odaadom, édes kicsi rókám, de még jobb szívvel adnám, ha látnám, kinek adom, de így se vonom meg.

Elmátkásítja a róka azon este a molnárt meg a királylányt. Hogy elmátkásítja, hát napot is tesznek.

Jól van, elbúcsúzik a róka a királytól, elviszi a jegygyűrűt a molnárlegénynek.

– No, te molnár, te többet nem vagy molnár, hanem te vagy a Csihán királyúrfi. Ezen a nap és ezen az órán légy készen.

Azt mondja egyszer a róka:

– Hozd ide, te Csihán királyúrfi, azt a darab aranyat, hogy vihessem a Sármán király őfelséginek, hogy ne gondolja, hogy te valami hitvány ember vagy.

Köszön a róka ismét a Sármán királynak:

– Adjon isten jó napot, fölséges király atyám! Fölséges király atyámnak küldte Csihán királyúrfi ezt a darab aranyat, hogy költsön a lakodalomra aprópénzt, mert neki mind ilyenek vannak.

"My dear little fox," said the miller, "if I could find such a wife as would come here of her own accord, then I would marry her, but not otherwise, for I cannot go to the spinning-room in rags like these."

At that the poor fox took his leave of the miller. A quarter of an hour had scarcely passed when he returned, carrying a piece of copper in his mouth.

"Here, miller, put away this copper, for you will find it useful one day."

The miller put it away and off went the fox. But very soon he was back, carrying in his mouth a piece of silver.

"Put this away too, for you will find it useful one day. Would you not care to be married?"

"Certainly, my dear little fox, with all my heart I would be married."

The fox vanished but shortly reappeared, carrying a gold coin in his mouth.

"Now, miller," he said, "I will not ask you again to marry, I will arrange it. Bring out that piece of copper!"

The miller handed over the copper, the fox took it and set off across seventy-seven lands. He travelled until he came to King Sármán. He went in to the king and said:

"God grant you good day, exalted king, my life and death are in your hands. I have heard that you have a marriageable daughter. Now, I am an emissary. Prince Csihán has sent me, that you may give him your daughter to wife."

"Gladly will I give her to him, my dear little fox, but more gladly yet if I could see to whom I gave her, but even so I will not refuse."

That evening the fox arranged the betrothal of the miller and the princess, and the day was named.

Very well, the fox took his leave of the king and bore the engagement ring to the miller-lad.

"Now, miller, you are no more a miller but Prince Csihán. Be ready at a certain day and hour."

One day the fox said:

"Prince Csihán, bring out that piece of gold, that I may bear it to His Majesty King Sármán, lest he should think you some kind of worthless man."

Again the fox greeted King Sármán:

"God grant you a good day, my exalted king and father! Prince Csihán has sent to my exalted king and father this piece of gold as a trifle to spend on the wedding-feast, for he has such as this aplenty."

Így gondolkozik a Sármán király: „Bizony, talán nem adnám rossz helyre a leányomat, mert én király vagyok, de nekem ilyen darab aranyaim nem hevernek!”

Evvel a róka elbúcsúzkodék, s szalad haza a Csihán királyúrfihoz.

– Készen vagy-é, te Csihán királyúrfi?

– Készen biz én – azt mondja.

Megindulnak nyomban hetedhét országon keresztül. Egyszerre csak azt mondja a róka a Csihán királyúrfinak:

– Te Csihán királyúrfi, látod-é azt a fényes kastélyt?

– Hogyne látnám, édes kicsi rókám.

– Abban van a te feleséged! – azt mondja.

Nem sokkal ezután azt mondja a róka:

– Te Csihán királyúrfi, vesd le a gúnyádat, rakjuk belé egy faodúba, égessük el azt is, hogy ne legyen ilyen sem.

Akkor aztán azt mondja a róka:

– Te Csihán királyúrfi, menj bele abba a patakba, s fürödjél meg amúgy ügyesen, de ülj veszteg a vízben, hadd menjek én előre bé a királyhoz.

Bemegyen a róka sírva.

– Jaj, fölséges király, életem-halálom kezedben van, megindultam Csihán királyúrfival, három társzekérrel, hat lóval, hintóval. Megáradt a patak, Csihán királyúrfit alig tudtam anyaszült mezítelen kifogni a vízből.

Összecsapja a Sármán király a kezeit:

– Hol hagytad a kedves vejemet, édes kicsi rókám?

– Itt s itt hagytam, fölséges király, a patak szélin.

A király nyomban két lovat hintó elibe fogat, a legénykori gúnyáját előkeresi, felülteti az inast, kocsist, a rókát melléje.

Leszáll a róka a hintóról, az inas veszi a gúnyát a karjára, viszi a Csihán királyúrfihoz. Azt mondja az inasnak:

– No, öltöztesd fel azt az úrfit, te inas!

Felöltözik Csihán királyúrfi, és egyszeribe deli szép vitéz lesz belőle.

Félreinti őt a róka:

– Vigyázz, Csihán úrfi, nehogy nézegesd magad ebben a gúnyában, mert a király azt gondolja, hogy neked különb gúnyád volt ennél!

Thought King Sármán: 'Indeed, perhaps it is to no mean place that I would be giving my daughter, for king though I am I have no such pieces of gold about me!'

With that the fox took his leave and ran home to Prince Csihán.

"Are you ready, Prince Csihán?"

"Ready indeed I am," said he.

They set out at once across seventy-seven lands. Suddenly the fox said to Prince Csihán:

"Prince Csihán, do you see that gleaming palace?"

"Of course I see it, my dear little fox."

"Your wife is in there!" said the fox.

A little while later the fox said:

"Prince Csihán, take off your clothes, place them in the hollow of a tree and burn them, so that none remain."

Then the fox said:

"Prince Csihán, go into that stream and bathe to your heart's content, and remain in the water while I go ahead to the king."

The fox went in weeping:

"Alas, exalted king, my life and death are in your hands, I set out with Prince Csihán with three waggons and a carriage drawn by six horses. The stream has flooded, and I was scarcely able to pull Prince Csihán from the water naked as the day he was born."

King Sármán clapped his hands together:

"Where have you left my dear son-in-law, dear little fox?"

"In a certain place, Your Majesty, on the bank of the stream."

Straight away the king harnessed two horses to a carriage, took out clothes that he had worn as a young man, and bade the valet and coachman take their places, and the fox beside them.

The fox jumped down from the carriage, the valet carried the clothes over his arm and took them to Prince Csihán. The fox said:

"Now, valet, dress the Prince!"

Prince Csihán put the clothes on, and was at once transformed into a comely, handsome knight.

The fox beckoned him aside:

"Beware, Prince Csihán, do not admire yourself in these clothes, for the king believes that your clothes were better than these."

Jól van, hát beléültek a hintóba, mennek haza a Sármán királyhoz. Mikor megérkeznek, a Sármán király ölébe kapja a vejét.

– Legyen hála istennek, kedves vejem, megmarasztott az isten tégedet abban a nagy vizekben.

Mindjárt papot, hóhért hívatnak, megesketik a fiatalokat.

Eltelik a nagy lakodalom, ott ülnek egy hónapig, kettőig. Azt mondja egyszer a felesége:

– Édes kincsem, menjünk már a tiedbe is.

Kimegy Csihán királyúrfi, keresi a rókát, s a könnye hullott közben. Azt mondja a róka:

– Mi lelt téged, Csihán királyúrfi?

– Elég baj ért engem – azt mondja a legény –, mert az én édes feleségem azt mondja, hogy menjünk már az enyémbe is.

Azt feleli a róka:

– Ne aggódj, Csihán királyúrfi, hanem menjünk, ahogy a feleséged parancsolja.

Azzal Csihán királyúrfi bemegy a feleségéhez.

– No, édes feleségem, készülj, induljunk!

Nyomban befogat hat lovat, hintót. A király három társzekeret kinccsel, pénzzel megrakat, hogy szegénységet ne érjenek.

Azt mondja a róka Csihán királyúrfinak:

– No, Csihán királyúrfi, amerre én megyek, arra jöjj te is.

Megindulnak hetedhét országon keresztül. Meglátnak egy ökörcsordát. De a róka előrefut, és azt mondja a pásztornak:

– Te pásztor, nehogy azt mondd, hogy a vasfogú bábáé ez a csorda, hanem azt, hogy a Csihán királyúrfié, mert ha megteszed, igen szép ajándékot fogsz kapni!

Azzal a róka futott tovább, egyenesen a vasfogú bábához.

– Adjon isten jó napot, anyámasszony!

– Isten hozott, fiam! – azt mondja. – Szerencséd, hogy anyádnak szólítottál, mert ma a máknál a csontod apróbb lett volna.

– Jaj, édesanyám – azt mondja –, hagyjuk el haszontalanságot, mert jő az átkozott francia.

– Édes fiam, dugj el valahova!

Very well, and so they took their seats in the carriage and went home to King Sármán. When they arrived the king embraced his son-in-law[2].

"Praise be to God, my dear son-in-law, He has preserved you in the great waters."

At once priest and executioner were summoned and the young people were married.

A great feast took place and they feasted for a month, for two months. One day Prince Csihán's wife said to him:

"My dear treasure, now let us go to your house."

Prince Csihán went out and looked for the fox, and his tears flowed the while. The fox said:

"What ails you, Prince Csihán?"

"A great enough pain afflicts me," said the young man, "for my dear wife is asking that we go to my house."

The fox replied:

"Have no fear, Prince Csihán, but let us go as your wife commands."

With that Prince Csihán went in to his wife.

"Now, my dear wife, make ready, let us be off!"

Straight away he harnessed six horses to the carriage. The king filled three waggons with treasure and money, that they should not be in poverty.

The fox said to Prince Csihán:

"Now, Prince Csihán, wherever I go, do you come too."

They travelled through seventy-seven lands. Then they saw a herd of oxen. The fox ran ahead and said to the herdsman:

"Herdsman, say not that this herd belongs to the iron-toothed witch, but that it is Prince Csihán's, for if you will, you shall receive a very fine gift!"

Then the fox ran on, straight to the house of the iron-toothed witch.

"God grant you good day, mother."

"Welcome, my boy!" said she. "You are fortunate that you called me mother, for today your bones would have been ground finer than poppy-seed."

"Alas, mother," said he, "let us waste no time, for the accursed French are coming."

"My dear boy, hide me somewhere!"

2 The Hungarian here has *ölébe kapja* 'takes into his lap', a locution as preposterous in Hungarian as in English.

Tudott a róka egy feneketlen tót, elviszi a martjára.

– No, édes öreganyám, itt mosogassa a lábait, ameddig én visszajövök magáért.

Otthagyja a róka a vasfogú bábát, mosogatja a lábát. Megyen a Csihán királyúrfi elibe, s ahajt bészállnak a nagy kastélyba. De ott már minden volt, ami egy gazdának kellett. Ott élnek boldogan, de hát eszibe jut a rókának, hogy még a vasfogú bába nincsen jó helyt. Szalad ki hozzá a tó martjára. Azt mondja a vasfogú bába neki:

– Hallám, édes fiam, hogy megérkeztek a csöngős-pöngős lovak, hát tégy el engem innét más helyre a francia elől.

Nosza, hozzásúrlódik a róka, a vasfogú bába pedig belébukik a tóba. Csihán királyúrfinak marad minden vagyona.

Örömében Csihán királyúrfi ismét lakodalmat hirdet, hogy Boncidától fogva Zsákhajjáig tál, tányér elég volt, de istenes ember, aki egy csöpp levet kapott.

Gondolja magában a róka, hogy majd próbát tesz, hadd lám, milyen hozzá Csihán királyúrfi a sok jótétel után. Betegnek teszi magát, nyög, jajgat, erősképpen. Panaszolják a szolgák Csihán királyúrfinak, hogy nem tudnak nyugodni a rókától. Azt mondja Csihán királyúrfi:

– Fogjátok meg, dobjátok a kerítésen túlra!

Kivetik a kerítésen túl a rókát. Egyszer kimegyen Csihán királyúrfi a házból, hát hallja:

– Te Csihán királyúrfi, te csihánból lett molnár, akarsz-e olyan gazda lenni, amilyen voltál a csihán-malomban?

– Jaj, édes kicsi rókám, nehogy te azt tedd velem – mondja Csihán királyúrfi megijedten –, inkább királyi hitemre fogadom, hogy avval az étellel-itallal tartlak, amivel én élek!

Azzal szólott a szolgáknak, behozatta, asztalhoz ültette, s avval az étellel-itallal tartotta, amivel ő élt, s még máig is élnek, ha meg nem haltak.

The fox knew of a bottomless lake, and took her to the shore.

"Now, dear old mother, bathe your feet here until I return."

There the fox left the iron-toothed witch and she bathed her feet. He went to meet Prince Csihán and thereupon they entered the great mansion. And there was everything that befitted a rich man. There they lived happily, but then the fox realised that the iron-toothed witch had yet to be disposed of. He ran out to her on the lake-shore. The iron-toothed witch said to him:

"My boy, I heard the clattering horses arrive, so take me elsewhere away from the French."

Well, the fox rubbed against her, and the iron-toothed witch tumbled into the lake. Prince Csihán was left in possession of all her wealth.

In his delight Prince Csihán proclaimed another feast, such that the plates and dishes reached from Dan to Beersheba, but he was a god-fearing man that got a drop to drink.

The fox bethought him that he would make a test, to see how Prince Csihán was disposed towards him after all that he had done for him. He pretended to be ill and groaned and moaned mightily. The servants complained to Prince Csihán that they could not sleep because of the fox. Prince Csihán said:

"Take him and throw him over the fence!"

And so they did. One day Prince Csihán went out of the house, and he heard:

"Prince Csihán, you nettle that became a miller, do you wish to be as rich as you were in the mill with the nettles?"

"Alas, my dear little fox, do not do that to me," said Prince Csihán in alarm. "Rather I give my royal word that I will keep you with the food and drink that I have myself!"

With that he gave orders to the servants, had him brought in and seated at table and fed him with the food and drink that he had himself, and they are alive to this day if they have not died.

Csihán királyúrfi
Prince Csihán

Kacor király

Egyszer volt, hol nem volt, volt egyszer egy özvegyasszony s annak egy macskája. Nagy macska volt már, de éppen olyan nyalánk volt, mintha kis macska lett volna. Egy reggel is mind felnyalta a lábasból a tejet. Megharagudott az özvegyasszony, jól megverte, s elkergette a háztól. A macska elbujdosott a falu végére, s ott nagy szomorúan leült egy híd mellé.

A híd végén ült egy róka is, lógatta a lompos farkát. Meglátja azt a macska, neki-nekifutott, s játszadozni kezd a róka farkával. A róka megijed, felugrik, megfordul. A macska is megijed, hátrál, s felborzolja magát. Így nézték egymást egy darabig.

A róka sohasem látott macskát, a macska sohasem látott rókát. Mindegyik félt, de egyik sem tudta, mit csináljon. Végtére a róka szólalt meg:

– Ugyan, ha meg nem sérteném, nem mondaná meg az úr, hogy miféle nemzetség?

– Én vagyok a Kacor király!

– Kacor király? Soha hírét nem hallottam!

– Bizony pedig hallhattad volna. Minden állatot meg tudok regulázni, olyan nagy a hatalmam.

Megszeppent a róka, s nagy alázatosan kérte a macskát, hogy legyen vendége egy kis csirkehúsra. Minthogy már délfelé járt az idő, s a macska nagyon ehetnék volt, nem várt két meghívást. Elindultak hát a róka barlangjába. A macska hamar beletalálta magát a nagy uraságba, s örvendett, hogy a róka olyan tisztelettel szolgálja, mintha valóságos király volna. Urasan is viselkedett, keveset szólott és sokat evett, ebéd után álomra dőlt, s azt parancsolta a rókának, ügyeljen, hogy senki se háborgassa, amíg alszik.

A róka kiállott a barlang szájához strázsálni. Hát éppen akkor ment el ott a kis nyúl.

– Hallod-e, te kis nyúl, itt ne járj, mert az én uram, a Kacor király alszik; ha kijő, majd nem tudod, merre szaladj; minden állatot megreguláz, olyan nagy a hatalma!

King Tom

Once upon a time there was a widow woman, and she had a cat. It was a big cat, but as dainty as if it had been small. One morning it lapped up the milk from the pan. The widow woman was cross, gave it a sound thrashing and drove it out of the house. The cat fled to the end of the village and there sat down by the bridge, very sorrowfully.

At the end of the bridge there also sat a fox, dangling its bushy tail. The cat caught sight of it, rushed over to it and started to play with the fox's brush. The fox was startled, jumped up and turned round. The cat too was startled, retreated and bristled. Thus they stared at one another for a while.

The fox had never seen a cat, nor the cat a fox. Both were anxious, but neither knew what to do. At last the fox spoke:

"If I might make so bold, would the gentleman not tell me of what race he is?"

"I am King Tom!"

"King Tom? I have never heard of you!"

"Surely you must have. I can demand obedience of every animal, so great is my power."

The fox was alarmed and very humbly asked the cat to be his guest for a little chicken. As the hour was approaching noon, and the cat was very hungry, he did not wait for a second invitation. And so off they went to the fox's lair. The cat was soon quite at home in great lordliness and was delighted that the fox served him so respectfully, as if he were really a king. He bore himself in aristocratic fashion, spoke little and ate much, and commanded the fox not to allow anyone to disturb him when he was sleeping.

The fox took post at the mouth of the lair to keep watch. Just at that moment a little hare went by.

"Do you hear, little hare, do not come this way, for my master King Tom is asleep; if he comes out you will not know where to run; he demands obedience of all animals, so great is his power."

Megijedt a kis nyúl, szép lassan elkotródott, s egy tisztáson lekuporodva azon gondolkozott: „Ki lehet az a Kacor király? Soha hírét sem hallottam."

Arra bódorgott egy medve is. Kérdi tőle a nyúl: hova megyen?

– Járok egyet, mert nagyon unatkozom.

– Jaj, erre ne járj, mert a róka azt mondja, hogy az ő ura, a Kacor király alszik, s ha kijő, majd nem tudod, merre szaladj! Minden állatot megreguláz, olyan nagy a hatalma!

– Kacor király? Soha hírét sem hallottam! Már csak azért is arra megyek, legalább meglátom, milyen az a Kacor király. – El is indult a medve a róka barlangja felé.

– Hallod-e, te medve – kiált rá a strázsa. – Itt ne járj, mert az én uram, a Kacor király alszik, ha kijő, nem tudod, merre szaladj; minden állatot megreguláz, olyan nagy a hatalma!

Erre a medvének inába szállt a bátorsága, szó nélkül megfordult, és visszatért a kis nyúlhoz. Ott találta a kis nyúllal a farkast és a varjút is; panaszolták, hogy ők is éppen úgy jártak.

– Ki lehet az a Kacor király? Soha hírét sem hallottuk! – mondták mindnyájan, s mind azon tanakodtak, mit csináljanak, hogy megláthassák. Abban állapodtak meg, hogy meghívják ebédre a rókával együtt. Mindjárt el is küldték a varjút, meghívni a vendégeket.

Mikor a róka meglátta a varjút, nagy méreggel kifutott, s összeszidta, hogy megint alkalmatlankodik.

– Eltakarodj innen! Nem megmondtam már? Az én uram a Kacor király; ha kijő, majd nem tudod, merre szaladj; minden állatot megreguláz, olyan nagy a hatalma!

– Tudom, nagyon jól tudom; nem is a magam jószántából jöttem ide, hanem a medve, a farkas és a nyúl küldött, hogy meghívjalak benneteket hozzájuk ebédre.

– Az már más! Várj egy kicsit.

Ezzel bement a róka megjelenteni a dolgot a Kacor királynak. Kisvártatva ki is jött, tudtára adta a varjúnak, hogy a király szívesen fogadta a meghívást, elmennek az ebédre, csak tudják, hova.

– Eljövök én holnap értetek, s elvezetlek!

A jó hírre a medve, a farkas és a nyúl ugyancsak felütötte a lacikonyháját. A kis nyulat megtették szakácsnak, mert kurta farka van,

The little hare was afraid and crept off very quietly, crouched in a clearing and thought: 'Who can this King Tom be? I have never heard of him.'

Thereupon along strolled a bear. The hare asked him where he was going.

"I am out for a walk, as I am very bored."

"Oh, do not go that way, for the fox says that his master King Tom is asleep, and if he comes out you will not know where to run! He demands obedience of every animal, so great is his power!"

"King Tom? I have never heard of him! Nevertheless I am going that way and at least I shall see what King Tom is like." And the bear set off towards the fox's lair.

"Do you hear, bear," called the sentry. "Do not come this way, for my master King Tom is asleep, and if he comes out you will not know where to run; he demands obedience from every animal, so great is his power."

At that the bear's courage vanished and he turned without a word and went back to the little hare. There he found with the hare the wolf and the crow too; they complained that they had fared likewise.

"Who can this King Tom be? We have never heard of him!" said they all, and took counsel together as to what they might do in order to be able to glimpse him. They decided to invite him to dinner together with the fox. Straight away the crow was sent to invite the guests.

When the fox saw the crow he ran out in a great rage and reproached him for disturbing him yet again.

"Take yourself off! Have I not told you already? My master is King Tom; if he comes out you will not know where to run; he demands obedience of every animal, so great is his power."

"I know, I know perfectly well; I have not come here of my own accord but the bear, the wolf and the hare have sent me to invite you both to come and dine."

"That is different! Wait a moment!"

With that the fox went in to report the matter to King Tom. A little later he emerged and informed the crow that the king was pleased to accept the invitation to dinner, and asked where to go.

"I will come for you tomorrow and will take you."

At the good news the bear, the wolf and the hare set up the cookhouse. The little hare was made cook, because he had a short tail and so

s így nem könnyen égeti meg magát. A medve fát és vadakat hordott a konyhára. A farkas asztalt terített, és pecsenyét forgatott.

Mikor kész volt már az ebéd, a varjú elindult a vendégekért. Egyik fáról a másikra szállott, de nem mert leszállani, hanem csak a fán maradt, s onnan szólítgatta a rókát.

– Várj egy kicsit, mindjárt készen leszünk – mondta a róka –, csak még a bajszát pödri ki az én felséges uram.

S csakugyan, végre kijött a Kacor király is. Lassan s nagy méltósággal lépdelt elöl, de a varjút szemmel tartotta, mert félt tőle. A varjú is szepegett, csak fél szemmel mert reátekinteni, egyik fáról a másikra szökdécselt, úgy vezette őket.

A medve, a farkas és a nyúl nagy várakozásban volt, mind azt mondották: vajon milyen lehet az a Kacor király? Ki-kinéztek az útra, ahonnan a vendégeket várták.

– Ott jön, ott jön! Jaj istenem, merre fussak! – kiáltotta a kis nyúl, s ijedtében nekifutott a tűznek. Megpörkölte magát, s ettől olyan bátor lett, hogy fordultában belekapott a farkas képébe, jól végigkarmolta. A farkas azt hitte, hogy ezt csak a medve tehette véle, s ezért jól képen teremtette a medvét. A medve a kis nyúlnak akarta továbbadni az ütést, de a Kacor királyt találta el, aki épp akkor ért oda.

Mikor látta, hogy a fenséges Kacor királyt ütötte meg, úgy megrémült, hogy nyaka közé szedte a lábát. A Kacor király meg attól ijedt meg, hogy így nyakon teremtették. Uzsgyi hát, ő is futóra!

Elröppent ijedtében a varjú is.

Még most is mennek, ha meg nem álltak.

would not easily burn himself. The bear brought wood and game to the kitchen, while the fox laid the table and turned the spit.

When dinner was ready the crow set off for the guests. He flew from tree to tree but dared not land; he remained in the tree and from there called the fox.

"Wait a moment, we shall be ready directly," said the fox, "my royal master is still pomading his moustache."

And indeed, at length out came King Tom. He stepped forth slowly and with great dignity, but he kept his eye on the crow as if he were afraid of him. The crow too was frightened and, as he hopped from tree to tree showing them the way, watched him with one eye.

The bear, the wolf and the hare were in a state of eager anticipation, saying all the time: 'What can this King Tom be like?' They kept looking out in the direction from which the guests were expected.

"Here he comes, here he comes! Oh my goodness, where shall I run! cried the little hare, and in his terror he ran into the fire. He singed himself, and as a result became so brave that when he turned round he clutched at the fox's face, and gave it a good scratch. The fox thought that the bear must have done it, and so he flew at the bear. The bear meant to return the blow to the little hare, but hit King Tom, who had just arrived.

When he saw that he had struck His Majesty King Tom he was so terrified that he took to flight. King Tom too was startled at being so assaulted, and he too turned and ran!

The crow too flew off in terror.

And they are still going, if they have not stopped.

Kacor király
King Tom

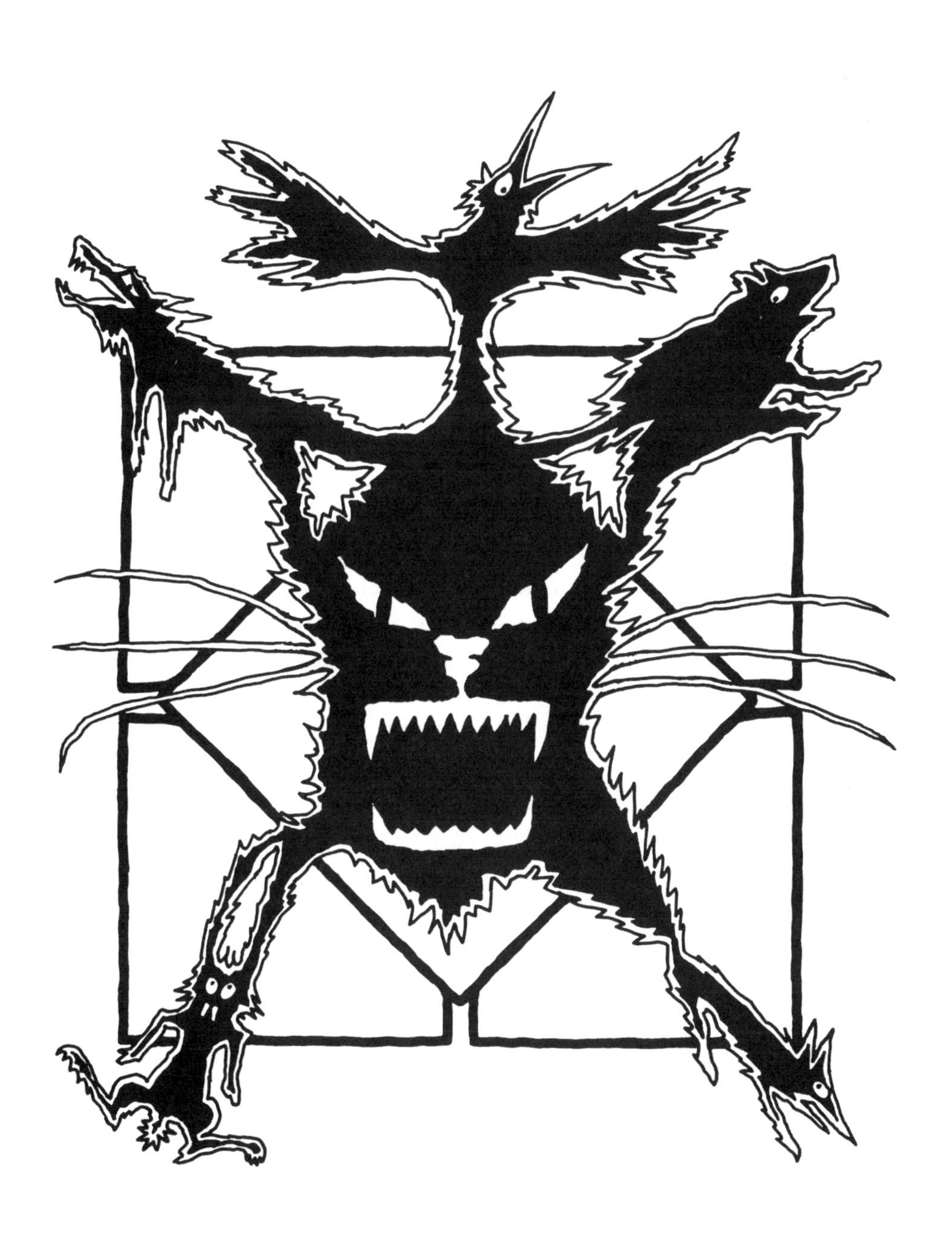

Együgyű Misó

Egyszer volt, hol nem volt, magam sem tudom, hol, de volt valahol ezen az élő világon egy ember, akit a sok bolondoskodásáért hol együgyű Miskának, hol együgyű Misónak neveztek. Amire ugyan rá is szolgált, mert noha már felesége is volt, soha egyebet sem tett, mint sült bolondságot.

Egyszer, hogy, hogy nem, két tehenet szerzett ez az együgyű Miska. Fogja is be rögtön a teheneket, s megy ki velük az erdőre, fáért.

Meglát hamarosan az erdőben egy gyönyörű nagyszál cserfát.

– Ezt viszem haza – mondja –, ebből bezzeg lehet majd tüzelni.

Azzal a fa alá tereli a teheneket a szekérrel. Azért, hogy amint ő a fát kivágja, a fa dőljön egyenesen a szekérre. Mert minek kínlódjék az ember még avval is, hogy széthasogassa a fát, s darabonként rakosgassa a szekérre.

Jól van! Vágja, vágja, végül szerencsésen ki is vágja a nagyszál fát, s a fa rá is dőlt a szekérre, mégpedig akkora zuhanással, hogy szekeret, tehenet, mindent úgy szétlapított, mint egy lepényt.

Hej! Vakarja a füle tövét együgyű Miska, mit tegyen ő most?! Hát hogy üres kézzel mégse menjen haza, vette a fejszéjét meg a szekérkötő láncot a karjára, s úgy indult haza.

Útközben elért egy tóhoz. Mit lát a tóban a nád között? Három vadrucát. Hogy a feleségét a két tehénért kibékítse – azt gondolta –, a fejszével agyondobja a rucákat. De a rucák elrepültek, a fejsze a vízbe csuppant, s azzal az is oda!

No már most hogy vegye ki onnan? – gondolta. Csak nem megy vízbe egy semmi fejszéért? – Ne te, ne! – kurjant fel észbekapva, a homlokára ütve. Mégiscsak van itt ész! Veszi a láncot, a fejsze után hajítja. Egy dolog végett még kár volna, de a kettő már csak megérdemli hogy a vízbe menjen! Gondolta azt is, a lánc majd ráütődik a fejszére, s így megmutatja, hol kell keresni. De a lánc egyet se koppant, csak úgy a vízbe csobbant, akár a fejsze. Hát erre már nagyon méregbe jött Misó.

Misó the Simple

Once upon a time, I know not where, there lived in the world a man who, because of his many foolish acts, was known as Miska or Misó the Simple. That suited him, for although he had a wife he never did anything but contrive foolishness.

One day, somehow or other, this Miska obtained two cows. He took them quickly and went with them into the forest for wood.

He soon saw in the forest an oak with a thick trunk.

"I will take that home," he said, "we will have a lot of fires out of that."

With that he drove the waggon and the cows under the tree so that as he cut it the wood would fall into the waggon. Why go to the trouble of cutting the tree to pieces and then loading it bit by bit onto the waggon?

Very well! He cut and cut, and finally he succeeded in cutting down the big tree; it fell straight into the waggon, but with such force that it crushed the waggon and cows flat as a pancake.

Oh dear! Miska the Simple scratched his head; now what was he to do? He had better not go home empty-handed, so he took his axe, put the chain from the waggon over his arm and set off for home.

On the way he came to a pond. What should he see in the pond, among the reeds, but three wild ducks. To make up to his wife for the two cows - he thought - he would throw his axe and kill the ducks. But they flew away, the axe sank in the pond and that was the end of that!

So how to get out of that? he thought. Surely he would not go into the water for a bit of an axe? Not at all! he crowed, slapping his forehead as he had a brainwave. Here was a clever idea! He took the chain and threw it after the axe. It would not have been worth it for one thing, but for two it was certainly worth getting wet! He also thought that the chain would hit the axe and show him where to look for it. But the chain did not hit a thing, just splashed into the water like the axe. So then Misó became very angry.

– Most csak azért is megkoppantalak én mind a kettőtöket! – kiáltotta dühösen.

Volt a zsebében húsz ezüst húszas, előkapta nagy bosszúsan, s egyiket a másik után a tóba hajigálta, hogy valamelyik csak rákoppan a fejszére. De bezzeg, hogy csak nem koppant. Aj! átkozódott szertelen méreggel Miska, csak azért is kiveszlek, te fejsze, onnan. Nagy ízibe nekivetkőzött, be a tóba!

Öreg este lett, mire a keresést elunta, s meg is fázott. Hát kijött, hogy felöltözzék. Igen, csakhogy amíg ő a tóban űzte a hóbortját, a ruháját a kutyák elhordták a partról, meztelenül kellett hazamennie.

Vallatóra fogta otthon azonnal a felesége. Mit tehetett mást szegény Miska, csak elbeszélte, hogy s mint járt aznap. Hát attól olyan méregbe jött az asszony, hogy előkapta a laskasirítőt, s úgy elagyabugyálta szegény Miskát, hogy elég lett volna az ütést számolni is, nemhogy tűrni. Reggelre kelve pedig az asszony feltarisznyázta s iskolába kergette az urát! Hogy talán egy kis észt tudnának verni annak abba a buta fejébe!

Amint ment Miska az iskola felé, hát egyszer csak, íme, talál az úton egy nagy tarisznya pénzt! Szalad vissza azonnal nagy örvendezéssel, hogy mégiscsak szereti őt az a jó Isten, mert bezzeg hogy helyreütötte az ő tegnapi károsodását!

Keresi azonközben a pénz gazdája az elveszített pénzét, s Misóval is találkozik. Kérdi tőle:

– Hallja-e, nem talált erre az úton egy tarisznya pénzt?

Azt mondja Miska:

– De igenis találtam, épp akkor, mikor először mentem az iskolába.

Dühbe jött a szegény káros, mert azt hitte, hogy csúfolódik vele Miska, s jól ellazsnakolta a hitvány Miskát. Telt-múlt megint az idő. Azt mondja egy vasárnapra kelve az asszony Miskának:

– Hallja-e, apjuk, én elmegyek a templomba! Amíg haza nem jövök, ügyeljen arra a szál kolbászra a lábasban meg arra a fazék káposztára, nehogy odasüljön vagy elégjen.

Jó! Odaült a tűzhelyhez Miska. Forgatja a kolbászt, s csipegeti, s forgatja a káposztát, s csipegeti abból is a húst; addig vette, addig csipeget-

"Now I shall give the two of you a thrashing for that!" he shouted furiously.

In his pocket he had twenty silver coins and he took them out very crossly and one by one threw them into the pond so that one of them should hit the axe. But indeed none did. 'Oh!' cursed Miska in a boundless rage, 'just for that I will get you out, you axe!' And he forthwith stripped to the buff and went into the pond.

It was late evening before he grew tired of searching, and he was frozen. And of course, while he had been acting the fool in the pond dogs had taken his clothes from the bank and he had to go home naked.

As soon as he was home his wife questioned him. What else could poor Miska do but explain how things had gone that day? And at that his wife flew into such a temper that she took the noodle-roller and gave poor Miska such a beating that it would have been hard enough to count the blows, let alone endure them. And in the morning the woman packed her husband off to school! Perhaps there some sense could be beaten into that stupid head of his!

As Miska was making his way to school, suddenly, lo and behold! he found a big bag of money in the road. Immediately he ran back in great delight that God in His goodness still loved him, for clearly he had forgiven his cursing of the previous day!

Meanwhile the owner of the money was looking for his lost property, and met Miska. He asked him:

"Listen, I wonder whether you have come across a bag of money on this road?"

Miska said:

"Certainly I have, I found it the first time I went to school."

The unfortunate man was furious, because he thought that Miska was playing a joke on him, and he gave the wretched Miska a good thrashing. Again time went by. One Sunday his wife said to Miska as she was getting up:

"Listen, father, I am off to church! Until I come home, keep an eye on that piece of sausage in the pan and that pot of cabbage, do not let them burn or be ruined."

Good! Miska sat down by the hearth. He turned the sausage and ate a bit, stirred the cabbage and ate a bit of the meat out of it; and he

te s ette a lábasból a kolbászt, fazékból a húst, amíg el nem csipegette; úgy jóllakott, akár egy esperes.

– Aunye! – nyújtózott egyet együgyű Misó, mikor már kész volt a nagy gyomrozással. – Igyunk is rá, ne csak együnk!

Ment hát le a pincébe a borért. Megnyitja a csapot. Hát abban a percben ott látja a kutyát is maga mellett. Mit keres ez itt?!

– Ejnye, hogy a farkasok rágjanak meg! Nem viszed el a hírt a szomszédba, hogy mit csinálok, de még asszonyodnak se árulsz el! – rikkantott rá Misó. – Mit vágjak hozzád?

Avval kikapta a csapot a hordóból, s azt hajította utána a kutyának. Hiszen a kutya el is futott nagy vonítva, hanem a bor is mind egy csepppig kifolyt a hordóból.

– Ejnye, ejnye, hogy tettem ilyen bolondot? – vakarta a füle tövét nagy sopánkodva Misó, amint meglátta, mit csinált.

Hanem hát ember téved – gondolta –, de ember is teszi jóvá!

Nekilátott újra a tennivalónak, kinyitotta a szuszékfedelet, és elkezdette hordogatni abból a puliszkalisztet a pincébe, hogy behintse, beitassa vele a tócsában álló bort. Áldott szerencséjére jött hamarosan a felesége a templomból.

Látja itt is, látja túl is, hogy semmi egyéb, hanem csak kárra kár, a szegény asszony olyan pulykaméregbe gurult, hogy megint úgy „ellaskasirítőzte", vagyis hogy a tésztanyújtófával megint úgy helybenhagyta együgyű Misót, hogy az végül csak az ágy alatt érezte maga emberének magát. De az asszony onnan is kihúzta. És kilökte a kapun, hogy le is út, fel is út.

– Miska, többet a lábad be ne tedd a jószágra, mert kitekerem a nyakad! – kiabálta az asszony.

Jól van, ha már így megesett a vásár, mit tehetett egyebet, elindult együgyű Miska világgá, szolgálatot keresni. Ment, ment, ameddig mehetett, amíg be nem keveredett egy rengeteg nagy erdőbe. Ott találkozott – kivel? Az ördöggel! Azt mondja neki az ördög:

– Hol jársz itt, te ember, a mi országunkban?

– Hát én biza szolgálatot keresnék, ha kapnék – mondja együgyű Misó.

Az ördögnek éppen cselédre volt szüksége. Nagy íziben meg is alkudtak. Miska persze minden dolgot vállalt – mindent megtesz, mindenhez ért! Hanem alighogy az ördög házához ért Misó, kezébe nyomtak egy

picked and nibbled and ate the sausage from the pan and the meat from the pot until he had nibbled it all up; thus he feasted like an archdeacon.

"Oof!" Misó the Simple gave a groan when the gorging was over. "Let us have something to drink as well as to eat!"

So down he went into the cellar for wine. He was turning the tap, but at that moment saw the dog at his side. What did that want there?

"Hey, may the wolves devour you! You will not take word to the neighbours of what I am doing, and you will not even betray me to your mistress!" shouted Misó at him. "What shall I throw at you?"

With that he pulled the tap out of the barrel and flung it after the dog, which naturally ran away howling; but the wine ran out of the barrel to the last drop.

"Oh dear, oh dear, how did I do such a foolish thing?" wailed Misó, scratching his head, when he saw what he had done.

'One makes a mistake,' he thought, 'and one puts it to rights'.

He set about the task, opened the lid of the flour-bin and began to carry the maize-flour down into the cellar to sprinkle it into the puddle of wine and dry it up. To his blessed good fortune his wife soon came back from church.

She saw one thing and another, saw that nothing was different, just disaster upon disaster; the poor woman flew into such a rage that again she 'noodle-rollered' him, using that implement to such effect that only under the bed did Miska the Simple feel his own man. However, his wife dragged him out from there and threw him out of the door, to go where he would.

"Do not set foot in this house again, Miska, or I will wring your neck!" she shouted.

Very well, if that was how things stood, what else could Misó the Simple do but set off into the world in search of employment. He walked and walked as far as he could, and found himself in a great forest. There he met – whom? The devil! The devil said to him:

"Where are you going here, mortal, in our country?"

"Well, I am seeking employment, if there is any to be had," said Misó the Simple.

The devil happened to be in need of a servant, and so they struck a bargain. Miska naturally undertook everything – he would do it all, knew about everything! But scarcely had Misó reached the devil's home

nagy hordót, akkorát, hogy üresen is alig vonszolta. A sok ördögfióka meg rárivallt, hogy hozza tele vízzel!

Hm! – gondolta Misó – mit csináljon ő most? Hiszen üresen csak elvoncikálja hol erre, hol arra a kútig; de vízzel tele megbillenteni sem tud akkora magazinum hordót, nemhogy hazavinni képes lehetne.

Hanem amíg így gyöntölődött, fontolódott Misó magában a kútnál, megunták várni otthon az ördögök. Egyet utána küldöttek. Haj, megszeppent Misó, amint az ördögöt feléje menni látta, hogy mi lesz most. Hát hogy valamit mégis csináljon, előkap egy fácskát, s ásni kezdi vele a kút mellékét.

– Hát te, ember, mit csinálsz itt? – kérdi az ördög.

– Mit?! – kezdi Misó. – Mit? Hát azt hiszitek, hordom én nektek hordónként a vizet?! Kiásom az egész kutat, s egyszerre hazaviszem!

– Jaj, ne tedd! jaj, azt ne tedd! – kezdett rimánkodni az ördög – mert ha otthon a kút, az a sok ördögfióka mind kiissza, s azután mit iszunk? Inkább én hordom helyetted.

– Ez már mondás – hagyta helyben Misó kegyes leereszkedéssel.

Másnap az erdőre küldték fáért. De hogy legalább öt-hat szál fát hozzon. Megijedt Misó, hogy vigyen ő haza akkora világnagy szálfákat, mikor az ő erejéhez egy forgács is bőven elég lett volna. Törte erősen az eszét, hogy mitévő legyen. S aközben, hogy mégis valamit tegyen, elkezdette az egyik szálfát a másikhoz kötözgetni.

Megunják otthon várni az ördögök. Egyet megint csak utána küldöttek.

– Hát te mit csinálsz itt? – kérdi az ördög, amint meglátta Misó munkáját.

– Mit-e, te? Hisz csak nem járok ki mindennap az erdőtökre fáért! Összekötöm a fákat, s egyszerre mind hazaviszem az egész erdőt!

– Jaj, ne tedd, az Istenért, hisz ha otthon lesz, mind elégetjük egyszerre, s télire egy szál se maradna. Inkább én hordok helyetted, rátánként.

– Jól van! – feleli Misó – hát hordjad, ebadta ördöge, ha nem lehet belőled abódi pap.

than a great barrel was put into his hands, so big that even empty he could hardly move it. All the imps shouted at him to bring it full of water!

'Hmm!' thought Misó, 'what to do now?' Even empty he could only drag it with an effort to the well; but full of water he would be quite unable to make this huge barrel so much as stir, let alone take it home.

But while Misó was thus pondering and racking his brains by the well, at home the devils became tired of waiting. One was sent after him. Oh, Misó was alarmed when he saw him coming towards him; now what was going to happen? So in order at least to be doing something he took a little piece of wood and began to dig with it at the side of the well.

"Now then, mortal, what are you up to?"

"What?!" said Misó. "What am I doing? Do you suppose that I mean to bring you water a barrel at a time? I am digging up the whole well, and I shall bring it all at once."

"No, do not do that! Do not do that!" the devil began to beg, "because if the well is at home all the imps will drink it dry, and then what shall we have to drink? I would rather carry it in your stead."

"That is a kind offer," and Misó stood aside with gracious condescension.

Next day he was sent into the forest for wood, and had to bring at least five or six trees. Misó was worried about how he was to bring in such gigantic tree-trunks, when a single chip was more than enough for his strength. He racked his brains over what to do and in the meanwhile, so as to be doing something, he started to tie the tree-trunks one to the next.

At home the devils became tired of waiting. Again one was sent after him.

"Now then, what are you doing?" asked the devil when he saw Misó's handiwork.

"What am I doing, you ask? I do not mean to come to your forest every day for wood. I am tying the trees together and I shall bring home the whole forest at once."

Oh, do not do that, for goodness' sake! If it is all at home we shall burn it all at once, and there will not be a stick left for winter. Rather I will carry it in your stead, part at a time."

"Very well!" answered Misó, "carry it, you rascally devil, if you cannot remain idle."

Hanem otthon most már összesúgtak az ördögök, hogy miképp tegyék el láb alól valamerre Misót, mert még bajt hoz rájuk ez az átkozott fajzat. Azt határozták, hogy amíg éjjel alszik, összevagdalják. Szerencsére éppen hallgatózott Misó, hát meghallotta az ördögök határozatát is.

Kérdik tőle az ördögök este, hogy hol is szokott aludni.

Feleli nekik Misó:

– Én csak úgy az eresz alatt, a szűrömbe takaródzva.

Összenéznek az ördögök, ez kell nekünk, miénk az életed már, Misó.

De együgyű Misónak is volt magához való esze. Amint megestül az idő, fogta Misó a favágótönköt, s vitte az eresz alá, szépen lefektette, a szűrével, már mintha éppen ő lett volna, beterítette. Maga pedig bebújt a szalmalikába, aludni.

Éjjel aztán kilopódzkodtak az ördögök. Összeaprították úgy az ördögök a favágótönköt az éjjeli sötétben, hogy egy porcikája sem maradt sértetlen.

– Na, ez ugyancsak erős volt – mondták az ördögök, amint megvolt a nagy csata.

Reggel Misó szépen előjött, vette a dirib-darabra vagdalt szűrét a vállára.

Így ment bé az ördöghadhoz, szerencsés jó reggelt köszöntve nekik.

– Te vagy, Miska te? – hát hogy aludtál az éjjel? – kérdik az ördögök nagy megrökönyödve, amint elevenen maguk előtt látták.

– Hát hogy – mondja Misó –, a bolhák szinte megettek. Éktelen sok a bolha, nem is fekszem én többet oda!

Na hiszen, kerekedett is ijedtség az ördögfamíliában! Hogyisne, amint azt hallották, hogy az ő fejszecsapásaik csupán bolhacsípésszámba mentek Misónál! Egynek sem volt többet istenes igyekezete, hogy új próbára tegye Misót, hanem nagy ízibe teletöltöttek egy feneketlen nagy zsákot arannyal, hogy tüstént vegye, vigye, s pusztuljon a szemük elől, amerre a két látó szemével mehet.

Mondja nekik nyugodtan együgyű Misó:

– De már olyan bolondot nem teszek, hogy én vigyem! Ha azt akarjátok, hogy idő előtt elmenjek, hozzátok haza nekem, különben itt ülök a nyakatokon, míg az időm ki nem telik.

De hiszen az ördögök inkább hazavitték neki a zsák aranyat, csak éppen hogy menjen már tőlük. Misó akkor már otthon volt, megbékélt a feleségével. A házánál éppen be volt gyűlve a fonócéh, vagyis az

But by this time the devils were conspiring at home to find a way of doing away with Misó, because that accursed wretch was still causing them trouble. They decided that while he was sleeping at night they would cut him to pieces. Fortunately Misó was listening, and so he heard the devils' decision.

The devils asked him in the evening where he slept.

Misó answered:

"Just under the eaves, wrapped up in my felt coat."

The devils exchanged glances; that is what we need to know, your life is ours now, Misó.

But Misó the Simple too had his wits about him. When evening came he took the chopping-block, put it under the eaves, covered it up carefully with his coat as if it were himself and hid in the hay-loft to sleep.

Late in the night along crept the devils. In the dark they hacked the chopping-block to tiny fragments, so that not a scrap of it remained unharmed.

"Now he was really strong," said the devils when the great fight was over.

In the morning Misó emerged and slung the tattered remains of his coat over his shoulder.

Thus he went to the crowd of devils and bade them good morning.

"Is that you, Miska? How – how did you sleep?" asked the devils, greatly disconcerted at seeing him standing before them.

"Well," said Misó, "I was nearly eaten alive by the fleas. There are an awful lot of fleas, I shall not sleep there again."

Of course, anxiety was widespread among the family of devils when they heard that their axe-blows had been mere flea-bites to Misó! Not one of them had the pious intention of putting Misó to a further test, but straight away they filled a bottomless great sack with gold for him to accept, take and go out of their sight at once, to wherever his eyes might lead.

Misó the Simple said to them calmly:

"I shall not do anything so foolish as to accept it! If you wish me to leave before my time, take it home for me, otherwise I shall sit here on your necks until my time is up."

And of course the devils preferred to take the sack of gold home for him as long as he would leave them. By that time Misó was at home

este épp Misóéknál pödörték a guzsalyról a fonalat az asszonyok, mikor az ördög megérkezett a zsák arannyal. Mert erősen ki volt a hitvány ördög fáradva, akkorát szuszogott, lehelt, miközben a zsákot letette, hogy nagy leheletével az asszonyokat, mint a pihetollat, mind felröppentette a levegőbe, hogy mind a padlás felé lebegtek.

Megijedt az ördög! Fel sem tudta fogni, hogy mit is akarnak ezek most ott a feje fölött, mert hisz esze ágába se jutott, hogy az ő ziháló, nagy lélegzete emelte őket guzsalyostól a levegőbe. Kérdezte Misótól nagy megrökönyödve, mit akarhatnak, mit készítenek ellene ezek most, hogy így forognak, táncolnak a levegőben. Mert mindegyik asszony kezében ott volt a hegyes guzsaly.

– Hát nem látod, rusnya ördöge – mondja Misó –, hogy azokkal a hegyes lándzsákkal téged kerülgetnek, hogy nyársra húzzanak?

Megijedt az ördög. Átlépett a zsákon, s úgy elfutott, hogy még tán most is fut, ha végleg el nem tikkadott.

Misó meg azután már boldogul élt a zsák aranyból, vagy tán még ma is él, ha eddig meg nem halt.

and had made peace with his wife. The guild of spinners happened to be assembled at his house, that is the women were twisting the yarn from their distaffs in the evening, when the devil arrived with the sack of gold. Because the wretched devil was completely worn out he was panting and gasping as he put down the sack, so that with his great breaths he blew into the air both the women and the wool, so that all flew to the ceiling.

The devil was startled! He could not make out what they were all doing up there above his head, for it did not cross his mind that his great panting breaths had raised them, distaffs and all, into the air. He asked Misó in consternation what they might wish, what they were preparing against him now, whirling and dancing in the air, for in the hand of every woman was a sharp distaff.

"Do you not know, you ugly devil," said Misó, "that they are surrounding you with those sharp lances to run you through?"

The devil took fright. He stepped over the sack and ran, and he is perhaps still running if he has not finally become exhausted.

After that Misó lived happily on the sack of gold, and perhaps is still living, if he has not yet died.

Együgyű Misó
Misó the Simple

Ilók és Mihók

Hol volt, hol nem volt, hetedhét országon túl, volt egy özvegyasszony s egy Mihók nevű boldogtalan fia. Egyszer azt mondja Mihók az anyjának:

– Édes anyókám, házasodhatnám.

– Kit vennél el, édes Mihókom?

– Ilókot, édes anyókám.

– Eredj, fiam, kéresd meg!

Mihók elmegy az Ilókék házához, és ott egy tűt kapott ajándékba. Jövet megunta a kezébe tartani, és amint egy szénásszekeret ér, beszúrja a szénába. Megérkezik a szénásszekér, s Mihók váltig keresi a lehányt szénában a tűt, de nem lelte meg. Elment haza, az anyjához.

– Hol voltál, édes Mihókom?

– Ilóknál, édes anyókám.

– Mit vittél neki?

– Nem vittem semmit, adtak.

– Mit adtak?

– Egy tűt.

– Hadd lássam!

– Egy szekér szénába szúrtam, és nem lelem sehol benne.

– Jaj, fiam, nem jót tettél; a csákódba kellett volna szúrni.

– Másszor úgy teszek.

Megint azt mondja az anyjának:

– Édes anyókám, házasodhatnám.

– Kit vennél el, fiam?

– Ilókot, édes anyókám.

– Eredj, fiam, kéresd meg.

Ilók and Mihók

Once upon a time, beyond seventy-seven lands, there was a widow woman and her only unfortunate son named Mihók. One day Mihók said to his mother:

"Mother dear, I would like to be wed."

"Whom would you marry, Mihók?"

"Ilók, mother."

"Off you go, my boy, and seek her hand!"

Mihók went to the house of Ilók's parents and was given a needle as a gift. On the way home he grew tired of holding it in his hand, and as a hay-waggon came along he burrowed into the hay. The hay-waggon reached his house, and Mihók looked for the needle all through the hay which it had deposited, but could not find it. He went home to his mother.

"Where have you been, dear Mihók?"

"To see Ilók, mother dear."

"What did you take her?"

"I did not take anything, but I was given something."

"What were you given?"

"A needle."

"Let me see it!"

"I stuck it into a load of hay and I cannot find it anywhere."

"Oh, my boy, you did the wrong thing; you should have stuck it in your hat."

"I will do so another time."

Again he said to his mother:

"Mother dear, I would like to be wed."

"Whom would you marry, my boy?"

"Ilók, mother dear."

"Off you go, my boy, and seek her hand."

Mihók elmegy lánynézni, és kap ajándékba egy ekevasat. Hazamenet beléteszi a csákójába, de az nem akart megállni: hol jobbra, hol balra húzta le a csákót, a fejét is összeverte. Utoljára megrestellte Mihók, s elhajította a sárba. Hazamegy üres kézzel.

– Hol voltál, fiam?

– Ilóknál, édes anyókám.

– Mit vittél neki?

– Nem vittem, adtak.

– Mit adtak?

– Egy ekevasat.

– Hadd lássam.

– A csákómba szúrtam, de nem akart megállani, s elhajítottam.

– Jaj, fiam, nem jól tettél, a válladra kellett volna vetned, s úgy hoznod haza.

– Másszor úgy teszek.

Megint elkezdi Mihók:

– Édes anyókám, házasodhatnám.

– Kit vennél el, fiam?

– Ilókot, édes anyókám.

– Eredj, fiam, kéresd meg.

Elmegy Mihók a lányos házhoz, kap ajándékba egy kis kutyát. Hazamenet a vállára veti, és úgy viszi haza. A kis kutyának sehogy sem tetszett az a hely, minél jobban nyomta oda, annál jobban fickándozott, utoljára mardosni kezdte a vállát. Mihóknak fájt, és eldobta.

– Hol voltál, fiam?

– Ilóknál, édes anyókám.

– Mit vittél neki?

– Nem vittem semmit, adtak.

– Mit adtak?

– Egy kis kutyát.

– Hadd lássam.

– A vállamra vetettem, de marta, s eleresztettem.

– Jaj, fiam, nem jól tettél. Egy darab madzagra kellett volna kötnöd, magad után húznod, s szólítgatnod: Kucó! Kucó!

– Másszor úgy teszek.

Off went Mihók a-courting, and received as a gift a ploughshare. On the way home he put it in his hat, but it would not remain in place: it pulled the hat now to the left, now to the right and hit his head into the bargain. At length Mihók became tired of it and threw it into the mud. He reached home empty-handed.

"Where have you been, my boy?"

"To see Ilók, mother dear."

"What did you take her?"

"Nothing, but I was given something."

"What were you given?"

"A ploughshare."

"Let me see it."

"I stuck it in my hat but it would not stay on, so I threw it away."

"Oh, my boy, you did the wrong thing; you should have put it over your shoulder and brought it home like that.

"I will do so another time."

Again Mihók said:

"Mother dear, I would like to be wed."

"Whom would you marry, my boy?"

"Ilók, mother dear."

"Off you go, my boy, and seek her hand."

Off went Mihók to the girl's house and was given a small dog as a gift. On the way home he put it over his shoulder and so carried it back. The little dog did not like that place at all, and the tighter he held it there, the more it wriggled, and at length it began to bite his hand. That hurt Mihók and he threw the dog away.

"Where have you been, my boy?"

"At Ilók's, mother dear."

"What did you take her?"

"I took nothing, but was given a gift."

"What were you given?"

"A little dog."

"Let me see it."

"I was carrying it on my shoulder, but it bit me and I let it go."

"Oh, my boy, you did the wrong thing. You should have tied a piece of string on it and led it behind you, and said to it: 'Doggy! Doggy!'"

"I will do so another time."

Aztán megint elkezdi:
– Édes anyókám, házasodhatnám.
– Kit vennél el, fiam?
– Ilókot, édes anyókám.
– Eredj, fiam, kéresd meg.
– Elmegy Mihók Ilókhoz, és kap ajándékba egy fél szalonnát. Jó erős madzagot köt reá, maga után vonszolva ballag hazafelé, és minduntalan szólítgatja: Kucó! Kucó! A kutyák nem kérették sokáig magukat, az egész faluból reágyűltek a szalonnára, s amíg Mihók hazaért, mind megették, csak az álla csontját hagyták meg, amelyikre a madzag volt kötve.
– Hol voltál, fiam?
– Ilóknál, édes anyókám.
– Mit vittél neki?
– Nem vittem; adtak egy nagy darab szalonnát, ezt ni!
– Hisz az csak az álla csontja.
– Madzagra kötöttem, magam után húztam, talán megették a kutyák.
– Jaj, fiam, nem jól tettél; a hátadra kellett volna venned, hazahoznod, s a házba felakasztanod a füstre.
– Másszor úgy teszek.
Aztán kezdi újra:
– Édes anyókám, házasodhatnám.
– Kit vennél el, fiam?
– Ilókot, édes anyókám.
– Eredj, fiam, kéresd meg.
Mihók ismét maga ment a lányos házhoz, és kapott egy borjút. Kötelet hurkolt a nyakára, hátára vette, s akármennyit feszengett, kapálózott és rugdosta, hazavitte nagy nehezen. Otthon felvonszolta a padlásra, s felakasztotta a kakasülőre.
– Hol voltál, fiam?
– Ilóknál, édes anyókám.
– Mit vittél neki?
– Nem vittem, adtak egy borjút.
– Hol van, nem látom.
– Hazahoztam a hátamon, s felakasztottam a füstre.

Then once more he said:
"Mother dear, I would like to be wed."
"Whom would you marry, my boy?"
"Ilók, mother dear."
"Off you go, my boy, and seek her hand."
Off went Mihók to Ilók's house and as a gift received half a side of bacon. He tied a good strong piece of string to it and dragging it behind him wandered homeward, all the time calling "Doggy! Doggy!" The dogs did not need much calling and every one in the village gathered at the bacon, so that when Mihók reached home it had all been eaten and all that was left was the shoulder bone to which the string was tied.
"Where have you been, my boy?"
"At Ilók's, mother dear."
"What did you take her?"
"Nothing, but I was given a big piece of bacon, look here!"
"That is only the shoulder bone."
"I tied it on a string and pulled it behind me, perhaps the dogs have eaten it."
"Oh, my boy, you did the wrong thing; you should have taken it on your back and brought it home and hung it in the house to cure."
"I will do so another time."
Then again he said:
"Mother dear, I would like to be wed."
"Whom would you marry, my boy?"
"Ilók, mother dear."
"Off you go, my boy, seek her hand."
Again Mihók went to the girl's house and received a calf. He tied a rope on its neck, took it on his back, and struggle, wriggle and kick though it might he carried it home with great difficulty. There he hauled it up to the ceiling and hung it on the cockerel's perch.
"Where have you been, my boy?"
"To Ilók's, mother dear."
"What did you take her?"
"I did not take anything, but I was given a calf."
"Where is it? I cannot see it."
"I carried it home on my back and hung it in the smoke."

– Jaj, édes fiam, nem jól tettél. Gyengén kellett volna körülkeríteni a nyakát egy kötéllel, szépen hazavezetni, a pajtában a jászol elébe kötni, s szénát vetni eleibe.

– Másszor így teszek.

Aztán megint elkezdi:

– Édes anyókám, házasodhatnám.

– Kit vennél el, fiam?

– Ilókot, édes anyókám.

– Eredj fiam, kéresd meg.

Mihók elmegy, és odaadják neki a lányt. Mihók kötelet vet Ilók nyakába, vezeti hazafelé, szólítgatja: „Ne, bocikám, ne! ne!" Hazaérve beköti a pajtába, szénát vet eleibe, aztán bereteszeli az ajtót, s bemegy a házba.

– Hol voltál, fiam?

– Ilóknál, édes anyókám.

– Mit vittél neki?

– Nem vittem, adtak.

– Mit adtak?

– Ilókot.

– Hát hol van?

– Bekötöttem a pajtába.

– Jaj, fiam, nem jól tettél. Eredj hamar, cirógasd meg, vess szép szemeket rája, s hozd be a házba.

Mihók el is ment mindjárt, aháznál valamennyi aprómarhának kivájta a szemét, a pajtába ment, megcirókálta Ilókot, és ráhányta a szemeket. Ilók szegény azt gondolta, hogy Mihók csúfolódik vele, megsokallta a tréfát, s elszaladt haza.

Azalatt a násznép összegyűlt a lakodalomra, elment a vőlegénnyel a menyasszony után, megengesztelte, s elvitte haza Mihókékhoz. Mikor vége lett a vendégeskedésnek, felvitték Mihókot és Ilókot a pajta padlására, és lefektették a szénába. Ilóknak nem volt kedvére ez a nyoszolya, azon járt az esze, hogy elillanhasson, s valami szín alatt lekéredzett egy kis időre. Mihók nem hitt neki, s egy hosszú zsinórt kötött a nagy lábujjára, úgy bocsátotta le. Ilók pedig, mihelyt künn volt az udvaron, leoldta a zsinórt, egy kecske lábára kötötte, s maga elillant

"Oh, my boy, you did the wrong thing. You should have put a rope gently round its neck and brought it home nicely, tied it up in the barn by the manger, and put down straw for it."

"I will do so another time."

Then again he said:

"Mother dear, I would like to be wed."

"Whom would you marry, my boy?"

"Ilók, mother dear."

"Off you go, my boy, and seek her hand."

Off went Mihók, and was given the girl. Mihók put a rope round Ilók's neck and led her home, saying "Come along, calf, come along!" On reaching home he tied her up in the barn, put down straw for her, then bolted the door and went into the house.

"Where have you been, my boy?"

"To Ilók's, mother dear."

"What did you take her?"

"I took nothing, but was given something."

"What were you given?"

"Ilók."

"Well, where is she?"

"I have tied her up in the barn."

"Oh, my boy, you have done the wrong thing. Go at once and caress her, make eyes at her and bring her into the house."

Off went Mihók at once, picked out the eyes of all the small animals by the house, went into the barn, caressed Ilók and threw the eyes[3] over her. She, poor thing, thought that Mihók was making fun of her, tired of the joke and ran off home.

Meanwhile the guests had assembled for the wedding; they and the groom went after the bride, placated her and took her home to Mihók's house. When the feasting was at an end they took Mihók and Ilók to the loft of the barn and bedded them in the straw. This bed was not to Ilók's liking and her thoughts turned to escaping, and under some pretext she excused herself for a little while. Mihók did not believe her, attached a long string to her big toe and so let her go. But once Ilók was outside in the yard she undid the string, tied it to the leg of a goat, and herself

3 An untranslateable play on words! *Szép szemeket vet* 'to make eyes' means literally 'to throw beautiful eyes'.

haza. Mihók csak várta, várta. Kiszaladt utána, s hogy nem jött, rángatni kezdte a zsinórt. A kecske a rángatásra mekegett. Mihók anyja meg a lármára kinézett, aztán felment a pajta padlására, hogy lássa, mi baj.

– Hol van Ilók, fiam?

– Odale, megkecskésedett, édes anyókám.

– Hogy kecskésedett volna?

– Zsinórt kötöttem a lábára, s most húzom fel, de nem felel, csak mekeg.

– Az anyja, a zsinórt tapogatva, megkapja a kecskét, s észreveszi, hány hét a világ. Megint felkölti a vendégeket, elmennek a menyasszony után, kibékítik nagy bajjal, s még egyszer elviszik a vőlegényhez. Egybekelnek, s máig is élnek, ha meg nem haltak.

slipped off home. Mihók waited and waited for her. He ran outside after her, and as she did not come he began to pull on the cord. As he pulled the goat bleated. At the sound his mother looked out and then went up to the loft in the barn to see what was the matter.

"Where is Ilók, my boy?"

"Downstairs, she has become a goat, mother dear."

"How might she have done that?"

"I tied a string to her foot and now I am pulling her up, but she does not answer, only bleats."

His mother felt along the string, came to the goat, and realised how many beans make five. Again she summoned the guests; they went after the bride, calmed her with great difficulty and brought her once more to the groom. They became reconciled and are living to this day, if they have not died.

Ilók és Mihók
Ilók and Mihók

Tündérszép Ilona és Árgyélus

Volt egyszer egy király és annak három fia. Volt a királynak egy almafája, amelyen aranyalmák termettek. Olyan különös fa volt az, hogy éjjel virágzott, s meg is ért rajta az alma minden éjjel. Így a király gazdagsága napról napra annyira szaporodott, hogy oly gazdag király nem volt az egész világon.

Egyszer azonban a király, amikor szokása szerint korán reggel kiment sétálgatni gyönyörűséges kertjébe, az aranyalmáknak csak a hűlt helyét lelte. Így történt ez másnap is, harmadnap is.

Összehívta a király erre az egész udvart, s kihírdette, hogy ha olyan emberrel találkozik, aki az aranyalmákat megőrzi, fele vagyonát neki adja.

Az őröknek sem kellett egyéb, odaállottak az almafához. De hiába volt minden, mert éjféltájban mély álom ereszkedett rájuk, és alig múlt el negyedóra, mire felébredtek, az aranyalmák mind eltűntek. Egyszer azután a tanácskozásban felszólalt a három királyfiú, és megjelentették, hogy ők fogják őrizni az almafát.

Legelőször is a legidősebb ment őrködni. De vele is csak ugyanaz történt, ami a többivel.

A középső sem járt jobban.

Végre a legkisebb vállalkozott, Árgyélus királyfi. Legelőször is dohánnyal jól megtömött aranyszelencét dugott a zsebébe, így ült le az almafa alá.

A holdvilág szépen világított Árgyélus királyfi arcára, már érezni kezdte, hogy az álom össze akarja a szemét húzni, szippantott hát egy kis dohányt, jól megdörzsölte a szemét, nagyokat prüsszentett. Aztán másodszor is nagyot szippantott a dohányból, még egyszer megdörzsölte a szemét. Egyszer csak halk suttogást hallott. Feltekintett, hát a feje felett tizenkét hollót látott repülni. Egyenest az almafához tartottak; a tizenharmadik holló mint vezér, elöl repült. Árgyélus megkapta a tizenharmadik hollónak a lábát, s felkiáltott:

– Megvagy, tolvaj!

Ilona the Fair and Árgyélus

Once there was a king who had three sons. The king had an apple-tree on which there grew golden apples. It was an unusual tree in that it blossomed in the night and apples actually ripened on it every night. Thus the king's wealth grew so much day by day that there was no king in the world as rich as he.

One day, however, when the king went out early in the morning, as was his wont, to walk in his delightful garden, he found not a trace of the golden apples. This happened next day too, and the day after that.

At that the king summoned the whole court and proclaimed that if such a man could be found as would guard the golden apples he would give him half of his wealth.

The guards needed no further bidding and stood to the apple-tree, but all in vain, for about midnight a deep sleep came over them and when they awoke, scarcely a quarter of an hour later, all the golden apples had vanished. Then one day in the council the three princes spoke up and declared that they would guard the apple-tree.

First of all the eldest went on guard, but the same happened to him as to the rest.

The middle prince fared no better.

At last the smallest, Prince Árgyélus, took his turn. First he put in his pocket a golden box well filled with snuff, and so sat down beneath the apple-tree.

The moon shone brightly on Prince Árgyélus's face and he began to feel that sleep was about to close his eyes, and so he took a pinch of snuff, rubbed his eyes and gave a great sneeze. A second time too he took a big pinch of the snuff and rubbed his eyes again. Suddenly he heard a quiet whispering. He looked up, and saw twelve ravens flying above his head. They made straight for the apple-tree; a thirteenth raven was flying in front as leader. Árgyélus seized the legs of the thirteenth raven and cried:

"You are caught, you thief!"

De midőn rátekintett, hát látja, hogy karja közt gyönyörű szép lány fekszik, arany fürtjei eltakarják szép fehér vállát.

– Ki vagy te, szép tolvaj? – kérdi a királyfi. – Soha többé el nem eresztelek!

– Én Tündérszép Ilona vagyok – mondta a szép lány –, ezek a hollók pedig a lánypajtásaim. Mulatságból minden este ide repülünk, hogy az aranyalmákat leszedjük. De nálad nem maradhatok, pedig megvallom, hogy te vagy, akit soha felejtenem nem lehet, mert csak téged szeretlek!

– Maradj nálam – kérte Árgyélus.

– Nem maradhatok – felelte Tündérszép Ilona –, de megígérem, hogy ezentúl mindennap el fogok jönni, de az almákat többé el nem viszem. Légy mindig itt, ha látni akarsz!

Ezzel nagy robajjal elrepült a tizenhárom holló.

Másnap az egész udvar nagy csodálkozására az aranyalmák mind megvoltak. A király homlokon csókolta a fiát. Árgyélus csak azt kérte az apjától, engedje meg, hogy tovább is őrizhesse az almafát.

Ki is ment minden éjjel Árgyélus királyfi őrködni, hogy láthassa Tündérszép Ilonát.

De volt a király udvarában egy Vénbanya, aki Árgyélus királyfit nagyon szemmel tartotta. A király is kezdett kíváncsi lenni, mi lehet az oka, hogy Árgyélus annyira szeret az almafánál őrködni. Magához szólította hát a Vénbanyát, és így szólt hozzá:

– Látom, hogy Árgyélus királyfit te szemmel tartod. Vigyázd meg egyszer, mikor az almafánál őrködik!

A Vénbanya úgy tett. Mikor Árgyélus az almafához ment őrködni, a Vénbanya a bokrok mögé bújt. Másnap korán reggel már jelentette a királynak:

– Meglestem Árgyélus királyfit. Gyönyörűséges aranyhajú lánnyal láttam az almafa alatt ülni; holló képében jött az almafára, úgy lett belőle aranyhajú lány.

– Hazudsz, Vénbanya! – mondta a király. – Nem igaz!

– De úgy van az, felséges uram. Ha kell, holnap jelet is hozok arról, hogy igazam van.

Másnap este Árgyélus és Tündérszép Ilona megint egymással mulattak. Maguk sem tudták, hogyan történt, mélyen elaludtak mind a ketten. Ekkor előcsúszott a Vénbanya, és egy aranyfürtöt levágott Tündérszép Ilona hajából, azután lassan elment.

But when he looked, he saw that in his arms there lay a lovely girl, her golden curls covering her white shoulders.

"Who are you, beautiful thief?" asked the prince. "I will never let you go!"

"I am Ilona the Fair," said the lovely girl, "and these ravens are my companions. We fly here for pleasure every evening, to pick the golden apples. I cannot stay with you, but I confess that you are the one that I can never forget, for I love you alone!"

"Stay with me," begged Árgyélus.

"I cannot," replied Ilona the Fair, "but I promise that henceforth I will come every day, but I will never again pick the apples. Always be here if you would see me!"

And with that the thirteen ravens flew off with much flapping of wings.

Next day to the amazement of the whole court all the golden apples were in place. The king kissed his son on the forehead. Árgyélus asked his father for permission to continue guarding the apple-tree.

And out every night went Prince Árgyélus to stand guard, so as to be able to see Ilona the Fair.

There was in the king's court one Old Witch, who kept a very close watch on Prince Árgyélus. The king too began to be curious as to what might be the reason why Árgyélus so much loved watching by the apple-tree. And so he called Old Witch to him and said to her:

"I see that you watch Prince Árgyélus. Go one day and see what he does when he is guarding the apple-tree."

Old Witch did so. When Árgyélus went to the tree to guard it, Old Witch hid in the bushes. Early next morning she reported to the king:

"I have spied on Prince Árgyélus. I saw him sitting with a gorgeous, golden-haired girl beneath the apple-tree; she alighted on the tree in the form of a raven and changed into a golden-haired girl."

"You lie, Old Witch!" said the king. "That is untrue!"

"It is so, Your Majesty. If need be, I will bring proof that I am right."

Next day Árgyélus and Ilona the Fair were once more enjoying each other's company. They did not know how it happened, but both fell into a deep sleep. Then out crept Old Witch, cut off a golden curl from the hair of Ilona the Fair, and slowly went away.

Felébredt Tündérszép Ilona, sírni, jajgatni kezdett, felébredt erre Árgyélus is.

– Mi bajod van, kedvesem?

– Jaj, Árgyélus, élj boldogul, én téged soha többé nem láthatlak, nálad nem maradhatok; a házadban tolvajok laknak, nézd, aranyfürtjeimből egyet levágtak.

Ezzel megölelte Árgyélust, ujjáról egy gyűrűt vett le, és Árgyéluséra húzta.

– Neked adom – mondta –, erről akárhol megismerlek.

Ezzel összecsapta kezét, hollóvá változott és elrepült.

Másnap reggel a Vénbanya megmutatta az aranyfürtöt a királynak. Nagyon csodálkozott a király, és tüstént magához hívatta Árgyélus királyfit.

– Édes fiam, testvéreidet már mind kiházasítottam, megjött az idő, hogy téged is megházasítsalak; gazdag királylányt kerestem számodra, azt hiszem, nem lesz ellenvetésed.

– Kedves atyám, én meg fogok házasodni, de csak úgy, ha én választhatok magamnak feleséget. Már találtam is. Tündérszép Ilona lesz az én feleségem!

A királynak nem tetszett a felelet, de bármint akarta is lebeszélni Árgyélust a kívánságáról, az nem engedett. Kardot kötött az oldalára, és elment, hogy Tündérszép Ilonát megkeresse. Az egész udvar gyászba borult utána.

Már majdnem az egész világot összejárta Árgyélus, de Tündérszép Ilonának még a nyomára sem talált.

Egyszer egy kis házhoz jutott, a házban egy vén anyóra talált. Illendően köszöntötte. A vén anyó széken ült, csodálkozva kérdezte Árgyélust:

– Hol jársz erre, ahol a madár se jár?

– Öreganyám – mondta Árgyélus –, nem tudná nekem megmondani, merre lakik Tündérszép Ilona?

– Nem biz én, édes fiam, de talán ha hazajön az uram, a Nap, az mindenüvé odasüt, az talán meg tudja mondani. De bújj el, mert ha meglát, felfal!

Erre elbújt Árgyélus. Hazajött a Nap, belép a szobába, mindjárt elkezdte:

– Pfű, pfű, anyó, emberhús, büdös!

Erre kimászott az ágy alól Árgyélus, s köszöntötte a Napot.

Ilona the Fair awoke and began to weep and moan, and at that Árgyélus too awoke.

"What is the matter, my love?"

"Alas, Árgyélus, farewell. I can never see you again, I cannot remain with you. There are thieves in your house, look, one of my golden curls has been cut off."

With that she embraced Árgyélus and took from her finger a ring and put it onto his.

"I give you this," she said, "I shall recognise you anywhere by it."

With that she clapped her hands, changed into a raven and flew off.

Next morning Old Witch showed the king the golden curl. He was very surprised and at once summoned Prince Árgyélus.

"My dear boy, I have married off all your brothers, and the time has now come for you to be married too. I have found a wealthy princess for you, and I think that you will raise no objection."

"Dear father, I will be married, but only if I may choose a wife for myself. And I have already found her. Ilona the Fair shall be my wife!"

The answer did not please the king, but try though he might to dissuade Árgyélus from his wish he would not yield. He girded on his sword and went off to find Ilona the Fair. The whole court was plunged into mourning after him.

Árgyélus coursed over almost the whole world, but found not so much as the footprint of Ilona the Fair.

One day he came to a little house in which lived an ancient woman. She was sitting in a chair and asked Árgyélus in astonishment:

"What is your errand, here where no bird flies?"

"Old mother," said Árgyélus, "might you be able to tell me where lives Ilona the Fair?"

"Not I, dear boy, but perhaps when my husband comes home he will be able to. He is the Sun, who shines everywhere. But hide, for if he sees you he will devour you!"

At that Árgyélus hid. Home came the Sun, strode into the house and at once exclaimed:

"Ugh, mother, human flesh, it stinks!"

At that Árgyélus crawled out from under the bed and greeted the Sun.

"It is your good fortune that you have greeted me so handsomely," said the Sun, "otherwise I would have devoured you. I know nothing of

– Szerencséd, hogy szépen köszöntöttél – mondja a Nap –, másként felfaltalak volna! Tündérszép Ilonáról nem tudok semmit, de talán a Hold bátyám tud felőle valamit.

Elment hát Árgyélus oda is. Ott is úgy járt, mint a Napnál. A Hold a Szélhez utasította.

Oda is eljutott, szépen beköszöntött, és a Széltől is megkérdezte, hogy nem tud-e valamit Tündérszép Ilona felől.

– Én – mondta a Szél – nem tudok semmit, de nem messze tőlem, abban az erdőben lakik az Állatkirály, az talán tud valamit.

Ment, mendegélt újra Árgyélus, már egészen beesteledett, úgy, hogy majdnem semmit sem látott, felmászott egy fára, szétnézett, nem lát-e valahol világot. Csakugyan messze távolban észrevett egy kis világocskát, egy szép kastélyból szüremlett. Bekopogott, kinyílott az ajtó, és egy óriás jött elébe, akinek a szeme a homlokán volt.

– Jó estét, felséges király – köszönt Árgyélus –, nem tudnál te nekem Tündérszép Ilonáról valamit mondani, hol lakhat?

– Szerencséd, hogy úgy köszöntöttél, mint illik, másként halálfia lettél volna! Én az Állatkirály vagyok. Tündérszép Ilonáról nem tudok semmit, de talán az állataim közül valamelyik tud felőle valamit.

Ezzel egyet füttyentett, és az egész palota azonnal tele lett mindenféle állattal. Megtette a király a kérdést, de az állatok közül sem tudott senki semmit. Végre is előkullogott egy sánta farkas:

– Én – mondta a sánta farkas – tudok Tündérszép Ilona felől valamit. A Fekete-tengeren túl lakik, ott törték el a lábamat.

– Nahát, akkor vezesd oda ezt a szegény királyfit – mondta a király.

A sánta farkas azonnal odaállt, hogy Árgyélus üljön rá. Így mentek, mentek száz meg száz esztendeig. Egyszer csak letette a farkas Árgyélust.

– Már én tovább nem vihetlek, oda most már magad is eltalálsz, hiszen nincs már messzire, csak száz esztendőt kell még menni! – ezzel elbúcsúzott tőle, és elsántikált.

Ment, mendegélt Árgyélus tovább, egyszer csak egy völgyet látott, mely három heggyel volt körülvéve. A völgyben épp három ördög verekedett. Odament hozzájuk, és kérdezte tőlük, miért verekednek.

– Az atyánk meghalt, s maga után ezt a köpönyeget, ostort és ezt a bocskort hagyta. Ez a köpönyeg olyan köpönyeg, hogyha magadra veszed, és aztán a bocskort a lábadra húzod, és ezzel az ostorral egyet csattantasz, és azt mondod: „Hipp-hopp! Ott legyek, ahol akarok” – ott

Ilona the Fair, but perhaps my brother the Moon knows something of her."

So Árgyélus went there too. He fared there as with the Sun. The Moon sent him to consult the Wind.

There too he went, greeted him finely, and enquired of the Wind whether he might know something of Ilona the Fair.

"I know nothing," said the Wind, "but not far hence, in that forest, lives the Animal King, perhaps he will know."

Again Árgyélus walked and walked, and by now it was late evening, so that he could see almost nothing. He climbed a tree and looked about to see whether there was a light anywhere. Sure enough, in the distance he saw a tiny glimmer coming from a splendid mansion. He knocked, the door opened, and towards him came a giant whose eye was on his forehead.

"Good evening, Your Majesty," Árgyélus greeted him, "might you be able to tell me something of Ilona the Fair, where she lives?"

"It is your good fortune that you greeted me fittingly, otherwise you would be dead meat! I am the Animal King. I know nothing of Ilona the Fair, but perhaps some of my animals may know something."

With that he whistled and the whole mansion was immediately filled with all sorts of animals. The king posed the question, but none of the animals knew anything. Finally a lame wolf crept forward:

"I know something of Ilona the Fair," said the wolf. She lives beyond the Black Sea, where I broke my leg."

"Very well, then take this poor prince there," said the king.

Immediately the lame wolf positioned itself for Árgyélus to mount. So they travelled for a hundred and another hundred years. Then the wolf set Árgyélus down.

"I can take you no farther, you must find the way there yourself. It is not far, only another hundred years' journey!" and with that the wolf took its leave of him and limped off.

Árgyélus went on and on, and suddenly saw a valley surrounded by three mountains. In the valley there were three devils fighting. He went up to them and asked why they were fighting.

"Our father has died and left this cloak, this whip and this sandal. This cloak is such that if you put it on, then draw the sandal onto your

vagy azonnal; ezen nem tudunk mi megegyezni. Nem tudjuk, kinek mi jusson.

– No – mondta Árgyélus –, ha csak az a baj, majd elosztom én köztetek; hanem egyik hágjon fel erre a hegyre, a másik arra, a harmadik meg amarra!

Az ördögök felmentek a hegyre. Árgyélus pedig felvette magára a köpönyeget és a bocskort, az ostorral egyet csattintott, és azt mondta: „Hipp-hopp! Ott legyek, ahol akarok, legyek azonnal Tündérszép Ilonánál!"

Azonnal egy kristálytiszta palota előtt termett.

Éppen kitekintett az ablakon Tündérszép Ilona egyik játszótársa, megismerte Árgyélust, beszaladt hangosan Tündérszép Ilonához:

– Itt jön Árgyélus!

Tündérszép Ilona azt hitte, hogy csak játszanak vele, pofonvágta a lánypajtását.

De jött a másik, a harmadik, a negyedik, a tizenegyedik, de úgy jártak mind a tizenegyen, mint az első.

Árgyélus bekopogott az ajtón. Egy öregasszony jött ajtót nyitni. Nagy csodálkozással nézett Árgyélusra. Aztán a csodálkozása nagy örömre változott.

– Jaj, de jó, hogy itt vagy, Árgyélus, legalább megszabadítod a mi királykisasszonyunkat! Most nem mehetsz be hozzá a gonosz Varázslótól, most nem lehetsz vele, csak éjféltájban, mert csak akkor járhat szabadon. Akkor, ha te háromszor megcsókolod, a Varázslónak nem lesz többé hatalma rajta. Most éppen jókor jöttél, mert nincs itthon, másként halálfia lennél.

– Nem félek én tőle sem – mondta Árgyélus –, megvívok én vele!

Az öregasszony behívta Árgyélust, selyemágyat vetett neki, pompás vacsorát készített számára, aztán azt mondta:

– Minden éjjel eljön ide Tündérszép Ilona, ne aludj el!

De az öregasszony gonosz boszorkány volt. Volt egy sípja, melyet ha megfújt, akit akart, elaltatott vele. Most is kihúzta a sípot, elfordult és sípolt, és attól Árgyélus úgy elaludt, hogy azt sem tudta, hogy a világon volt-e valaha. Éjféltájban eljött Tündérszép Ilona, meglátta a kedvesét és felkiáltott:

– Ébredj fel, kedvesem! Ha háromszor megcsókolsz, megszabadulok a varázslattól.

foot, crack this whip, and say 'Hip-hop! Let me be where I will', immediately you are there; but we cannot agree, who should have which."

"Well," said Árgyélus, "if that is all, I will divide them among you. One of you go up onto that hill, the next to that one and the third to that one over there."

The devils went up onto the hills. Árgyélus, however, put on the cloak and sandal, cracked the whip and said 'Hip-hop! Let me be where I will, at the abode of Ilona the Fair at once!'

And forthwith there he was outside a crystal palace.

One of the companions of Ilona the Fair chanced to be looking out of the window, recognised Árgyélus and ran in to her calling loudly:

"Here comes Árgyélus!"

Ilona the Fair thought that she was being tricked and slapped the face of her companion.

But a second came and a third, a fourth, the eleventh, and all eleven suffered as the first.

Árgyélus knocked at the door. An old woman came and opened it. She looked at Árgyélus in amazement, which then changed to great delight.

"Oh, it is good that you are here, Árgyélus, come and set our princess free! At present you cannot go to her because of the wicked Wizard, you cannot be with her, except at midnight, for only then can she go about freely. If you then kiss her three times the Wizard will no longer have power over her. You have come at just the right time, for he is not at home, otherwise you would be dead meat."

"I do not fear him in the least," said Árgyélus, "I will fight with him!

The old woman invited Árgyélus in, spread for him a bed of silk and prepared for him a splendid supper, and then said:

"Ilona the Fair comes here every night, do not fall asleep!"

But the old woman was a wicked witch. She had a whistle, which, when she blew it, sent to sleep anyone that she wished. Now too she took out the whistle and blew it, and as a result Árgyélus fell so fast asleep that he knew not where in the world he was. At midnight came Ilona the Fair, saw her beloved and cried:

"Wake up, my love! If you kiss me three times I shall be free of the spell."

De Árgyélus nem ébredt fel. Reggel azt mondja a vén banya:

– Itt volt Tündérszép Ilona, de te aludtál, mint a bunda.

Másnap is úgy történt, harmadnap is.

De egyszer, amint a Vénboszorkány elbóbiskolt, Árgyélus meglátta a nyakán a sípot. Leoldotta, és kíváncsiságból belefújt. Hát látja ám, hogy az egész cselédség elaludt tőle.

Ekkor tért észre, hogy azért aludt ő is olyan mélyen, mikor a vén banya sípolt. Most a maga nyakára akasztotta a sípot, és valahányszor a Boszorkány fel akart ébredni, ő mindannyiszor sípolt egyet. Így volt éjfélig.

Ekkor jött Tündérszép Ilona. Árgyélus háromszor megcsókolta, és azonnal az egész vár kivilágosodott, minden ajtó felnyílt, a Vénboszorkány elsüllyedt.

De hogy másodszor megcsókolta volna Árgyélus Tündérszép Ilonát, előbb tizenegyszer pofon vágta.

– Ez azért van, mivel te tizenegy játszótársadat pofon vágtad, mikor igazat mondtak.

– Megérdemlem – rebegte Tündérszép Ilona.

Ekkor Árgyélus karjába vette Tündérszép Ilonát, felhúzta a köpönyegét és bocskorát, ostorával egyet csattantott.

– Hipp-hopp! Ott legyek, ahol én akarok, legyek az apám várában!

Azonnal odarepültek egy szempillantás alatt.

Árgyélus hatalmas király lett, Tündérszép Ilona hatalmas tündér; ha meg nem haltak, most is élnek.

But Árgyélus did not wake. In the morning the old witch said:
"Ilona the Fair was here, but you slept like a log."
The same thing happened the next day, and the third.
But once, as the old witch was dozing, Árgyélus spotted the whistle on her neck. He undid it and blew it out of curiosity. To his surprise he saw all the servants fall asleep as a result.
Then he realised that he too had slept because of it when the old witch had blown it. Now he put it on his own neck and every time that the old witch was about to wake he blew a note. And so it was until midnight.
Then came Ilona the Fair. Árgyélus kissed her three times and at once the whole palace was illumined, every door opened and the old witch sank from sight.
But before kissing Ilona the Fair again, Árgyélus first slapped her face eleven times.
"That is for slapping your companions when they spoke the truth."
"I deserve it," she mumbled.
Then Árgyélus took Ilona the Fair in his arms, put on his cloak and sandal and cracked the whip.
"Hip-hop! Let me be where I will, in my father's castle!"
At once they flew there in the blinking of an eye.
Árgyélus became a mighty king, Ilona the Fair a mighty fairy; if they have not died they are alive even now.

Tündérszép Ilona és Árgyélus
Ilona the Fair and Árgyélus

A farkas mulatni megy, azután szállni tanul

A hosszúháti hegyeken innen, a buzogányi hegyeken túl, volt egy öregasszony, annak volt egy kakasa meg egy tyúkja. Kimentek a szemétdombra kapargatni; a kakas talált egy garast, azt mondja a tyúknak:

– Gyerünk el a kocsmába, egy messzely bort inni!

– Nem bánom, gyerünk – mondta a tyúk.

Amint mennek, mendegélnek, előtalálnak egy nyulat. Azt mondja a nyúl:

– Hová mentek, kakas koma, tyúk koma?

Azt mondja a tyúk koma:

– A kakas koma talált egy garast, elmegyünk a kocsmába egy messzely bort meginni!

Azt mondja a nyúl:

– Én is elmegyek.

– Gyere, gyere, majd többen leszünk!

Amint mennek, mendegélnek, előtalálnak egy rókát. Azt mondja a róka:

– Hová mentek, kakas koma, tyúk koma, nyúl koma?

Azt mondja a nyúl koma:

– A kakas koma talált egy garast, elmegyünk a kocsmába egy messzely bort meginni!

– Én is elmennék!

– Gyere, gyere, majd többen leszünk!

Amint mennek, mendegélnek, előtalálnak egy farkast. Azt mondja a farkas:

– Hová mentek, kakas koma, tyúk koma, nyúl koma, róka koma?

Azt mondja a róka koma:

– A kakas koma talált egy garast, elmegyünk a kocsmába egy messzely bort meginni!

The Wolf Learns to Fly

On this side of the Longback mountains, beyond the Mace hills, there was an old woman who had a cockerel and a hen. They went out onto the midden to scratch, and the cockerel found a *garas*[4] and said to the hen:

"Let us go to the inn and drink a *meszely*[5] of wine!"

"I do not mind, let us go," said the hen.

As they were going, strolling along, they met a hare. The hare said:

"Where are you going, friend cockerel and friend hen?"

Said the hen:

"Friend cockerel has found a *garas* and we are going to the inn for a *meszely* of wine!"

The hare said:

"I will come too."

"Come, do, the more the merrier!"

As they were going, strolling along, they met a fox. The fox said:

"Where are you going, friend cockerel, friend hen and friend hare?"

Said the hare:

"Friend cockerel has found a *garas* and we are off to the inn for a *meszely* of wine!"

"I will come too!" said the fox.

"Come, do, the more the merrier!"

As they were going, strolling along, they met a wolf. The wolf said:

"Where are you going, friend cockerel, friend hen, friend hare and friend fox?"

Said the fox:

"Friend cockerel has found a *garas* and we are off to the inn for a *meszely* of wine!"

4 A small copper coin.

5 A liquid measure, roughly three-quarters of a pint.

– Én is elmék!

– Gyere, gyere, majd többen leszünk!

Amint mennek, mendegélnek, előtalálnak egy nagy sáncot, megállnak ott a szélin. Azt mondja a kakas koma:

– No, most az jön velem bort inni, aki ezt a sáncot átugorja!

A kakas átszállta, a tyúk átszállta, a nyúl meg a róka is átugrotta, a farkas is át akarta ugrani, aztán beleesett.

Ott sírt a farkas, hogy nem tud abból a mély sáncból kimenni, hogy éhen kell neki megdögleni. Amint sírt-rítt, éppen arra mentek a madárkák magot szedegetni, megkérdezték, miért sír.

– Harmadnapja, hogy beleestem a sáncba, nem bírok kimenni – mondta a farkas, és könyörgött nekik, hogy hordjanak gizöcskét-gazocskát, amin ki bír menni.

– Van négy csonka fám, költhettek rajta!

Hordtak is a madárkák annyi gazt, hogy a farkas ki bírt rajta menni. Örült is a farkas, hogy nem kellett neki elvesznie, de a kismadarak is örültek, hogy lesz nekik min költeni. Rá is fészkeltek, költöttek is rajta, szépek is voltak már a kicsinyek, örült is nekik az anyjuk. Hát egyszer megy ám a farkas, felkiált a fára:

– Kismadár, adjál le egy fiadat, mert kivágom a fát, felszántom az alját! Cselőre két lábom, hajszára két fülem, jól tartsd az ekét, farkam!

Az egyik madár akkor levetette neki egy kisfiát. A farkas megette, jóllakott, akkor lement a hűvös alá lefeküdni. Mikor kialudta magát, akkor megint felkelt, elment a csonka fa alá. Mikor meglátta a kismadár, megijedt, elkezdett sírni, hogy már megint itt a farkas. A farkas pedig, ahogy odaért, megállt a csonka fa alatt, felnézett a fára, azt kiáltotta fel a kismadárnak:

– Kismadár, adj le nekem egy fiadat, mert kivágom a fát, felszántom az alját. Cselőre két lábom, hajszára két fülem, jól tartsd az ekét, farkam!

Akkor megijedt a kismadár, hogy már csakugyan kivágja a fát, és levetette megint egy kisfiát. A farkas megette, jóllakott, megint elment a hűvös fa alá, pihenni.

Sírt-rítt a kismadár, hogy ez a csúnya farkas már elvitte két fiát, mi lesz belőle, ha mind el találja vinni.

"I will come too!"

"Come, do, the more the merrier!"

As they were going, strolling along, they came to a big ditch and stopped on the edge. The cockerel said:

"Now, he shall come and drink wine with me that jumps over this ditch!"

The cockerel jumped over, the hen jumped over, as did the hare and the fox, and the wolf too tried but fell in.

There was the wolf weeping that it could not get out of the deep ditch, that it would have to die there of starvation. As it wept and wailed along came small birds pecking seeds, and asked why it was weeping.

"It has been three days since I fell into the ditch, and I cannot get out," said the wolf, and pleaded with them to bring it all sorts of weeds on which it could climb out.

"I have four broken trees, you can hatch your eggs there!"

The small birds brought so many weeds that the wolf contrived to get out. He was pleased that he did not have to starve, and the small birds too were pleased that they would have somewhere to hatch their eggs. They built their nests and hatched their eggs; the chicks were beautiful and their parents were delighted. So one day along came the wolf and called up the tree:

"Small bird, bring down one of your chicks, or I shall cut down the tree and plough up the ground beneath it. Forward, my two feet, after them, my two ears, guide the plough well, my tail!"

Then the one bird brought down its one chick. The wolf ate it, was satisfied, then went to lie down where it was cool. When he had had his sleep out he got up and went under the tree. When the small bird saw him it began to wail that here was the wolf again. But when the wolf reached the broken tree he stopped, looked up the tree and called to the small bird:

"Small bird, bring me down one of your chicks, or I shall cut down the tree and plough up the ground beneath it. Forward, my two feet, after them, my two ears, guide the plough well, my tail!"

Then the small bird was afraid that he really would cut down the tree, and again took him down one of its chicks. The wolf ate it, was satisfied, and again went off to rest in the cool.

The small bird wept and wailed that that horrid wolf had taken its two chicks; what would become of it if he managed to take them all?

A farkas kialudta magát, megint felkelt, megint elment a csonka fa alá. Mikor meglátta a kismadár, megijedt, elkezdett sírni-ríni, hogy már megint itt a farkas! Az pedig nagy büszkén felkiáltott a fára:

– Kismadár, adj le nekem egy fiadat, mert kivágom a fát, felszántom az alját. Cselőre két lábom, hajszára két fülem, jól tartsd az ekét, farkam!

Akkor megijedt a kismadár, hogy már csakugyan kivágja a fát, és levetette egy kisfiát. A farkas megette, jóllakott, megint elment a hűvös fa alá, lefeküdni. Sírt-rítt a kismadár, hogy az a huncut farkas mind elhordja a kisfiát.

Arra szállt egy varjú, kérdezi tőle:

– Miért sírsz, te kismadár?

– Hogyne sírnék, mikor az a huncut farkas elvitt három fiamat, már csak egy maradt.

De a varjú jó tanácsot adott a kismadárnak:

– Ha még egyszer eljön a farkas, és azt mondja: adjál egy fiadat, mert kivágja a fát, felszántja az alját, akkor csak mondd neki: vágd ki a fát, ha van fejszéd, szántsd fel az alját, ha van ekéd!

Megörült ennek a kismadár. A varjú elszállt, a farkas megint visszajött, megint mondta a kismadárnak:

– Kismadár! Adjál egy fiadat! Kivágom a fát, felszántom az alját.

De a kismadár csak visszakiáltott:

– Vágd ki a fát, ha van fejszéd, szántsd fel az alját, ha van ekéd!

Azt mondja a farkas:

– Ördög bújjon az anyád fejkötőjébe! Tudom már, ki tanított meg erre, hanem majd megtanítom én őt.

Elment a farkas, beült egy rakás kukoricaszembe, aztán kiment az országút közepére, és ott szétterpeszkedett. Arra ment a varjú magvat szedegetni, meglátta a kukoricaszemeket a farkason, odament, vagdalózott a csőrével, hát egyszer csak bekapta a farkas a varjú fejét. Könyörgött a varjú:

– Ereszd ki, farkas koma, a fejem, megtanítalak szállni!

– Nem! Ördög bújjon az anyád fejkötőjébe, megcsalsz!

The wolf had his sleep out, rose again and went once more to the broken tree. When the small bird saw him it was alarmed and began to weep and wail that the wolf was back again. The latter, however, called very proudly up the tree:

"Small bird, bring me down one of your chicks, or I shall cut down the tree and plough up the ground beneath it. Forward, my two feet, after them, my two ears, guide the plough well, my tail!"

Then the small bird was afraid that this time he really would cut down the tree, and it took down one of its chicks. The wolf ate it, was satisfied, and went back to the cool to lie down. The small bird wept and wailed; that wicked wolf was going to carry off all its brood.

Thereupon down flew a crow and asked:

"Why are you weeping, small bird?"

"How should I not, when that wicked wolf had taken three of my chicks, and there is only one remaining."

The crow gave the small bird a piece of good advice.

"If the wolf comes again and says 'Give me one of your chicks or I will cut down the tree and plough up the ground beneath it', then say to him: 'Cut down the tree if you have an axe, plough up the land if you have a plough!'"

The small bird was pleased at that. The crow flew off and the wolf came back once more, and again said to the small bird:

"Small bird! Give me one of your chicks! I shall cut down the tree and plough up the ground beneath."

But the small bird merely cried back:

"Cut down the tree if you have an axe, plough up the ground if you have a plough!"

The wolf said:

"May the devil hide in your mother's kerchief! I know who taught you that, and I will teach him a lesson."

Off went the wolf, sat down in a pile of maize-seeds, then went into the middle of the highway and sprawled out. The crow went that way picking up seeds, saw the maize seeds on the wolf, went over and was poking about with its beak when the wolf seized its head. The crow pleaded:

"Let me go, friend wolf, and I will teach you to fly!"

"No! May the devil hide in your mother's kerchief, you are lying!"

– Ereszd ki, farkas koma, a fejem, megtanítalak szállni.

Kieresztette a farkas, a varjú pedig elszállt. Akkor a farkas beleült egy rakás kölesszembe, elment megint az országút közepére, megint szétterpeszkedett. A varjú megint arra ment magvat szedegetni, meglátta a sok kölest, odament szedegetni. Megint bekapta a farkas a varjú fejét, a varjú megint könyörgött:

– Ereszd ki, farkas koma, a fejem, megtanítlak szállni!

– Nem! Ördög bújjon az anyád fejkötőjébe! – mondta a farkas – megcsalsz, mint az előbb!

– Ereszd ki, farkas koma, a fejem, megtanítlak szállni!

A farkas megint kieresztette, megint elszállt a varjú.

Akkor a farkas odament egy rakás tiszta búzaszembe, elment az országút közepére, megint szétterpeszkedett, a varjú meg arra ment, meglátta a sok búzaszemet, odament szedegetni. A farkas megint bekapta a varjú fejét.

Könyörgött neki újra a varjú:

– Ereszd ki, farkas koma, a fejem, megtanítlak szállni!

– Nem! Ördög bújjon az anyád fejkötőjébe! Megcsalsz, mint az előbb!

– Nem csallak meg! Ereszd ki, farkas koma, a fejem, megtanítlak szállni!

– Nahát, tanítsál meg! – mondta a farkas, és kieresztette.

A varjú felkapta a farkast, vitte felfelé. Mikor már felvitte a magasba, kérdezte a farkast:

– Látod-e még, farkas koma, a földet?

Azt mondja a farkas:

– Látom!

– Mekkora?

– Akkora, mint a világ!

Akkor a varjú még feljebb vitte, kérdezte megint:

– Látod-e még, farkas koma, a földet?

– Látom!

– Mekkora?

– Mint egy félvilág.

Akkor még feljebb vitte, és megint kérdezte:

– Látod-e még, farkas koma, a földet?

– Látom!

– Mekkora?

"Let my head go, friend wolf, and I will teach you to fly!"

The wolf let go and the crow flew off. Then the wolf sat down in a heap of millet-grains, went again into the middle of the highway and sprawled out. Again the crow came along picking up seeds, caught sight of all the millet-seed, and went over to peck. Again the wolf seized the crow's head, and the crow wailed:

"Let my head go, friend wolf, and I will teach you to fly!"

"No! May the devil hide in your mother's kerchief!" said the wolf, "you are lying as before."

"Let go of my head, friend wolf, and I will teach you to fly!"

Again the wolf released it and again the crow flew off.

Then the wolf went over to a heap of pure wheat-grains, went into the middle of the highway and again sprawled out. The crow came along, saw all the wheat-grains and went to peck. Once more the wolf seized the crow by the head.

The crow renewed its pleading:

"Let me go, friend wolf, and I will teach you to fly."

"No! May the devil hide in your mother's kerchief! You will deceive me as you did before!"

"I will not deceive you! Let my head go, friend wolf, and I will teach you to fly!"

"Come then, teach me!" said the wolf, and released it.

The crow picked up the wolf and carried him upwards. When it had reached a great height it asked the wolf:

"Can you see the ground, friend wolf?"

"Yes!"

"How big is it?"

"As big as the world!"

Then the crow went higher still, and asked again:

"Friend wolf, can you see the ground?"

"Yes."

"How big is it?"

"Like half the world."

Then it carried him higher yet, and asked again:

"Can you see the ground, friend wolf?"

"Yes!"

"How big is it?"

– Mint egy ország!
Még hétszerte feljebb vitte, és kérdezte megint:
– Látod-e még, farkas koma, a földet?
– Látom!
– Mekkora?
– Mint egy alma.
Akkor még feljebb vitte a varjú, és megint kérdezte:
– Látod-e még, farkas koma, a földet?
– Látom!
– Mekkora?
– Akkora, mint egy tű!
Még feljebb vitte, kérdezte megint:
– Látod-e még, farkas koma, a földet?
– Nem látom már!
Akkor a varjú eleresztette, a farkas pedig zuhant lefelé. Lenn észrevett egy füstös tőkét, annak azt kiabálta:
– Szaladj, barát, mert agyonütlek! Szaladj, barát, mert agyonütlek!
De a tőke nem mozdult, minden porcikája ízzé-porrá tört. A varjú pedig odament, és megkérdezte a farkast:
– Megtanultál szállni?
– Meg ám. Ördög bújjon az anyád fejkötőjébe, minden porcikámat összetörtem a füstös tőkében.
A varjú pedig jót nevetett, hogy becsapta a farkast. Eddig van, aki nem hiszi, járjon utána.

"As big as a country!"

It carried him seven times higher yet, and asked once more:

"Friend wolf, can you see the ground?"

"Yes."

"How big is it?"

"Like an apple."

Then the crow took him higher yet, and asked:

"Can you still see the ground, friend wolf?"

"Yes!"

"How big is it?"

"As big as a needle!"

Even higher it carried him, and asked once more:

"Can you still see the ground, friend wolf?"

"No longer."

Then the crow released the wolf, who hurtled downwards. Below he noticed a smoky tree-stump, and called to it:

"Run, my friend, or I shall brain you! Run, my friend, or I shall brain you!"

But the tree-stump did not move and the wolf was completely smashed to smithereens. The crow went over and asked him:

"Have you learnt to fly?"

"Yes indeed. May the devil hide in your mother's kerchief, every bit of me has been smashed on that smoky tree-stump."

The crow laughed heartily at having tricked the wolf. That is all, and if anyone that does not believe it let him enquire about it.

A farkas mulatni megy, azután szállni tanul
The Wolf Learns to Fly

Nyakigláb, Csupaháj, meg Máleszáj

Volt egyszer egy szegény ember, annak volt három fia. A legnagyobbikat Nyakiglábnak, a másodikat Csupahájnak, a legkisebbiket Máleszájnak hívták. Ezek annyit tudtak enni, hogy az apjuk még kenyérből sem tudott nekik eleget adni. Egyszer azt mondja nekik, hogy menjenek már szolgálni, keressék meg a maguk kenyerét. Kiették már őt mindenéből!

Elindult a legnagyobbik, Nyakigláb. Ment, ment soká. Találkozott egy öregemberrel, az felfogadta szolgának egy esztendőre.

Ahogy elmúlt az esztendő, az öreg azt mondja neki:

– Adok neked egy asztalt, amiért jól szolgáltál. Ennek csak azt kell mondanod: teríts, teríts, asztalkám – és lesz rajta mindenféle! Elfogadod?

– Márhogy én? Aki a hegyet megette volna kenyérrel? El, el!

Nyakigláb alig várta, hogy kiérjen a faluból. Egy bokor mellett előveszi az asztalt, s mondja tüstént neki:

– Teríts, teríts, asztalkám!

Hát lett azon annyi minden, ennivaló, innivaló, hogy Nyakigláb szeme-szája is elállt a csodálkozástól. Jól is lakott mindjárt, de úgy, hogy majd kirepedt. Azzal indult hazafelé. Talált útjában egy kocsmát, oda is betért. Bement mindjárt egy szobába.Teríttetett az asztallal. Jóllakott, aztán kért egy pohár bort.

De amíg benn volt, a kocsmáros megleste, hogy mit csinál. Látta, hogy milyen asztala van ennek a legénynek. Hű, ha az ő kocsmájában olyan volna!

Ahogy este lett, lefeküdtek. Nyakigláb is jó mélyen elaludt. A kocsmáros meg csak belopózott, és a csodaasztalt kicserélte egy másikkal, amelyik pontosan olyan volt, mint Nyakiglábé.

Másnap reggel Nyakigláb újra elindult. Addig ment, míg haza nem ért. Otthon eldicsekedett, hogy milyen asztala van őneki.

– No, lássuk! – azt mondják. – Épp jó éhesek vagyunk, mint mindig!

Mondta szegény Nyakigláb az asztalnak, hogy „Teríts, teríts asztalkám!”, de biz az nem terített. Az egész család meg már várta, hogy jól-

Longshanks, Allbelly and Maizemouth

Once there was a poor man who had three sons. The eldest was called Longshanks, the second Allbelly and the smallest Maizemouth. They ate so much that their father could not even give them enough bread. One day he told them to find employment and earn their own bread. They were eating him out of house and home!

Off went the eldest, Longshanks. He walked and walked for a long time and met an old man who took him on for a year.

When the year was up then old man said to him:

"I will give you a table, as you have served me well. All you have to do is say to it: 'Be laid, be laid, little table,' and everything will be on it. Will you take it?"

Longshanks could scarcely wait to be out of the village. He took out the table beside a bush and said to it at once:

"Be laid, be laid, little table!"

And at once there was so much food and drink that Longshanks' mouth gaped and his eyes stared in amazement. He ate heartily straight away, so heartily that he all but burst. With that he set off for home. On the way he came to an inn, entered, took a room and made the table be laid. He feasted and then requested a glass of wine.

But while he was in there the innkeeper spied on what he was doing. He saw what a table the boy had. Oh, if only there was one like that in his inn!

When it was evening they went to bed. While Longshanks was fast asleep the innkeeper stole in and replaced the magic table with another, exactly similar to Longshanks's.

Next morning Longshanks set off again and reached home. There he boasted of what a table he had!

"Well, let us see," they said. "We are as hungry as ever!"

Poor Longshanks said to the table "Be laid, be laid, little table," but of course it did not do so. The whole family was expecting to feast, and

lakjanak. Hogy Nyakigláb így becsapta őket, még üresebbnek érezték a hasukat. Kapták magukat, jól elverték Nyakiglábot.

Elindult most már a második gyerek, a Csupaháj. Az is ahhoz az öreghez érkezett, akinél Nyakigláb szolgált. Őt is megfogadták egy esztendőre. Mikor kitelt az idő, az öreg őt is magához hívta.

– Fiam, a szolgálatodért neked is adok valamit. Itt van egy szamár! Ennek csak azt kell mondani: „Tüsszents, tüsszents, csacsikám!" – s annyi aranyat tüsszent neked, amennyit csak akarsz! Elfogadod?

– Egy ilyen jószágot?

Csupaháj nagyon megörült a szamárnak. El is indult vele hazafelé. Útközben ő is betért a kocsmába. Evett, ivott, amennyi a bőrébe fért, és azt mondta, hogy majd csak reggel fizet. De a szamarat magával vitte a szobájába. Ahogy este lett, odaállította maga elé, és azt mondta neki:

– Tüsszents, tüsszents, csacsikám!

A csacsi hegyezte a fülét, aztán elkezdett tüsszenteni. Tüsszentett is egyvégből olyan sokat, hogy Csupaháj már alig fért a sok aranytól. Felszedte az aranyat, és lefeküdt.

De a kocsmáros a kulcslyukon ezt is megleste. Mikor észrevette, hogy Csupaháj már alszik, bement a szobába hozzá, és a szamarat is elcserélte egy másikkal.

Csupaháj vitte haza a csacsit, ő is nagyra volt vele, hogy mit szolgált. De mikor rászólt a szamárra, hogy tüsszentsen, az bizony egyetlen aranyat sem tüsszentett a padlóra, hiába várták. Csupaháj se vitte el szárazon, őt is jól elverték.

Szegény apjuk már kétségbe volt esve, hogy egyik gyereke sem tud rajta segíteni. Elindította a legkisebb fiát is, Máleszájt.

Ez is elvetődött az öregemberhez. Őt is felfogadták egy esztendőre szolgának.

Mikor letelt a szolgálata, azt mondja neki az öreg:

– Fiam, jutalom nélkül téged sem eresztelek el. Itt van egy zsák, ebben van egy furkó. Ennek csak azt kell mondani: „Ki a zsákból, furkócskám!" – s akkor a furkó kiugrik, s azt verhetsz meg vele, akit akarsz.

Máleszáj a hóna alá vette a furkót, és elindult vele hazafelé. Neki is útjába esett a kocsma. Már nagyon éhes és szomjas volt. Bement. Evett, ivott, amennyi jólesett. A kocsmáros kérte tőle az árát, de Máleszáj nem

because Longshanks had disappointed them their stomachs felt emptier still. They gave him a good hiding there and then.

Now the second boy, Allbelly, set off. He too came to the old man in whose service Longshanks had been. He too was taken on for a year, and when that year was up the old man called him to him likewise:

"My boy, I will give you something for your labours. Here is a donkey! All you have to do is say to it: 'Sneeze, sneeze, little donkey!' and it will sneeze for you as much gold as you require! Will you take it?"

"Such an animal?"

Allbelly was very pleased with the donkey. Off he went homewards and on the way stopped at the inn. He ate and drank as much as he could hold and said that he would pay next morning. But he took the donkey with him to his room, and when it was evening he stood it in front of him and said to it:

"Sneeze, sneeze, little donkey!"

The donkey pricked up its ears then began to sneeze. In the end it sneezed so much gold that there was scarcely room for Allbelly. He gathered up the gold and went to bed.

But the innkeeper had spied on him too through the keyhole. When he realised that Allbelly was asleep he went into his room and exchanged the donkey for another.

Allbelly took his donkey home and he too was boastful about it and what it could do. But when he ordered the donkey to sneeze it did not sneeze a single gold coin onto the floor, and they waited in vain. Allbelly did not escape unscathed, and he too was soundly thrashed.

Their poor father was in despair, as none of his sons could be of help to him. He sent off his youngest, Maizemouth.

He too chanced upon the old man. He too was taken into service for a year.

When the period was at an end the old man said to him:

"My boy, I will not allow you to leave without a reward. Here is a sack and in it a cudgel. All you have to say to it is: 'Out of the sack, little cudgel!' and out it will jump and you will be able to strike with it whomsoever you wish."

Maizemouth put the sack under his arm and set off for home. The inn lay on his way too, and by that time he was very hungry and thirsty. In he went and ate and drank his fill. The innkeeper asked him for the

tudott fizetni, mert egy fillérje sem volt. A kocsmáros elkezdett lármázni, hogy ő bizony elveszi Málészáj gúnyáját, ha nem fizet, vagy pedig becsukatja. Erre Málészájt is elfutotta a méreg, elővette a zsákot, és azt mondta:

– Ki a zsákból, furkócskám! Verd meg a kocsmárost!

A furkó csak kiugrott a zsákból, neki a kocsmárosnak, és csihi-puhi, elkezdte porolni. A kocsmárosnak hamar elege lett a verésből, elkezdett jajgatni:

– Jaj, jaj! Hagyd abba a verést, barátom, visszaadok mindent, amit a bátyáidtól elloptam!

Málészáj csak nagyot nézett.

– Mit lopott el kend az én bátyáimtól?

– Hát a teríts-asztalt meg az aranytüsszentő szamarat!

De a furkó még folyvást ütötte a kocsmárost ezalatt is. Azt mondja Málészáj:

– Jó, ha visszaadod az asztalt meg a szamarat, akkor nem bántlak! Vissza, vissza, furkócskám, a zsákba!

A furkó visszament, a kocsmáros meg behozta az asztalt meg a szamarat, és odaadta Málészájnak.

Málészáj hazament. Otthon elmondta a testvéreinek, hogyan szerezte vissza az asztalt is meg a szamarat is. Volt már mit enni meg inni, volt pénz is, amennyit akartak. A szegény ember családja így aztán nagyon boldog lett.

price thereof, but Maizemouth could not pay, for he had not a single *fillér*[6]. The innkeeper began to make a fuss, he would deprive Maizemouth of his clothes if he did not pay, or have him locked up. At this Maizemouth too was overcome by rage, he took out the sack and said:

"Out of the sack, little cudgel! Beat the innkeeper!"

The cudgel sprang from the sack and attacked the innkeeper; biff, bang, it began to pummel him. The innkeeper had soon had enough of the beating, and began to moan:

"Oh, oh! Stop the beating, my friend, and I will restore to you everything that I stole from your brothers!"

Maizemouth could only stare.

"What did you steal from my brothers, my man?"

"Well, the table that lays itself and the donkey that sneezes gold."

But the cudgel continued to beat the innkeeper the while. Maizemouth said:

"Very well, if you give back the table and the donkey I will do you no harm! Back, back, cudgel into the sack!"

The cudgel returned, and the innkeeper brought in the table and the donkey and handed them over to Maizemouth.

Maizemouth went home. There he explained to his brothers how he had regained both the table and the donkey. Now there was plenty to eat and drink and as much money as they wished. Thus the poor man's family became very happy.

6 A small coin.

Nyakigláb, Csupaháj meg Málészáj
Longshanks, Allbelly and Maizemouth

A három vándorló

Egyszer összekerült három jó eszű vándorló mesterlegény. Volt azoknak mindenük a széles világon, csak pénzük nem. Pedig most nagyon kellett volna, mert az egyiknek az anyja igen nagy betegségbe esett. Már a faluvégi kis háza is ráment a patikára meg a doktorra, kocsira, révre. Törték a fejüket: hogyan tehetnének szert egy kis pénzre.

Azt mondja végre az egyik:

– Tudjátok-e, hogyan lesz? Egertől Pestig nincs még egy olyan zsugori gazdag, mint itt a révész, akire anyám panaszkodik. Gondoltam egyet. Én kinevezem magam Szent Péternek. Te, komám, légy Szent Pál, te meg Szent János. Én eladom, ha kell, a csizmámat, köpenyemet. Annak az árán kerítünk valahonnan egy szép nagy halat, egy jó magosra sült nagy kenyeret meg egy kupa jó bort. A többit bízzátok rám.

Úgy is lett. Útbaejtették egy halász kunyhóját. Vettek tőle egy szép nagy halat. Aztán a sütő asszonynál egy emeletes kenyeret. A kocsmárosnál egy jó korsó bort. A sekrestyéstől kölcsönkértek egy nagy selyempalástot s két fehér inget. A palástot Szent Péter vette magára, a legöregebb vándorló, az ingeket meg a két másik; még süveget is nyírtak papírból, azt tették a fejükre.

Mentek aztán a révészhez.

Bekopogtattak.

– Szabad! – mondta a révész. Az asztalon égett egy kis mécses. Péter megállt az asztal mellett, Pál az ajtóban, János meg a pitvarajtóban. A zsugori révész meg a még zsugoribb felesége csak ámult.

– Szent Péter vagyok – mondta a legöregebb vándorló –, ez itt Pál apostol, a harmadik meg, ott kinn a pitvarban, Szent János.

Összecsapta a kezét a két zsugori öreg.

Azt mondja az asszony:

– Szent Isten! Honnat érdemeljük mi ezt a nagy tisztességet, hogy a mi hajlékunkba eljön Szent Péter és Szent Pál és még Szent János is?!

Aztán az urára förmedt:

The Three Journeymen

Once there were three clever young craftsmen. They had everything in the wide world except money. Now, however, they had great need of this, for the mother of one of them had fallen grievously sick. The house at the end of the village had gone on medicines, doctors, carriages and ferries. They racked their brains: how were they to come by a little money.

At last the one said:

"Do you know what we can do? From Eger to Pest there is no such miser as the ferryman here, of whom my mother complains. I have had an idea. I shall call myself St Peter; you, my friends, be St Paul and St John. If I have to I shall sell my boots and my coat, and with the price of these we will obtain from somewhere a nice big fish, a big loaf with seeds on and a flagon of wine. Leave the rest to me."

So it was. As they journeyed they came to a fisherman's hut and bought from him a nice big fish. Then they obtained a big loaf from the baker-woman, and borrowed from the sexton a big silken mantle and two white shirts. St Peter, the eldest of the three, put on the mantle and the other two the white shirts; they made mitres of paper and put them on their heads.

Then they went to call on the ferryman.

They knocked at the door.

"Come in!" said the ferryman. On the table a little candle was burning. Peter went up to the table, Paul stood in the doorway and John on the porch. The miserly ferryman and his even more miserly wife could only gape.

"I am St Peter," said the eldest journeyman, "this is Paul the Apostle, and the third, outside on the porch, is St John."

The two misers clasped their hands together.

The woman said:

– Siessen már, hozzon kend valamit! Jaj, lelkem, Szent Péterem, ne haragudjék, hogy nem tudjuk kellően kiszolgálni! Üljön le!

Akkorára visszajött az öreg révész, hozott egy hitvány halat.

Azt mondja, miközben odalöki a feleségének:

– Süsd meg!

– Inkább főzöm – mondja az –, mert úgy nem fogy a zsír.

Azt mondja erre Szent Péter:

– Adjátok csak ide! Pál szent komám, vidd csak ki ezt a halat Jánosnak, mondjad, hogy áldja meg.

Pál kivitte, de visszatérőben már azzal a nagy hallal jött be, amelyet a halásztól szereztek. Az öregek majd elestek, annyira megcsodálták.

Aztán az asszony megfőzte a halat. Jó lett volna így is, s elég mind az ötüknek. Pedig pusztán csak azt ették.

– A kenyér itt még nincs kitalálva? – kérdezte Péter.

Erre aztán mégis hozott kenyeret az asszony, de olyan szárazat, feketét, mint a föld.

– Szent Pál, fiam! Vidd csak ki Jánosnak ezt a kenyeret, áldja meg ezt is!

Pál kivitte, de ahelyett is a szép nagy kenyeret hozta be.

Az öregek csak nézték egymást.

– Ital nincs? – kérdezte Szent Péter. – Halra való?

Erre elővett az öreg révész egy rossz kancsót, abban volt egy kis bicskanyitogató. Azzal kínálta meg Péteréket. Szent Péter épp csak megszagolta. Kiküldte, s azt is megáldatta Jánossal. Mikor Pál bejött, volt bor is egy egész kupával, ihattak hasig!

No, erre már csakugyan hitték a csodát az öregek. Addig nézegették egymást, mígnem az asszony csak odahajolt az ura fülihez, s azt súgta bele:

– Hallja-e kend? Van ott nekünk az a szakajtó aranyunk. Ne áldatnók meg azt is? Most még itt van Szent Péter.

– De – mondta az öreg, már nagy hangosan. – Jó volna biza!

"Good God! How have we deserved this great honour, that St Peter, St Paul and St John should come to our humble dwelling?"

Then she shouted at her husband:

"Hurry, get them something! Oh, my dear St Peter, be not angry if we cannot serve you as we should. Sit down!"

Then back came the old ferryman bearing a miserable fish.

He said, as he passed it to his wife:

"Bake that!"

"I will rather boil it," said she, "for then the fat will not be used up."

At that St Peter said:

"Give that to me! St Paul, my friend, take this fish out to John and tell him to bless it."

Paul took it out, but when he came back it was with the big fish that they had obtained from the fisherman. The old couple all but fainted, so amazed were they.

Then the woman boiled the fish. It would have been good enough and plenty for the five of them, but they were eating it without accompaniment.

"Is there no bread to be found here?" asked Peter.

At that the woman brought out bread, but as dry and black as the soil.

"St Paul, old fellow! Take this loaf out to John and ask him to bless this too."

Paul took it out, but brought back the big loaf instead.

The old couple just looked at one another.

"Is there nothing to drink?" asked St Peter. "To go with fish?"

At that the old ferryman brought out a wretched flask in which was a little sour wine. This he offered to St Peter and his companions. St Peter merely sniffed at it, sent it outside and St John blessed it. When St Paul brought it back in there was a whole flagon of wine and they could drink their fill!

Well, at that the old couple quite believed in the miracle. They looked and looked at each other until the woman bent to her husband's ear and whispered:

"Do you hear what I say? We have that bread-basket of gold. Should we not give it to them? We have St Peter here, after all."

"That would be good indeed!" said the old man out loud.

Az öregasszony be is hozta mindjárt a szakajtó aranypénzt. Szent Péter mindjárt elértette, mit akar vele.

– Eredj, Pali öcsém, mondjad Jánosnak, áldja meg ezt a kis pénzt!

János volt a legjobb szaladó köztük, ahogy átvette a szakajtó pénzt, megindult vele tüstént szaladvást Egernek.

Bejön egy kis idő múlva Szent Pál, azt mondja:

– Nagyon sikerült az áldás. Megyek, segítek.

Azzal, kívül az ajtón, ő is uzsgyi neki, amerre a fű hajlik.

Szent Péter vár egy kicsit, aztán felsóhajt:

– Megnézem már, aztán megáldom magam is, hátha attól még szaporább lesz!

Kiment szép ájtatosan Szent Péter is, de mikor a pitvarajtóba ért, ő is csak azt nézte, merre van a másik kettő. Akkor aló, vesd el magad! Utánuk, azon mód a palástban, pedig az úgy a lába közé verődött, hogy mindig hasra akart benne esni.

Elsőbb helyeselték, de végül is sokallták már az öregek az áldást, azaz hogy az idejét. Kinézett az ember: ugyan mit csinálhatnak még.

De már ő is csak úgy látta őket, akár én! Nem volt ott senkiféle, egy lélek se! Mellesleg már sötétült is.

Szaladt be, mondani a feleségének:

– Jaj, jaj! Nincs pénz! Elvitte Szent Péter! Elvitte Szent Pál, Szent János! Most már hol keressük?

Nagy messziről hangzott felelet:

– A pokolban!

The old woman immediately brought in the bread-basket full of gold coins. St Peter realised at once what she intended.

"Go out, brother Paul, and tell John to bless this small sum."

John was the best runner among them, and when he received the basket of money he immediately set off with it at full speed for Eger.

A little later in came St Paul and said:

"The blessing has been very successful. I will go and help."

St Peter waited a little, then sighed:

"I will go and look and bless it myself, that may make it even more!"

Out went St Peter very piously, but when he reached the porch he looked to see which way the other two had gone. Then he was off after them, still wearing the mantle which so caught his legs that he tripped time and again.

At first the old couple were in favour of this, but at last they grew tired of waiting for the blessing, that is, it was time. The man looked outside to see what they could be doing.

And if he did, oh woe! There was no one there at all, not a soul! And furthermore it was growing dark.

He ran back in to tell his wife:

"Alas, alas! There is no money! St Peter has taken it! St Paul and St John have taken it! Now where shall we find it?"

From a long way off came the answer:

"In Hell!"

A három vándorló
The Three Journeymen

A buták versenye

Volt egyszer egy parasztember, meg annak egy nagy akaratú felesége. Az mindent jobban akart tudni az uránál. Pedig már csak azért sem tudhatott többet nála, mert kivételesen buta asszony volt.

A parasztember, ahogy az már illik, maga szokta vásárba vinni a gabonáját. Mert ott aztán még az okosnak is föl kell csavarnia az eszét, mivel a kereskedők igen hajlanak a szegények becsapására. Kiváltképpen a gabonavásárló kereskedők.

Elmúlt az aratás, a cséplés. Készült hát a szegény paraszt megint a vásárba.

Hát a felesége, az a rövid eszű, de hosszú nyelvű, most is kezdi kötni az ebet a karóhoz, hogy így-úgy, mért csak a férje megy mindenüvé. Hogy most már ő is megy egyszer a vásárba.

Azt mondja neki végül is az ura:

– Hát akkor menj te!

S azzal elengedte a szekér búzával s a kis szolgagyerekkel.

A falutól talán ötkilométernyire lehettek, mikor az asszonynak eszébe jutott, hogy hát nem tudja, mennyit kell kérni a búzáért, elfeledte megkérdezni az urától a búza árát! Mondja tüstént a kis béresgyereknek:

– Eridj vissza, kérdd meg a gazdádtól, hogy adjuk a búzát!

A gyerek visszament, s bekiáltott az ablakon. A gazda ki sem jött, ő is csak úgy az ablakon át mondta, adják csak ők is úgy, ahogy jár; vagyis, ahogy általában veszik.

Elérkeznek a vásárba, az asszony meg a gyerek. Hamarosan odament hozzájuk egy ravasz kereskedő. Kérdi az asszonyt:

– Hogy adja a búzát?

– Ahogy jár – mondja egyszerűen az asszony.

A kereskedő azt felelte, elmegy megkérdezni, hogy jár most a búza. De közben azon gondolkozott, hogy csapja be ezt az asszonyt, aki még

The Contest of Fools

There was once a peasant who had a very conceited wife. It was always her wish to know better than her husband; at the same time, however, she could not know better than him, as she was an exceptionally stupid woman.

The peasant used to take his produce to market himself, and rightly so, for there one had to display some cleverness as the dealers, especially those in grain, were much inclined to cheating the poor.

The time of harvest and threshing had passed, and so the poor peasant prepared again to go to market.

His wife, short of wits but long of tongue, now began to make outrageous remarks: this and that, and why should her husband always go everywhere. She would go to market for once.

Finally her husband said to her:

"Well then, you go!"

And with that he packed her off with the waggon of wheat and the little farm-boy.

They were some five kilometres from the village when it occurred to the woman that she did not know how much to ask for, as she had forgotten to ask her husband the price of wheat! She said at once to the farm-boy:

"Run back and ask your master how much to ask for the wheat!"

Back went the boy and called in at the window. The farmer did not come out, he merely said through the window that they should sell it at the going rate; that is, at the price of the day.

They reached the market, the woman and the boy. In no time a crafty dealer went up to them. He asked the woman:

"What are you asking for the wheat?"

"The going rate," said the woman simply.

The dealer replied that he would go and find out the going rate. But meanwhile he thought that he would swindle this woman that was not

alkudni sem akar. Amikor visszajött, azt mondta, hogy a búza most úgy jár: felit adják hitelbe, felit meg várakozás fejibe.

– Jól van, ha úgy jár, hát úgy adom – mondta a buta asszony. – És pénzt mikor kapok? – kérdezte.

– A legközelebbi vásárkor!

– Jó! De hogyan ismerünk egymásra? Mert az sokára lesz.

Feleli a ravasz kereskedő:

– Én odaadom magára az én rossz kabátom, maga meg ideadja a bundáját. Ki-ki megismeri a holmiját, így egymásra találunk.

A buta asszony ezt nagyon okosnak találta. Rögtön levetette a bundát, átadta a kereskedőnek, a kereskedő meg odaadta az asszonynak az ő rossz kabátját. Kész volt a vásár! Elindultak hazafelé. A kereskedő vitte a búzát, a buta asszony vitte a nagy büszkeségét, hogy ő is tud vásárra járni.

A gazda megkérdi tőle, ahogy hazaért:

– Hogy adtátok a búzát?

– Ahogy járt! – feleli az asszony.

– Helyes. A pénz hol van? – kérdi az ember.

Mondja nagy gőgösen az asszony:

– Pénz nincs, mert a búza most úgy jár: fele hitelbe, fele várakozás fejibe.

Csodálkozik az ember, de még kérdi:

– Mégis, pénzt mikor kapsz?

Mondja emelt fővel a szellős agyú asszony:

– Legközelebbi vásárkor!

Néz az ember, most már haragosan, s kérdi:

– Honnan ismered meg a kereskedőt?

Feleli csípőre tett kézzel a butaságtól most már harcias asszony:

– Megcseréltem a bundámat az ő kabátjával! Erről találunk egymásra.

Az embert elhagyta a türelme. Azt kiáltotta:

– Még ilyen bolondot sem láttam!

Feleli mérgesen az asszony:

– Mert mit lát maga? Hisz sehova se jár!

Az ember még jobban megmérgesedik:

even prepared to bargain. When he came back he said that the price of wheat was so much: half on credit and half in expectation.

"Very well, if that is the way of it that is how I will sell it," said the stupid woman. "And when do I get my money?"

"Next time the market is held!"

"Good! And how shall we know one another? Because that will not be for a long time."

The crafty dealer replied:

"I will give you this threadbare coat of mine, and you give me your fur coat. Each of us will recognise our property and we shall know one another."

The stupid woman found that very clever. She quickly took off her fur coat and handed it over to the dealer, who gave her in return his threadbare coat. The deal was done! They set off for home. The dealer took the wheat, and the stupid woman her great pride that she too knew how to go to market.

When she reached home the farmer asked:

"How did much you sell the wheat for?"

"The going price!" replied the woman.

"Good. Where is the money?" he asked.

Very proudly she replied:

"There is no money, because wheat is sold half on credit, half in expectation."

The man was amazed, but still he asked:

"All the same, when will you get the money?"

Head held high, the light-minded woman replied:

"Next time the market is held."

The man stared at her and asked, now crossly:

"How will you know the dealer?"

She replied, hands on hips and by now irritable with stupidity:

"I exchanged my fur coat for his coat. That is how we shall know one another."

The man lost his patience and shouted:

"I have never seen such a fool!"

The woman replied angrily:

"What have you seen? You never go anywhere!"

He became more angry still:

– Jó! Megyek máris világgá, s addig haza se jövök, míg ilyen bolondra nem találok!

Elindult valóban az ember tüstént a világba. Lassan ment, mert szentül hitte, úgyis sokat kell mennie, az ő feleségénél nehezen lel butábbat. Egy sötét erdőn ment átal. Meglátott messziről valami világot, s arra tartott. Bekopogtatott oda.

Beköszönt:

– Adjon isten jó estét!

Egy vénasszony fogadta.

– Mi járatban van? – kérdezte az embert.

Az ember már megcsinálta a tervét a buta fejűek kipróbálására. Tehát szép nyugodtan azt felelte:

– Most érkeztem a másvilágról.

A vénasszony egy cseppet sem csodálkozott.

– Nem találta ott véletlenül a fiamat? – kérdezte suttogva.

Az ember most már azon volt, hogy a butaság mélységét megismerje.

– Dehogyis nem! Csonttal s ronggyal kereskedik.

– Igazán? – kérdi kerek szemmel az asszony.

Az ember csöndesen folytatja a szót:

– Rongyos szegény, rossz a kabátja is, maga húzza a szekeret.

– Jaj, jó ember, visszamegy még maga oda?

– Vissza én, holnap reggelre már ott is kell lennem.

– Van egy szürke lovam, nem vinné el neki? Hogy ne neki magának kelljen húzni azt a szekeret!

– Dehogynem, elviszek én akármit.

– Maradt még vagy három kalácsom is az ünnepről; aztán sütök még három libát, meg gyűjtöttem egy kis pénzt, amiről az uram nem tud. Vigye el neki, hogy legyen mivel forgasson egy kicsit. Meg most jut még eszembe: a férjem elcsalt a múlt vásáron egy bundát egy buta asszonytól, vigye el szegénynek azt is, hogy ne fázzék.

„Úgy látszik, ráakadtam, akit kerestem – gondolta az ember. – Nem is kellett olyan messze mennem."

De nem szólt. Lepihent ott egy kicsit, az asszony meg nekifogott a sütésnek. Levágta a libákat, s elkészítette az útravalót. Reggel felkelt az ember, felnyergelte a lovat, s úgy ment el.

Alig ment el az ember, mindjárt érkezett haza a kereskedő.

Az asszony hangos vidámsággal fogadta, már messziről:

"Very well! I am leaving home this minute and I shall not be back until I have found as great a fool as you!"

And indeed he left at once. He went slowly, because he truly believed that however far he went it would be hard to find a greater fool than his wife. As he went through a dark forest he saw a light in the distance and went that way. He knocked on the door and called in:

"God grant you good evening!"

An old woman opened to him.

"What is your errand?" she asked him.

He had by this time determined a plan for the testing of stupid people. Therefore he answered nice and calmly:

"I have just come from the next world!"

The old woman did not bat an eyelid.

"I do not suppose you found my son there?" she asked in a whisper.

The man now set about probing the depths of her stupidity.

"Of course I did! He is a rag-and-bone man."

"Really?" asked the woman, round-eyed.

"He is a ragged fellow, wears a threadbare coat and pulls the cart himself."

"Oh dear, my good man, are you going back there?"

"Yes, I have to be back tomorrow morning."

"I have a grey horse, would you mind taking that for him? So that he does not have to pull the cart himself."

"Of course! I will take anything."

"And I have three white loaves left over from the festival; then I will cook another three geese, and I have got together a bit of money that my husband does not know about. Take that for him, so that he has something to trade with. And it just crosses my mind, my husband swindled a stupid woman out of her fur coat at the last market, take him that too so that he is not cold."

"It looks as if I have stumbled upon what I was after," thought he. "I have not had to go so very far."

But he said nothing. He rested there a little, while the woman set about cooking. She killed the geese and prepared the things for the journey. In the morning the man rose, saddled the horse and left.

Scarcely had he gone than the dealer returned home.

The woman greeted him with cries of gladness, even at a distance.

– Gyere, gyere, hírt hallottam a fiunkról!
A kereskedő hitetlenkedve nézett rá:
– Menj el, tán megbolondultál?
– Nem is hiszed? Itt a bizonyíték! Nézd meg, elküldtem a lovat neki. Szegény csonttal meg ronggyal kereskedik odaát; maga húzza a szekeret! Küldtem neki egy kis kalácsot is, meg három libát, s még a kis gyűjtött pénzből, amiről te nem is tudtál. Na, meg a bundát is, amit arról az asszonyról lecsaltál!
A kereskedő nagyot lélegzett, úgy ránehezedett a haragosság.
– Ki volt az, te boldogtalan, akinek te ezeket adtad?
– Egy ember a másvilágból! Egyenesen a másvilágba ment.
– Csak butaság ne volna a világon – kiáltotta az ura. – Hogy valaki ilyen hiszékeny, ilyen tökkelütött, ilyen buta tudjon lenni!
Azzal a kereskedő elindult nyomban az ember után. Az ember már messziről észrevette, hogy valaki mérgesen siet utána. Bement a közeli erdőbe, megkötötte a lovát egy fához. Arrébb, az erdő szélén is volt egy fa, amelyik úgy állott, mintha el akart volna dőlni. Az ember fogta magát, nekidőlt, úgy tett, mintha azt támasztotta volna.
A kereskedő odament hozzá, és kérdezte tőle:
– Mondja! Nem látott egy embert erre menni egy szürke lovon?
Az ember látta, hogy a kereskedőnek a méreg már-már az eszét veszi. Azért így felelt:
– Dehogyis nem láttam! De hiába is megy utána, mert az olyan erős ember, hogy senkitől nem fél!
A kereskedő megriadt egy kicsit. Nyelt egyet. De a mérgét csak nem nyelte le.
– Mondja, magától sem fél? – kérdezte.
Felelte az ember nyugodtan:
– Tőlem fél.
– Nem lenne szíves, hogy nekem visszahozza azt az embert? Adok száz forintot.
Az ember azt gondolta: „No, kipróbálom ennek is a butaságát." S azt felelte:
– Nem mehetek! Mert arra vagyok ítélve, hogyha ezt a fát nem támasztom, apám, anyám, testvérem, mind meghalnak.
A kereskedő valóban se látott, se értett a dühétől és fukarságától. Azt mondta:

"Come here, come here, I have news of our son!"

The dealer looked at her in disbelief.

"Never! Have you gone mad?"

"Do you not believe me? Here is the proof! Look, I have sent him the horse. The poor boy is a rag-and-bone man over there; he pulls the cart himself! And I have sent him a little white bread and three geese and even some of the money that I had saved that you did not know about. Yes, and the fur coat that you cheated that poor woman of!"

The dealer took a deep breath to control his fury.

"Who was it, you wretched woman, that you gave these to?"

"A man from the next world! He was going straight there."

"If only there were no stupidity in the world," shouted her husband. "How can anyone be so gullible, so blockheaded, so stupid!"

With that the dealer went off after the man, who saw a long way off that someone in a rage was hurrying after him. He went into a nearby forest and tied his horse to a tree. Farther on, at the edge of the forest, was another tree which seemed about to fall over. He quickly leant against it and pretended to be holding it up.

The dealer went up to him and asked him:

"Tell me! Might you have seen a man go this way on a grey horse?"

The man saw that the dealer was on the point of losing his wits with rage, and so he replied:

"Of course I have! But it is vain for you to go after him, for he is so strong a man that he fears no one!"

The dealer was a little startled and swallowed. But he could not choke back his fury.

"Tell me, is he not even frightened of you?" he asked.

The man replied calmly.

"He is frightened of me."

"Would you be so kind as to bring him back to me? I will give you a hundred forints."

The man thought: 'Well, I will test this fellow's stupidity too.' He replied:

"I cannot go! Because I am sentenced to hold up this tree, otherwise my father, mother and brothers will all die!"

In his rage and miserliness the dealer really could not see or understand. He said:

– Tartom én addig azt a fát! Csak menjen gyorsan! Hozza vissza, mert nagyon sok mindent elcsalt a feleségemtől!

Az ember bólintott, köszönt, szépen felült a lóra, elindult, és elment egyenest haza.

Otthon azt mondta a feleségének:

– Hazajöttem, mert akadtam olyan bolondra s butára, mint te!

A kereskedő egész nap várta az embert, hogy jöjjön vissza. Mikor megunta a várást, nagy óvatosan félreugrott, nehogy ráessen a dűlő fa. Akkor látta, hogy a fa nem dől le, akkor látta, hogy őt, a nagy ravaszt is lóvá tették.

– Miért jöttél haza? – kérdezte otthon az asszony, akit a konokság akkor is még megtartott a butaságban.

– Mert van olyan buta még, mint te! – felelte az ember.

– Nem megmondtam?! – vágott vissza tüstént az asszony. – Nem volt igazam?

Az ember békét akart, s azért csöndesen azt mondta:

– Igazad volt. Nem te vagy a legbutább.

"I will hold up that tree while you go! Only go quickly! Bring him back, because he has swindled my wife out of all sorts of things."

The man nodded, thanked him, mounted the horse, set off and went straight home.

There he said to his wife:

"I am home, because I came across as great a fool as you!"

The dealer waited all day for the man to come back. When he was tired of waiting he very carefully jumped aside, lest the falling tree should fall on him. When he saw that it was not falling then he realised that he too, the crafty one, had been made a fool of.

"Why have you come home" asked his wife at home, even then in her stupidity remaining obstinate.

"Because there is someone as stupid as you!" answered the man.

"Did I not say so?" she struck back at once. "Am I not right?"

The man wished for peace and so said quietly:

"You were right. You are not the most stupid."

A buták versenye
The Contest of Fools

Mátyás király meg az öreg ember

Egyszer Mátyás király nagy urakkal járta az országot. Kedves volt mindenkihez, nem nézte, ki-mi, megszólított mindenkit. Megszólított egy öreg embert is. Az öreg valamikor a katonája volt. Egy-két szó után rögtön rá is ismert, mert Mátyás király megismerte esztendők múlva is, hogy ki szolgált nála.

– Tisztességben, öreg! – mondta a király.

– Köszönöm az asszonynak! – felelte az öreg.

– Hány pénzért dolgozol? – kérdezte a király.

– Hatért! – felelte rá az öreg.

– Hányból élsz?

– Kettőből.

– Hát négyet hova teszel?

– A sárba dobom!

– Hány még a harminckettő?

– Már csak tizenkettő!

– Meg tudnád-e fejni a bakkecskét?

– Meg én!

Az urak csak bámultak. Egy szót se értettek ebből a beszédből. Látta ezt a király, s nevetve még azt mondta:

– Míg a képemet meg nem látod, addig meg ne magyarázd senkinek!

Azzal a király továbbment. Az urak utána. Rögtön tudakolni kezdték:

– Mi szót váltott fenséged ezzel az öreg paraszttal? Nem értjük!

Felelt Mátyás király:

– Találjátok ki. Aki kitalálja, nagy jutalmat kap!

King Mátyás and the Old Man

One day King Mátyás was travelling the country with some great lords. He was beloved of all, and took no account of a man's position but spoke to everyone. He spoke to a certain old man too, who had once been a soldier under him. After a word or two he realised who he was, for King Mátyás would recognise all that had served under him even when years had gone by.

"In honour, old man!" said the king.

"Thanks to the wife!" replied the old man.

"How many *pénz*[7] do you earn?" asked the king.

"Six!" answered the old man.

"How many can you live on?"

"Two!"

"So where do you put the four?"

"Throw them in the mud!"

"How many are left of the thirty-two?"

"Only twelve by now!"

"Would you be able to milk the billy goat?"

"I would!"

The lords stared. They had not understood a single word of the conversation. The king saw that and said with a laugh:

"Do not explain to anyone until you see my portrait!"

And with that he rode on, the lords after him. Soon they began to be curious:

"What was Your Majesty talking about to that old peasant? We cannot understand!"

King Mátyás answered:

"Find out. Anyone that does shall have a great reward."

7 A small coin used in Hungary in olden times.

Az urak gondolkodtak, de hasztalan! Erre gyorsan visszamentek az öreghez. Körülvették, kérték, unszolták, hogy magyarázza meg azokat a kérdéseket.

– Addig nem mondhatok semmit, míg a király képét nem látom – mondta az öreg.

– Hol? Milyen képét? – kérdezték az urak.

– Ami az aranypénzen van kinyomva – mondta az öreg.

Megállapodtak tíz aranyban.

Az öreg most már elkezdte a magyarázatot.

– „Tisztességben, öreg!" – ez azt jelenti, hogy az asszony mossa rám a ruhát. Márpedig a tiszta ruha tisztesség. Ezért vagyok tisztességes. S ezért mondtam, hogy köszönöm az asszonynak.

– De miért dobod a pénzt a sárba? A hat közül négyet? – kérdezték az urak.

– Hat pénzt keresek. Kettőből magam élek, négyet a fiamra költök, az pedig annyi, mintha a sárba dobnám! – felelte az öreg.

– Hát az mit jelent: „Hány még a harminckettő?"

– Megmondom tíz aranyért!

Leolvasták az öregnek az urak azt a tíz aranyat is.

– Legénykoromban harminckét fogam volt, de most már csak tizenkettő van, ez azt jelenti – felelte nevetve az öreg.

Már csak egy kérdés volt hátra. Az urak azért se sajnálták a tíz aranyat.

– Hát az mit jelent, hogy „a bakkecskéket hogyan fejed meg?"

– Az azt, ahogyan most az urakat megfejtem!

The lords pondered, but in vain, and so they went quickly back to the old man. They surrounded him, begged him, urged him to explain those questions.

"I cannot say anything until I see the king's portrait," said the old man.

"Where? What portrait?" asked the lords.

"The one stamped on gold coins," said the old man.

They agreed on ten pieces of gold.

The old man then began the explanation.

"'In honour, old man!' means that my wife washes my clothes, for clean clothing is an honour. Therefore I am honourable, and that is why I said that I thanked the wife."

"But why do you throw money in the mud? And four out of six?" asked the lords.

"I earn six *pénz*. Myself, I can live on two, four I spend on my son, which is as good as throwing it in the mud!" answered the old man.

"And what does 'How many are left of the thirty-two' mean?"

"I will tell you that for ten more pieces of gold."

The lords counted out ten pieces of gold to the old man.

"When I was a lad I had thirty-two teeth, but now I have only twelve, that is what it means," laughed the old man.

One question remained. The lords did not grudge him a further ten gold pieces.

"So what does 'Would you be able to milk the billy-goat' mean?"

"That means the way I have now milked your lordships!"

Mátyás király meg az öregember
King Mátyás and the Old Man

Mátyás király meg az igazmondó juhász

Elment a burkus király Mátyás királyhoz. Mint pajtások köszöntötték egymást. Mondja a burkus király:

– Azt hallottam, hogy magának aranyszőrű báránya van!

– Igaz – mondja Mátyás –, van nekem a juhaim közt egy aranyszőrű bárányom, meg van egy olyan juhászom, hogy az még sosem hazudott.

Mondja a burkus király:

– Én megmutatom, hogy fog hazudni!

– De – mondja Mátyás király – nem hazudik ez, olyan nincs!

– De én megmutatom, hogy hazudik, mert én megcsalom, de úgy, hogy muszáj, hogy hazudjon.

– Fogadok akármibe, hogy nem hazudik – mondja Mátyás király. – Fele országomat odaadom.

– Én is odaadom fele országomat, ha nem hazudik – mondja a burkus király.

Jó, kezet fognak. Avval jó éjszakát mond a burkus király, és megy haza, a szállására. Ott felöltözött a burkus király közönséges parasztgúnyába, és indult ki rögtön a tanyára, a juhászokhoz. Köszönti a juhászt. Az visszaköszönti:

– Isten hozta, király uram!

– Honnét ismersz te engemet, hogy én király vagyok?

– Megismerem én a szaván, hogy maga király – mondja a juhász.

Azt mondja a burkus király:

– Adok én neked sok pénzt, ráadásul hat lovat meg hintót, csak add nekem az aranyszőrű bárányt.

– Jaj – mondja a juhász –, a világért se adnám, mert felakasztana Mátyás király.

Még több pénzt ígért neki a burkus király. De nem, a juhász nem állt kötélnek.

Hazamegy nagy búsan a burkus király a szállására, és csak búsul és búsul. Ott volt a lánya is.

King Mátyás and the Truthful Shepherd

The king of Prussia came to visit King Mátyás. They greeted one another like friends. Said the Prussian king:

"I have heard that you have a lamb with a golden fleece!"

"That is true," said Mátyás, "I have a golden-fleeced lamb among my flock, and a shepherd that has never yet lied."

The Prussian king said:

"I will show you that he lies!"

"He does not lie," said Mátyás, "there is none like him!"

"I will show you that he lies, for I will trick him so that he cannot fail to lie."

"I will wager anything that he will not lie," said King Mátyás. "I will give you half my kingdom."

"And I will give you half of mine if he does not lie," said the Prussian king.

Good, they shook hands on it. With that the Prussian king said good night and went home to his lodging. There he changed into ordinary peasant dress and set out at once for the farm to call on the shepherds. He greeted the shepherd, who returned the greeting:

"Welcome, lord king!"

"How do you know who I am, that I am a king?"

"I can tell from your speech that you are a king," said the shepherd.

The Prussian king said:

"I will give you much money, and six horses besides, if you will but give me the lamb with the golden fleece."

"Alas," said the shepherd, "I cannot for the world, for King Mátyás would hang me."

The Prussian king offered him even more money, but no, the shepherd would not take the bait.

Home went the Prussian king sadly to his lodging, and was very anxious. His daughter too was there.

– Ne búsuljon – mondja az a lány –, mert elmegyek én ahhoz a juhászhoz egy csomó színarannyal: én majd megcsalom!

Vitt egy ládácska színaranyat a lány és egy üveg bort, jó mézesen, hogy a juhászt megcsalja. De azt mondja neki a juhász, hogy neki nem szűkös a pénz! Mátyás király meg felakasztja, ha megtudja, hogy hova lett az aranyszőrű bárány.

Addig-addig beszélt a lány, addig incselkedett, hogy végül megitták a bort is. De a lánynak kellett előbb inni belőle. Látni akarta a juhász, nem tett-e valami étőt beléje. Nem. A bortól olyan kedve kerekedett aztán a juhásznak, hogy utoljára azt mondja: odaadja a bárányt, ha a lány hozzámegy rögtön feleségül. Pénz néki nem kell, mert pénze van elég.

Sokat szabódott a leány, de végül mégis beleegyezett. Azt mondja aztán a lány a juhásznak:

– Nyúzd meg a bárányt, a húst edd meg, mert nékem a húsa nem kell, csak a bőre!

Megnyúzta a juhász. Hazavitte a lány nagy örömmel az apjának az aranyszőrű báránynak a bőrét. No, örvendezett az apja, hogy a lánya meg tudta csalni a juhászt.

Eljött a reggel, búsult a juhász, hogy mit mondjon ő most Mátyás királynak, hogy ne tudja meg, hogy az aranyszőrű bárány elveszett. Indult a kastélyba, és útközben elpróbálta, hogyan is fog hazudni, ha a király elé kerül. Beszúrta botját egy egérlyukba, a kalapját rátette a botra. Elhátrált aztán tőle, meg feléje ment, köszöntötte király uramnak. Mondta a király nevében saját magának:

– Mi újság a tanyán?

Mondta erre ő, a maga nevében:

– Ott biz nincs más, csak az, hogy az aranyszőrű bárány elveszett; a farkas megette!

Mikor kimondta, megijedt.

– Hazudsz, mert akkor a többit is megette volna!

Avval kivette a botját, és ment tovább a király kastélya felé. Ismét talált egy egérlyukat, ismét beletette a pálcáját, reá a kalapját, és köszöntötte király uramnak a botot.

– Mi hír a tanyán?

"Do not be anxious," said the girl, "for I will go to that shepherd with much fine gold. I will trick him."

The girl took a box of fine gold and a bottle of wine, very sweetly, to trick the shepherd. But he told her that he was not in need of money! King Mátyás would hang him if he found out what had become of the lamb with the golden fleece.

On and on the girl talked and so wheedled that at last the wine was drunk. But the girl had to drink from it first, as the shepherd wished to see whether she had put some drug in it. But she had not. The wine put the shepherd into such a good humour that at length he said that he would hand over the lamb with the golden fleece if the girl would marry him directly. He did not need money, for he had enough.

The girl withstood this request for a long time, but at last she agreed. She said to the shepherd:

"Flay the lamb and eat the meat, for I do not need the meat, only the fleece!"

The shepherd flayed the lamb and the girl took home the golden fleece to her father with great joy. Well, her father was delighted that she had been able to trick the shepherd.

Came the morning, and it was now the shepherd that was anxious over what to tell King Mátyás, so that he should not discover that the lamb with the golden fleece was gone. He set off for the palace, and on the way he thought of ways of lying for when he should come before the king. He put his stick into a mouse-hole and hung his hat on the stick. He retreated from it and approached it again, and greeted it as his lord king. He said to himself on the king's behalf:

"What news from the farm?"

He said, speaking for himself:

"Nothing, indeed, except that the lamb with the golden fleece is no more. A wolf has eaten it."

So saying, he became anxious.

"You lie, for then it would have eaten the rest too!"

With that he took his stick and continued toward the palace. Again he found a mouse-hole, again put his stick in it, hung his hat on top and greeted it as his lord king.

"What news from the farm?"

– Nincs egyéb, csak az aranyszőrű bárány bedöglött a kútba.

– Hazudsz – vélte hallani a király hangját –, mert a többi is bedöglött volna.

Ismét kivette a pálcáját, és ment tovább, a kastély felé. Harmadszor is talált egy egérlyukat, belétette a pálcáját, reá a kalapját, és köszöntötte király uramnak a botot.

– Mi újság a tanyán?

– Ellopták az aranyszőrű bárányt.

– Hazudsz – mondta a király –, mert a többit is ellopták volna.

Kivette most is a kalapját meg a botját, és ment tovább, Mátyás király palotájába. A burkus király is ott ült az asztalnál a lányával. Bemegy a juhász, és köszönti a két királyt és a lányt is. A bőrt már odavitte volt Mátyás királynak a burkus király, és most várták mind, hogy hazudik-e a juhász. Mert ha hazudott volna, Mátyás király a fogadással elvesztette volna a fele királyságát.

– Mi újság a tanyán? – kérdi Mátyás király.

– Nincs semmi egyéb, mint hogy az aranyszőrű bárányt egy szép fekete báránnyal elcseréltem.

Nagy volt Mátyás király öröme.

– Hát hozd bé a bárányt! – mondja a juhásznak.

De azt mondja a juhász:

– Ott ül középhelyt, a két király közt.

– Éljen! – mondta Mátyás király a juhásznak. – Nem hazudtál! Ezért néked adom a burkus királynak a fél országát, amit tőle elnyertem.

– No – mondja a burkus király –, én is odaadom a lányom, úgyis megszerették egymást.

És így lett a juhászból burkus király.

"Nothing, except that the lamb with the golden fleece has fallen into the well."

"You lie," it was as if he heard the king's voice, "for the rest too would have fallen in."

Again he took out the stick and went on to King Mátyás's palace. There sat the Prussian king too with his daughter. In went the shepherd and greeted the two kings and the girl. The Prussian king had already given the fleece to Mátyás, and now they were all waiting to see if the shepherd would lie, for if he did King Mátyás would lose half his kingdom in the wager.

"What news from the farm?" asked King Mátyás.

"Nothing, except that I have exchanged the lamb with the golden fleece for a fine black one."

King Mátyás's pleasure was great.

"So bring in the lamb!" he ordered.

But the shepherd said:

"There it is sitting in the middle, between the two kings."

"Bravo!" said King Mátyás to the shepherd. "You have not lied! For that I shall give you the half of the Prussian king's kingdom what I have won from him."

"Well," said the Prussian king, "and I will give him the hand of my daughter, as they have fallen in love."

And so the shepherd became king of Prussia.

Mátyás király meg az igazmondó juhász
King Mátyás and the Truthful Shepherd

Mátyás király és a székely ember lánya

Mátyás királynak, amikor még legényember volt, volt egy hű szolgája. Gondolt egyszer valamit a király, s azt mondta ennek a hű emberének:

– Van kint az országút mellett egy kő. Menj ki az országútra, állj a kő mellé. És minden embert, aki csak az országúton elmegy, kerítsd oda, hogy azt a követ nyúzza meg. Ez a király parancsolata, ez a király akarata! Jutalmat ad érte! Így akarja kipróbálni a népe eszét!

Kimegy a hű szolga, s odaáll a kőhöz. S mondja a parancsot. Azzal s a jutalom ígéréssel sok embert odakerített, de mindmegannyi a vállát húzogatta. S mind csak azt mondta:

– Ugyan már! Hogy nyúzzunk meg egy követ?

Volt, aki próbálta, volt, aki meg sem próbálta.

Egyszer egy székely ember is ment arra a lányával. Azt is odakerítette a szolga, hogy segítsen azoknak, akik épp próbálták volna a nyúzást. Egyszer csak azt mondja a lányocska, ahogy a többiek ott nyúlkálódnak s tanakodnak:

– Apám, menjen fel kend Budára Mátyás királyhoz, és mondja meg neki, hogy vétesse előbb a kőnek a vérit, akkor majd megnyúzzuk!

Ránézett a székely ember a lányára, s bólintott. S ment egyenest Budára, Mátyás királyhoz.

Azt mondja Mátyás király a székely embernek, feleletül a kérésre:

– Hát te honnan tanultad ezt, te székely ember, hogy én előbb vérét vétessem a kőnek? Furfangos egy ember vagy te!

A székely ember nem akart más tudásával díszelegni, még a lányáéval sem. Elmondta szépen, hogy van egy lányocskája, annak a fejéből való ez a gondolat.

Mátyás király nézett egyet. De tetszett neki az egyenes szó. Adott a székely embernek egy csomó pénzt, meg két szem diót.

S azt mondta neki:

King Mátyás and the Székely Man's Daughter

When King Mátyás was a young man he had a faithful servant. One day the king had an idea and said to this faithful man:

"Out there beside the highway is a stone. Go out there and ask anyone that passes by to skin it. This is the king's command, the king's will! He will give a reward for it! In this way he means to test the wits of the people!"

Out went the faithful servant and stood by the stone and gave the order. With that and the promise of the reward he called on many, but as many shrugged their shoulders, all saying:

"Really! How are we to skin a stone?"

Some tried and some did not.

Once a Székely[8] and his daughter came by. He too was called upon by the servant to help those that were at that moment trying to skin the stone. Suddenly the little girl said, as the rest were pondering and conferring:

"Father, go up to Buda, to King Mátyás, and tell him first to drain the blood out of the stone, then we will skin it!"

The Székely looked at his daughter and nodded. He went straight up to Buda to see King Mátyás.

In reply to his request King Mátyás said to the Székely man:

"Now where did you hear that I should first drain the blood out of the stone, Székely? You are a cunning fellow!"

The Székely was not one to profit by another's knowledge, not even his daughter's, and said straight that the thought had come from his daughter's head.

King Mátyás looked at him for a moment. He liked straight talking. He gave the Székely a great amount of money and two nuts. He told him:

---

8 The Székely are a Hungarian-speaking ethnic minority of eastern Transylvania.

– Vidd el ezt a lányodnak. Ültesse el őket, de olyan földbe, hogy fa nélkül megnőjenek. Akkor jöjjön fel hozzám. Mert jutalmul talán feleségül is veszem!

A székely ember, mit tehetett, hazavitte a két diót, s odaadta a lányának. Azt mondta neki:

– No, most neked is adott Mátyás király bajt eleget!

A lányocska azonban csak mosolygott. Egyszeribe föltörte, s megette a két diót.

És csak várt. Mátyás király is várt. De most már csak a lány válaszát várta, nem a kő megnyúzását. Amellől a hű szolgáját is visszarendelte.

Egy idő múlva azt mondja a lány az apjának:

– No, most már menjen fel apám Mátyás királyhoz. Mondja meg neki, hogy már kifejlődtek a diók.

A lány két kis keblecskéje volt az.

A székely ember fölment most is szépen Budára, megvitte Mátyás királynak az üzenetet.

Mátyás király meghallgatta az üzenetet. Gondolkodott, s adott a székely embernek két szál kendert. S ő meg, Mátyás király, azt az üzenetet küldte a székely lánykának, hogy abból a két szál kenderből, s nem többől, csináljon főkötőt a királyi rezidenciának. S adott most is a székely embernek egy csomó pénzt.

A székely ember azt a két szál kendert szomorúan vitte haza a lányának: hogy csinál az abból főkötőt? Mondta is a lányának:

– Most adott csak a király bajt neked!

S szóról szóra elmondta a király parancsát.

De a lány látott az udvaron két szál forgácsot. Felvette, s azt mondta az apjának:

– Vigye fel kend ezt Mátyás királynak, és mondja meg neki, hogy csináljon előbb ő ebből a két forgácsból szövőszéket, csöllőt, vetélő fát. Akkor majd én is csinálok rajta főkötőt abból a két szál kenderből, amennyi kell.

A székely ember ismét megjárta Budát. Mátyás király most azt felelte:

– Mondd meg a lányodnak, tele van a padlásom lukas korsóval. Ha azt mind befoldja, herceget kap férjül!

Visszaüzent erre a székely ember lánya, hogy ő szívesen megfoldja a korsókat, de csak a visszájukról. A király fordíttassa ki előbb a korsókat, mert színéről semmit sem lehet szépen megfoldani.

"Take these to your daughter and make her plant them in soil wherein they will grow without a tree. Then come up to see me, for as a reward I will perhaps marry her!"

What could the Székely do but take the two nuts home and give them to his daughter. He said to her:

"Well, King Mátyás has given you trouble enough!"

The girl, however, merely smiled. She simply cracked the nuts and ate them.

And she waited. King Mátyás too waited, but now he was waiting for the girl's reply, not for the flaying of the stone. He even called the faithful servant back from it.

After a while the girl said to her father:

"Well, now go up to see King Mátyás. Tell him that the two nuts have sprouted."

Those were the girl's two little breasts.

The Székely went at once up to Buda and took the message to King Mátyás.

On hearing the news the king pondered, and then gave the Székely two strands of hemp. And he sent word to the Székely girl that she should make from them, and nothing else, a kerchief for the royal palace. This time too he gave the Székely a large sum of money.

The Székely sadly took the two strands of hemp home to his daughter; how was she to make a kerchief out of that? And he said to the girl:

"Now the king has given you some trouble!"

And he repeated the king's command word for word.

The girl saw in the yard two pieces of wood-shavings. She picked them up and said to her father:

"Take these to King Mátyás and tell him that first he is to make of these a loom, a bobbin and a shuttle. Then I will make on it as many kerchiefs as he likes out of these two strands of hemp."

Back went the Székely to Buda. This time King Mátyás answered:

"Tell your daughter that my attic is full of pitchers with holes in them. If she can mend them all she shall have a duke for her husband!"

To this the Székely's daughter replied that she would gladly mend the pitchers, but only from the inside. Let the king first turn them inside-out, because nothing could be properly darned from the right side.

Mátyás király erre azt üzente neki, a székely emberrel, annak a jó eszű kislánynak:

– Mondd meg a lányodnak, hogy ha igazán olyan nagyon okos, akkor jöjjön föl ő is Budára hozzám, de úgy, hogy se az úton, se az útfélen, se öltözve, se öltözetlen, s ha olyan dolgos is, mint okos, én magam veszem feleségül. Hozzon ajándékot is, mégpedig úgy, hogy mégse hozzon, amikor pedig belép, köszönjön is, ne is!

– No, most már tetézve adott bajt neked a király! – mondta otthon a szegény székely.

De a lány egyszeribe fogott egy verebet, szitába tette: az lesz az ajándék. Volt az apjának egy nagy hálója, ruhaként azt vette föl. Volt az apjának egy szamara, annak megfogta farkát, elindította maga előtt, s ment a nyomán. Így nem az ország útján ment, hanem a szamár nyomán.

Amikor odaért a királyhoz, épp csak meghajtotta magát, de nem szólt, vagyis köszönt is, nem is. Ruha helyett hálóban volt, vagyis föl is volt öltözve, nem is. Elővette a szitát, megmutatta a verebet. Az persze rögtön elrepült.

Vagyis volt ajándék, s mégse lett.

Mivel pedig nemcsak okos volt, hanem dolgos is, meg szép is, Mátyás király rögtön fölkelt a trónusáról, egyszeribe megcsókolta, kezet fogott vele, megmátkásodtak. Meglett a nagy bál, olyan bál volt, hogy a Duna vize egyszer s akkor válott volt borrá, mikor Mátyás királynak a lakodalma volt.

Nagyon jól éltek egy darabig, míg új házasok voltak! De egyszer nagy sokadalom lett a városban. Nagy vásár Budán! Amint a szekerek összegyúróztak, egy szegény embernek a kancája lefeküdt, és csikót ellett, de egy más embernek a szekere alatt. Mikor a szegény ember meglátta, hogy a kancája megcsikózott, ki akarta húzni a csikót a másik szekér alól, amely előtt nem is voltak lovak. De az ember, akié a szekér volt, nem engedte: azt mondta, hogy a csikót az ő szekere csikózta!

Felpanaszolták végül a királynak a dolgot. De bizony azt mondta Mátyás király is, hogy azé a csikó, akinek a szekere alatt találták.

Nagyon megbúsulta a szegény kárvallott ember magát. No de, ahogy kijönnek a törvényházból, mit hall? Azt, hogy a királyné még okosabb, mint az ura. Elhatározta, hogy bemegy a királynéhoz, és attól kér tanácsot, sőt igazságot. Be is ment rögtön Mátyás király feleségéhez, és elpanaszolta neki a baját.

To that King Mátyás sent the message through the Székely to that clever girl:

"Tell your daughter that if she is really so very clever to come up to Buda and see me herself, but neither by road nor on the roadside, nor dressed nor undressed, and if she is as industrious as she is clever I myself will take her to wife. Let her bring a gift too, but in such a way that she does not carry it, and when she comes in let her greet me, and not greet me!"

"Well, now the king has given you a heap of trouble!" said the poor Székely when he arrived home.

But the girl simply caught a sparrow and put it in a sieve: that would be the gift. Her father had a big net, and that she put on for clothing. Her father had a donkey, and she grasped its tail and drove it before her, going on foot. Thus she did not go by the highway but in the donkey's tracks.

When she came to the king she bowed but did not speak, that is, she both greeted him and did not. For her dress she wore the net, that is, she was dressed and was not. She brought out the sieve and displayed the sparrow. That, of course, flew straight off.

As she was not only clever but also industrious and, what is more, beautiful, King Mátyás at once rose from his throne, kissed her, took her hand and they became betrothed. A great ball was held, such a ball that the water of the Danube was suddenly changed to wine for King Mátyás's wedding.

For a while they lived happily, while they were newly-weds! But one day there was a great tumult in the city. There was a great market in Buda, and as the waggons rolled in one poor man's mare lay down and gave birth to a foal, but beneath another man's waggon. When the poor man saw that his mare had foaled he went to remove the foal from beneath the other waggon, in front of which there were no horses at all. But the man whose the waggon was would not permit it: he said that his waggon had foaled that foal!

At last the case was brought before the king, but he too said that the foal was his that owned the waggon beneath which it had been foaled.

The unhappy plaintiff was sorely distressed. But what should he hear as he left the court? That the queen was even cleverer than her husband. He resolved to go to her and seek her counsel. And in he went to the wife of King Mátyás and complained to her of his trouble.

Azt mondja neki a királyné, a hajdani okos székely lányka:

– Ó, te, szegény ember! Látszik, hogy szegény ember vagy! No de én segítek rajtad! Menj el, és szerezz egy hálót és egy evezőt, olyant, amivel a vízben szokás halászni s evezni. Menj ki a mezőre, és ott a homokban csapkodj az evezővel, mintha a halat kergetnéd a háló felé, a hálóval pedig úgy csinálj, mintha halásznál.

Úgy is tett a szegény ember. És a király arra járt, meglátta. Rögtön behívatta, hogy micsoda szamár ember kend, hogy a homokban halat keres!

Mondja rá a szegény ember azt, amire a királyné tanította:

– Bizony nincs ott hal! De a szekér aljának sincsen csikója!

– Hej, te szerencsétlen ember, tudom, hogy a feleségem tanácsolta neked ezt! No, neked ez nem baj, neked visszarendelem a csikódat. De a számadásnak nincs vége a megszégyenítésemért!

A király úgy megharagudott, hogy a felesége ilyen tanácsot adott a szegény embernek, hogy rögtön bement a feleségéhez, ráripakodott, hogy eltakarodjék azonnal a házból, a nap meg ne süsse ott többet!

Azt mondta erre csöndesen az asszony, ismerve az ura hirtelen természetét:

– Nem bánom, elmegyek, akár tüstént, csak engedd meg, hogy amit legjobban szeretek s kedvelek, azt is elvihessem magammal!

Azt mondta erre a király:

– Azt jó szívvel megengedem.

Még aznap elköltözött az asszony egy kis házba, amelynek még üveg sem volt az ablakán, csak hártya. Tudta, hogy az urának olyan szokása van, hogy ha este lefekszik a paplanos ágyba, rögtön igen mélyen elalszik. Hát ahogy este lett, négy emberrel odament, a paplannak a négy szegét megfogatta, és elvitette a királyt is oda, ahová ő költözött, abba a hártyás ablakú házba. Mikor Mátyás király másnap megébredett, és látja, hogy alig lát ki az ablakon, azt mondja:

– Mi az? Hol vagyok? Ki merte ezt tenni velem?

Azt mondja csöndesen a királyné:

– Megengedted, hogy elvigyem magammal, amit legjobban szeretek; hát elhoztalak magammal!

Erre megcsókolták egymást, és bár máig se haltak volna meg!

The queen, the former clever Székely girl, said to him:

"Oh, you poor man! It seems that you are unfortunate! Well, I will help you. Go and obtain a net and an oar, such as are used for fishing and rowing on the water. Go out into the fields and there strike the sand with the oar as if you were driving fish into the net, and with the net do as you would if you were fishing."

So the poor man did. The king went that way and saw him. At once he sent for him: what kind of a fool are you, my man, seeking fish in sand?

The poor man said, as the queen had instructed him:

"Of course there are no fish there! But neither do the undersides of waggons have foals!"

"Ah, you luckless fellow, I know, my wife has advised you to do this! Well, you shall not suffer for it, I will restore your foal. But we have not done with reckoning for my embarrassment!"

The king was so angry that his wife had given the poor man such advice that he went straightway in to her and told her harshly to remove herself from the house at once, let her darken his door no more!

The woman said quietly, knowing her husband's mercurial temperament:

"Never mind, I will go this very minute, only allow me to take with me that which I love the most and hold most dear!"

To that the king said:

"That I gladly permit."

That very day she removed into a little house which had no glass in the windows, only thin skin. She knew that it was her husband's wont to go to sleep immediately on lying in his quilted bed of an evening. And so when evening came she went with four men and took the quilt by the four corners and took it, with the king, to the little house with skin windows to which she had removed. Next morning, when King Mátyás woke and saw that he could scarcely see through the windows, he said:

"What is the matter? Where am I? Who has dared to do this to me?"

The queen said calmly:

"You granted permission for me to take away that which I loved most dearly, and so I have taken you!"

With that they kissed and would not have died to this very day!

Mátyás király és a székely ember lánya
King Mátyás and the Székely Man's Daughter

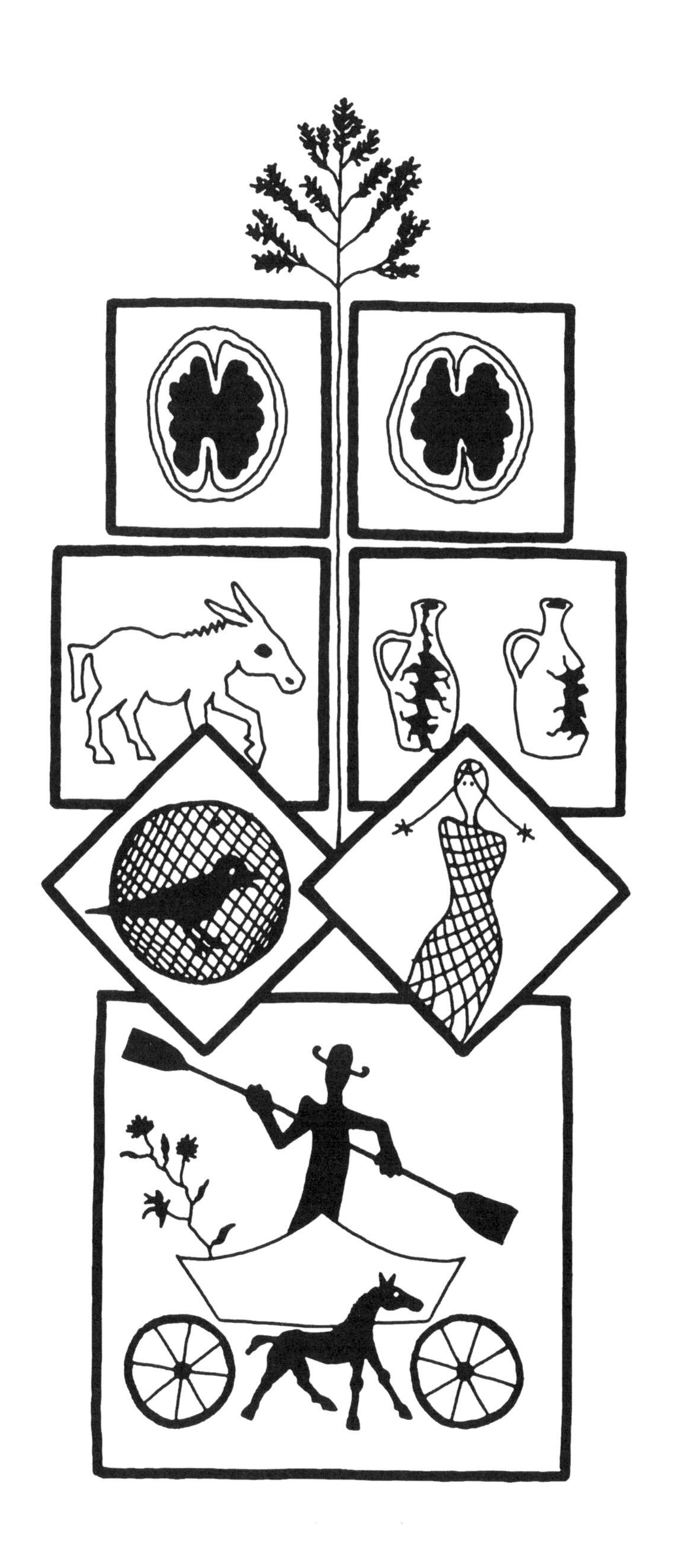

Az ördög kilenc kérdése

Kedve támadt egyszer egy szegény székely legénynek, hogy megházasodjék. El is árulta végül az édesanyjának is, hogy miben töri az eszét.

– Ó, te semmirevaló, te élhetetlen! Tán bizony neked való a házasság! – mondja fölharsanva az anyja. – Tedd le magad arról a lóról, s ne bolondulj meg! Jobb lesz, láss dologhoz ahelyett.

– Miért, anyám? Én bizony megházasodom! – mondja nagy nyersen a legény. – Immár ideje nekem is, hogy ne üljek itthon.

– No, ide ne hozz menyecskét, ebbe a házba – mondja az anyja. – Főzök, sütök, mosok én magam rád, míg bírom magamat. Lám, a szomszédban az a hegyes nyelvű menyecske is, hogy bánik az ura anyjával! Hogy pocskondiázza, hogy becsmérli utca szeriben mindenütt, minden igaz ok nélkül, pedig ő maga teli van hibával, mint a rossz veteményeskert burjánnal. Velem is úgy bánhatna a te feleséged, mert mit tudom én, milyen fergeteges menyecskét hoznál a házunkhoz, s az milyen zenebonát csinálna a háznál. Velem ne is ellenkezz, mert hidd meg, még pórul jársz, ha nem nyughatol!

Így beszélt egy szuszra a legény édesanyja.

Szegény legénynek minden kedve elveszett. Nagy szemet meresztett az anyjára, s végül azt mondta nagy dérdúrral:

– Ne tereturáljon annyit, édesanyám; hisz immár mind megházasultak a faluban a legények, akik velem egykorúak voltak, most már én következem.

– Ne meregesd nekem olyan rútul a szemedet – mondja ismét nagy haragosan a legény anyja. – Nem tudom, miféle gonosz lélek furdal, hogy úgy nem férsz a bőrödbe. Jobb lesz, fogd meg a szád, s hallgass.

– Nem furdal engem semmi gonosz lélek – mondja dünnyögve a legény –, de ideje, hogy megházasuljak én is!

Erre ismét azt mondja az anyja:

The Devil's Nine Questions

Once the desire came upon a poor Székely lad to be married. At length he revealed to his mother the turn that his thoughts were taking.

"Oh, you good-for-nothing, you shiftless wretch! Marriage is not for the likes of you!" said his mother harshly. "Come down off that horse and stop being foolish! It would be better if you set about some work instead."

"Why, mother? I mean to be married!" said the lad very crossly. "The time is ripe for me to stop sitting about the house."

"Well, do not bring your bride here, to this house," said his mother. "I will cook and bake and wash for you myself while my strength lasts. Look at that sharp-tongued bride next door, how she treats her husband's mother! She abuses her, derides her in the street and everywhere, without good cause, while she herself is as full of faults as an overgrown kitchen-garden. Your wife would treat me likewise, for I know very well what an ill-tempered bride you would bring home and the trouble she would cause. Do not argue with me, believe me, you will feel sorry for yourself if you cannot be still!"

So said the lad's mother, all in one breath.

The poor lad was quite put out. He glared at his mother wide-eyed, and at length said very heatedly:

"Do not make such a fuss, mother; all the other lads in the village have married by this time, who are the same age as me, and now I will follow their example."

"Do not look at me like that," said his mother, still very angry. "I do not know what evil spirit possesses you, that you are now too big for your boots. It would be better if you held your tongue and were quiet."

"No evil spirit possesses me," muttered the lad, "but it is time that I too was married!"

To that his mother said once more:

– No, ha csakugyan feleséget akarsz hozni, vidd inkább a pokolba, de ne ide, mert inkább a nyakadat csavarnám ki, mintsem hogy azt megengedjem.

A legény apja belé sem kottyant a dologba; nem, mert a felesége parancsolt a háznál.

A szegény legény nagyon szívére vette a dolgot. Kiment nagy morgolódva a házból. Vacsorára sem ment be, éjjelre sem, hanem meghált az udvarban egy kis halom poros szénán. De egész éjjel nem tudott aludni egy cseppet is egész virradatig. Akkor felkelt, elindult feleség után!

Mendegélt, igen szomorúan s tele bosszúval, hogy az édesanyja olyan rosszul bánt vele, hogy szinte megette kezét-lábát mérgében, azért, hogy ő meg akar házasodni!

Ment, utazott immár egyes-egyedül, egy kicsi pálcikával s egy üres tarisznyával. Mert persze az anyja nem adott útravalót sem neki.

Ment, ment idegen, ismeretlen helyeken, hegyen, völgyön, sík mezőkön keresztül, mindaddig, míg egy fényes rézhídhoz nem érkezett. Ott megállt, úgy elcsodálkozott a hídon, félt is rámenni. Amint ott álldogált, meglátja őt egy fehér szakállú, ősz öregember, s azt mondja neki:

– No, te szegény legény, menj, menj csak föl erre a hídra. Semmit ne félj, de csak lábujjhegyen járj rajta, mert különben otthagyod a fogadat. Mert ezt az ördög hídjának hívják. Úgy menj hát rajta keresztül, hogy meg ne nyikorgassa a csizmád kérge! Eddig kilencvenkilencen vesztek el itt, azért, mert nagy hetykén, lármásan s nem szép csendesen mentek rajta keresztül. Ottveszett egyszer egy egész násznép is szekerestől, lovastól, vőlegényestől, menyasszonyostól, csak azért, mert dörömbölve vágtában nyargaltak azon a hídon át!

A szegény legény előbb félt erősen a hídra lépni. Úgy félt, hogy szinte reszketett belé, de minthogy azt a hidat sehol másutt el nem lehetett kerülni, megerőltette magát, nekibátorodott. Szerencsésen, nagy vigyázva átment a rézhídon, éppen azon mód, ahogy az a fehér szakállú öregember megtanította.

De alig haladt a hídon túl a szegény székely legény, egy ördög csak kiugrott a híd alól, s ezt kiáltotta neki:

– Megállj, megállj, te szegény legény! Egy kicsi beszédem van veled!

Megállott a szegény székely legény egy helyben, de úgy megijedt, hogy még a lélegzete is megállott ijedtében. Az ördög közelebb lépett hozzá, s azt mondta neki:

"Well, if you will take a wife nevertheless, take her rather to Hell, but do not bring her here, for I would rather wring your neck than permit it."

The lad's father did not interfere in the matter; for his wife ruled in the house.

The poor lad was deeply hurt by the affair. He went out of the house very sorrowfully. He did not go in for supper, nor for the night, but slept in the yard on a little heap of dusty straw.

He did not sleep a wink all night long. Then he rose and set off in search of a wife!

He wandered off, gloomy and full of resentment that his mother had been so rough with him, had almost bitten his head off because he wished to be married!

He walked and travelled all by himself, with a little stick and an empty bag. Of course his mother had not provided him with food for the journey.

He went on and on in strange, unfamiliar places, over hill and dale, until at last he came to a gleaming bridge of brass. There he stopped and admired the bridge, but was afraid to step onto it. As he was standing there a very old man with a white beard caught sight of him and said to him:

"Go on, you poor lad, up you go onto the bridge. Do not be afraid, but walk on it on tip-toe, otherwise you will lose your teeth, because this is called the Devil's bridge. So walk over it so that the counter of your shoe does not squeak! Hitherto ninety and nine have perished here because they crossed rashly, noisily and not nice and quietly. A whole wedding-party was lost here once, bridegroom, bride, waggon, horse and all, because they crossed the bridge at a rousing gallop!"

Previously the poor lad had been afraid to step onto the bridge - so afraid that he trembled within; but as that bridge could in no way be avoided he screwed up his courage and forced himself. Fortunately he crossed the bridge very cautiously, in just the manner that the white-bearded old man had taught him.

Scarcely had the poor Székely lad crossed the bridge than a devil leaped out from beneath it and shouted to him:

"Stop, stop, you poor lad! I have a word to say to you!"

The poor Székely lad stopped on the spot, and he was so alarmed that even his breathing stopped too. The devil stepped closer and said:

– No, te legény! Én jól tudom, mi járásbeli vagy! Tudom, hogy házasodni akarsz. Azt is tudom, hogy szegény vagy. De amiért olyan becsületesen mentél keresztül a hidamon, hogy nem háborítottál, s nekem semmi bosszúságot nem okoztál, mint más utazók, én téged megjutalmazlak. Mégpedig azzal, hogy mikor majd erre hozod a feleségedet, megkapod tőlem, amivel kiálljad a lakodalmi vendégséget. Ezért, mikor visszajöttök a menyasszonnyal együtt, nehogy másfelé, hanem éppen itt menjetek el. Mert itt adom meg, amit adni akarok. Most pedig csak menj a kilencedik faluig. Azt a falut Jámbortelepnek hívják. Ha el találnád veszíteni az utat, csak kérdezősködj, hogy hol vagyon Jámbortelep, csak ráigazít valaki. Abban a faluban, éppen a falu végin, a vetéskapu sarkánál lakik egy gazdaember. Van neki három lánya; kérd a legkisebbiket. Ha azt nem adják, kérd akármelyik másikat.

Elindult a szegény legény, s mindaddig utazott, míg el nem érte azt a Jámbortelep nevű falut.

Ott bement egyenest ahhoz a házhoz, ahová az ördög igazította.

Jól fogadták a háznál. A lányok gyanították, hogy mi járatban van a legény. Forgolódtak, sürgölődtek körülötte, jól is tartották, mégpedig rántottával. Amint ott mulatott a legény, csak előhozta, csak kisütötte aztán, hogy bizony ő azért jött, hogy elvenné valamelyik lányt, ha adnák.

– Melyiket vennéd a három közül? – kérdezte a lányoknak az apja.

A legény a legkisebbikre mutatott, s azt mondta:

– Nekem éppen ez is jó volna!

– Hej, öcsém – mondja az apa –, az asztagot sem a fenekén szokták megkezdeni. Ha mindjárt a leggazdagabb herceg kérné, annak sem adnám a legkisebbet, míg a két nagyobb el nem kelt.

– Nem bánom hát, ha a legnagyobbat adják is, ha azt adni akarják – mondja a legény.

Az apa s anya aztán odaígérte a legnagyobbik lányt. Tüstént papot hívattak, s még aznap meg is történt az összeesketés.

Hogy az esketés megvolt, ebédeltek együtt, s azzal útnak indult az új házaspár.

Mikor az ördög hídjához érkeztek, olyan szép csendesen mentek azon keresztül, mint a vőlegény ment azelőtt egyedül.

Ahogy átértek, kiugrott az ördög a híd alól, nagyot kiáltott:

– Hó, Megálljatok! Hadd adjam meg, amit ígértem volt!

"Now then, my lad! I know very well on what errand you come! I know that you wish to be married, and that you are poor. But because you crossed my bridge so respectfully and did not upset me, caused me no annoyance as other travellers have, I will reward you. Furthermore, when you bring your wife this way you shall receive from me the wherewithal for your wedding-feast. Therefore, when you return with your betrothed go no other way, but come here, for it is here that I shall give you what I mean to. But now proceed to the ninth village, which is called Pyton. If you lose the way just ask around for where it is and someone will direct you. In that village, just at the end of it, beside the kissing-gate, there lives a farmer. He has three daughters; ask for the hand of the youngest. If that is refused you, ask for either of the others."

Off went the poor lad and travelled until he reached the village of Pyton.

There he went straight to the house to which the devil had directed him.

He was well received there. The girls suspected on what errand he had come and clustered, pressed around him and entertained him well, even with omelette. As he was there enjoying himself the lad mentioned, broached the subject of why he had come: to marry one of the girls, if one would be given him.

"Which of the three would you take?" asked the girls' father.

The lad indicated the youngest, and said:

"This one would just do for me!"

"Ah, my boy," said the father, "you do not build a hayrick from the bottom. If the richest duke were to ask for the youngest I would not give her to him until the two elder had found husbands."

"Never mind, then, perhaps you will give me the eldest, if you please."

The father then promised him the eldest girl. A priest was called straight away and the marriage took place that very day.

When the ceremony was over they ate a meal together and then the newly-weds set off.

When they came to the Devil's bridge they crossed it as nice and quietly as the bridegroom had done by himself.

When they reached the far side the devil leaped out from beneath the bridge and gave a great shout:

"Ho! Stop! Let me give you what I promised!"

Azok megállottak, az ördög pedig kihajtott kilenc kövér disznót a híd alól. Azt mondta a vőlegénynek:

– No, én ezt a kilenc disznót nektek adom. Majd otthon ölessétek le! Kettőnek az aprólékjából álljátok ki otthon a lakodalmi vacsorát, a kilencnek a szalonnáját pedig aggassátok fel a padlásra, és éljetek abból takarékosan. De azt is megmondom én neked, te vőlegény, hogy mától számlálva négy hét betelte után meg foglak téged keresni, mégpedig estéli tíz órakor. Ha kilenc kérdésemre meg nem tudsz felelni, elveszted a kilenc disznó szalonnáját, s azonkívül még egyéb bajod is lesz! De nehogy féltedben elmenj hazulról, mert ha mindjárt a tenger fenekébe rejtőzöl, onnét is kiveszlek!

A vőlegénynek szöget ütött a fejébe ez a beszéd, azért a feleségével szépen maguk elébe vették a kilenc kövér disznót, s hazahajtották. De nem az apai házhoz, mert hiszen a vőlegénynek megmondotta az anyja, hogy oda ne vigyen feleséget, hanem máshová. A faluban kibéreltek egy tisztességes házat a menyasszony pénzéből, abba beszállították. Megölették aztán a kilenc kövér disznót, kettőnek az aprólékából kiállították a vendégséget, kilencnek a szalonnáját pedig a padlásra felakasztották, s gazdasághoz fogtak.

Mikor a négy hét éppen betelt az összekelés után, a vőlegény búsulni kezdett. Nyugtalankodott erősen, hogy az ördög el talál jönni a kilenc kérdéssel, s ő nem tud azokra megfelelni.

Míg így emésztődött, bement hozzájuk egy rongyosnál is rongyosabb, koldusforma idegen ember. Szállást kért éjszakára. Adtak neki mindjárt, s jó vacsorával megkínálták.

Aztán lefeküdtek. A koldus is lefeküdt a tűzhely elé. Amint ott a hamuban heverészett, megkérdezte a vőlegénytől, hogy miért nem alszik, miért olyan szomorú, mikor az új házasoknak többnyire jókedvük szokott lenni.

– Nekem elég bajom van – mondja a vőlegény. – Nagy dolgot sújtottak az én fejemhez! Azt, hogy nekem ma kilenc kérdésre kell megfelelnem! Még ha tudnám, hogy mik lesznek azok a kérdések! Akkor talán nem is búsulnék, hanem gondolkoznék. De az a baj nagyja, hogy nem tudom, mik azok. S ha nem tudok megfelelni, rosszul lesz dolgom!

– Azért egy mákszemnyit se búsulj – mondja a koldus a tűzhely elől. – Bízd rám az egész dolgot! Te majd csak hallgass, egy szót se szólj. Én majd minden kérdésedre megfelelek helyetted, a te képedben.

They stopped and the devil drove out from beneath the bridge nine fat pigs. He said to the groom:

"Now, I will give you these nine pigs. Have them slaughtered at home! Use the giblets of two for your marriage-feast, and hang the bacon of the nine in the loft and live off it carefully. And I tell you also, bridegroom, that four weeks from this day I shall come and find you, about ten o'clock in the evening. If you cannot answer my nine questions you will lose the bacon of the nine pigs, and you will have other trouble besides! And do not flee your home for fear, for I will catch you even if you hide on the bottom of the sea."

These words set the bridegroom a-thinking, and he and his wife drove the nine fat pigs before them all the way home. Not to his father's house, because of course his mother had told him not to take his wife there, but elsewhere. With the dowry they rented a decent house in the village and moved in. Then they had the nine fat pigs slaughtered, used the giblets of two for the feast, hung the bacon of the nine in the loft and set about keeping house.

When the four weeks after the agreement were over, the bridegroom began to be anxious. He was deeply disturbed in case the devil came to him with nine questions which he was unable to answer.

While he was thus worrying there came to their house a stranger in the form of a very ragged beggar. He sought a night's lodging, and they gave it to him and provided him with a good supper.

Then they went to bed. The beggar too lay down before the hearth. As he lay there in the ashes he asked the bridegroom why he was not sleeping and why he was so gloomy, when newly-weds are usually so much more good-humoured.

"I have trouble enough," said the bridegroom. "I have a great matter on my mind! I shall have to answer nine questions this day! I do not yet know what they will be! If I did, perhaps I would not be worrying but thinking. But the main anxiety is that I do not know what they are, and if I cannot answer them it will go hard for me!"

"Do not concern yourself the least little bit," said the beggar from the hearth. "Leave everything to me! You just remain silent and say not a word. I will answer all your questions in your stead, pretending to be you."

Erre már kezdett ocsúdni egy kicsit a vőlegény. Megcsókolták egymást az új feleséggel, de csak nem jött álom a szemükre. Tépelődtek tovább, hogy vajon mit hoz az éjszaka.

Amint ott feküdtek, éjfél felé kopogtattak ám az ablakon.

Az ördög volt ott, s bekiáltott nagy dörgősen:

– Alszol-e, gazda?

– Nem alszom! – feleli hangosan a koldus a tűzhely elől a gazda helyett.

– Hát mered-e biztatni magadat, hogy megfelelsz a kilenc kérdésre? – kérdi ismét az ördög.

– Merem biztatni! – mondja megint a koldus.

– No, hát azt kérdem tőled elsőben is – mondja az ördög –, mi van a világon, ami csak *egy*?

Feleli a koldus:

– Egy nap van az égen, egy feje van minden embernek.

Kérdi az ördög:

– Tudsz-e mondani valamit a *kettőre?*

Feleli a koldus:

– Akinek két látó szeme van, szerencsés ember: mindent tisztán láthat a nap alatt.

Kérdi az ördög:

– Mit tudsz mondani nekem a *háromra?*

Feleli a koldus:

– Amelyik házon három ablak van, az elég világos.

Kérdi az ördög:

– Hadd halljam, mit mondasz a *négyre?*

Feleli a koldus:

– Négy kerék elég egy szekérre, több nem is kell.

Kérdi az ördög:

– Hát tudsz-e valamit mondani az *ötre?*

Feleli a koldus:

– Öt kézujj elég egy kardnak a markolatára.

Kérdi az ördög:

– Mondj valamit a *hatra!*

Feleli a koldus:

– Akinek jó hat ökre van, szánthat, vethet, boronálhat segítség nélkül is.

At that the bridegroom began to revive a little. He and his new wife kissed, but sleep still eluded them. They continued to worry about what the night would bring.

As they lay there, towards midnight there came a knock at the window.

It was the devil, and he called in stentorian tones:

"Are you asleep, householder?"

"No!" answered the beggar loudly from the hearth in the householder's stead.

"Then dare you encourage yourself that you can answer the nine questions?" went on the devil.

"I do!" said the beggar again.

"Well then, firstly I will ask you," said the devil, "what is there in the world of which there is but *one*?"

The beggar replied:

"There is one sun in the heaven, and every man has one head."

The devil asked:

"Do you know anything for *two*?"

The beggar answered:

"The man that has two eyes is fortunate; he can see clearly everything under the sun."

The devil asked:

"What can you tell me for *three*?"

The beggar answered:

"The house that has three windows is light enough."

The devil asked:

"Let me hear what you say for *four*."

The beggar answered:

"Four wheels are sufficient for a waggon."

The devil asked:

"Can you say anything for *five*?"

The beggar answered:

"Five fingers are sufficient for the hilt of a sword."

The devil asked:

"Say something for *six*."

The beggar answered:

"He that has six oxen can plough, sow, reap and harrow without assistance."

Kérdi már mérgesen az ördög:
– Tudnál valamit mondani a *hétre* is?
Feleli a koldus:
– Akinek hét lánya van, annak főhet a feje, míg rendre mind a hetet jó helyre férjhez adhatja.
Kérdi még mérgesebben az ördög:
– Mondj valamit most a *nyolcra!*
Feleli a koldus:
– Akinek nyolc asztaga van a csűrkertben, az nem szorul másra kenyér dolgában.
Kérdi haragosan az ördög:
– Hát utoljára, mit mondasz a *kilencre?*
Feleli a koldus:
– Akinek kilenc disznó szalonnája van a padlásán, nem fut a szomszédba pörkölnivalóért!
Az ördög elbámult a kész feleleteken, szava is elállt. Mind azt hitte, a gazda maga felelget neki.
Végül is azt mondotta:
– No, légy hát magadnak! Látom, többet tudsz, mint én!
Azzal ellódult, ahonnan jött, de még a lépésén is hallatszott, hogy eszi a méreg.
Az új gazda pedig másnap reggel jóltartotta a koldust étellel, itallal. Adott neki útravalóul sódart, disznólábat, s más egyebet, amije volt, amiért az őt kisegítette a bajból. Ő maga pedig s a felesége addig igyekezett, hogy hamarosan jószágot szereztek, arra házat építettek. Az asszony jó asszony volt, sokat segített még az ura anyján is, annak szorult állapotában. Még ma is süti a palacsintát, ha a kilenc disznó szalonnája már el is fogyott.

Now the devil asked:

"Could you tell me something for *seven* too?"

The beggar answered:

"He that has seven daughters must rack his brains until he has married all seven to well-set-up husbands."

The devil asked, more crossly still:

"Now tell me something for *eight*!"

The beggar answered:

"He that has eight ricks in his barnyard does not turn to another for bread."

The devil asked angrily:

"And finally, what do you say for *nine*?"

The beggar answered:

"He that has the bacon of nine pigs in his loft does not run to the neighbour for something to roast!"

The devil was amazed at the ready answers and said no more. He believed that the householder had answered everything himself.

In conclusion he said:

"Well, I will leave you in peace! I can see that you know more than I!"

With that he slunk off to whence he had come, and from his very tread one could hear that he was angry.

In the morning the new householder regaled the beggar with food and drink. He gave him for the road gammon and trotters and more besides, whatever he had, because he had helped him out of trouble. He himself and his wife, however, worked and soon purchased land and built a house on it. The woman was a good woman and greatly helped her husband's mother too in her straitened circumstances. She is still cooking pancakes today, even if the bacon of the nine pigs has been used up.

Az ördög kilenc kérdése
The Devil's Nine Questions

A háromágú tölgyfa tündére

Egyszer volt, hol nem volt, hetedhét országon, de még az Óperenciás-tengeren is túl, lakott a zöld királynak egy fia. Egyedül volt a kastélyban, hát unatkozott. Vette fegyverét, kiment vadászni. Mihelyt kiért az erdőbe, talált egy nyulat. Célba vette, hogy lelője. A nyúl rimánkodni kezdett:

– Bocsáss meg, királyfi, jó tettedért jót várj; hadd meg az életemet.

Meghagyta a nyúl életét, nem bántotta. A nyúl elszaladt. Talált aztán egy rókára. A rókát is célba vette, és a róka is azt mondta:

– Ne lőj le, királyfi, hadd meg az életemet, jó tettedért jót várhatsz.

Azt is elbocsátotta, s ment tovább az erdőbe. Talált aztán az erdőben egy kis őzet. Azt is célba vette, hogy lelője, az is visszaszólt neki:

– Királyfi, bocsánatot kérek tőled, hadd meg az életemet, mert jót mondok neked, majd még megköszönöd.

Elbocsátotta azt is. Azt mondja neki az őz:

– Kegyes királyfi, megmondom most az én hálámat. Menj be az erdő közepéig. Találsz ott egy háromágú tölgyfát. Vágj le abból egy ágat. Majd abból az ágból kijön egy tündérkislány. Az lesz a feleséged. De vigy magaddal egy kicsi vizet, netalán szükség lehet rá.

El is ment a királyfi, meg is találta a tölgyfát, le is vágta róla az ágat, ki is jött abból egy szép tündérlány. Rögtön rikoltott a királyfinak:

– Jaj, vizet, mert megfulladok.

Forgott a királyfi ott körül kereken, hogy a vizet elővegye, de a flaskó feldűlt, és a víz kifolyt. A szép tündérlány meghalt. Nem volt mit tenni, felvette az ölébe, elvitte haza, eltemette.

Telt-múlt az idő, megint elment vadászni. Megtalálta a rókát.

The Fairy from the Three-branched Oak

Once upon a time, beyond seventy-seven lands, even beyond the sea of Óperencia, there lived a son of the Green King. He was alone in the palace and therefore grew bored. He took his gun and went a-hunting, and as he reached the forest he came upon a hare. He took aim to shoot it, but the hare began to plead:

"Spare me, prince, and you will profit by your good deed; spare my life."

He spared the hare's life, did it no harm, and it ran off. He came upon a fox. He took aim at that too, and it said:

"Prince, spare my life, and you may expect a reward for your good deed."

That too he spared, and went deeper into the forest. In the forest he came upon a small deer. He aimed at that too, to shoot it, and it too spoke:

"Prince, spare me, I pray, spare my life, for I will tell you something good and you will thank me."

He spared that too. The deer said to him:

"Gracious prince, now I will show my gratitude. Go into the very middle of the forest. There you will find an oak with three branches. Cut off one branch, and from it will emerge a fairy maiden, who will become your wife. But take a little water with you, perchance you will have need of it."

Off went the prince, found the oak and cut off a branch, out of which came a fairy maiden. At once she cried to the prince:

"Water, water, for I cannot breathe."

The prince turned round to take the water, but the flask fell over and the water ran out. The beautiful fairy maiden died. There was nothing to be done, he took her in his arms, carried her home and buried her.

Time passed and once again he went a-hunting. He came upon the fox:

– No, kegyes királyfi, bocsánatot kérek, jó tettedért jót mondok. Menj el megint az erdőbe, oda, ahol a tölgyfáról egy ágat már levágtál volt. Vágj le még egy ágat, mert abból is egy szép tündérlány jő ki. De vizet vigy neki, mert szükség lehet reá.

Járt a királyfi erre, arra, hogy vizet kapjon ott az erdőben, de nem talált. Volt nála egy kulacs bor. Gondolta, hogy hát az is jó. De megint úgy járt, mint a múltkor. Levágta az ágat, kijött abból is egy szép tündérlány, ő bort adott neki, de a lány mégis meghalt, mert a bor igen erős ital volt neki. Nagy búban volt a királyfi, hogy abból is kifogyott. Felvette azt a lányt is, hazavitte nagy szomorúan, hogy milyen szerencsétlen ember is ő. Az isten megadta neki a szerencsét, s ő nem tudta felhasználni. Eltemette azt a lányt is, szép rendesen.

Búsult, búsult egy darabig, de aztán megint elment az erdőbe vadászni. Találkozott akkor a nyúllal.

– No, kegyes királyom, jó tettedért jót mondok. De gyere velem, hadd mutassam meg, hol van az élő víz.

Elmentek ketten, megtalálták a forrást.

– Vigyél vizet innen magaddal. Menjünk most tovább.

Megtalálták a tölgyfát, amelyről a királyfi már két ágat levágott; a harmadik ág még rajta volt.

– No, most vágd le ezt a szép tölgyágat.

Levágta, s abból is egy szép tündérlány jött ki. Kiált is rögtön a lány, azt mondja:

– Vizet, vizet, mert megfúlok!

A kis nyúl kapja a kancsót, odanyújtja a kislánynak. Az jót ivott belőle, és megmaradott, nem halt meg. Akkor a kislány letérdelt a királyfi előtt, bocsánatot kért tőle, hogy kiszabadította a tölgyfából. Elmondta neki a sorsát:

– No, tisztelt királyfi, engemet az isten néked rendelt ezen a világon. Köszönöm jótettedet. Hárman voltunk testvérek, de meg voltunk mindnyájan átkozva, hogy ne tudjunk megszabadulni ennek a tölgyfának a gyökerétől, valameddig egy ember le nem vágja. Ezentúl már együtt leszünk mi ketten ezen a világon.

Megölelték, megcsókolták egymást. A kis nyúl ott ugrált előttük, örvendezve, hogy megszabadították az ő kedves asszonyát.

"Well, gracious prince, I will tell you something good in return for your good deed. Go again into the wood, to the place where you cut the branch from the oak. Cut off another branch, for from this will emerge a beautiful fairy maiden. But take some water for her, for there will be need of it."

The prince went this way and that to find water in the forest, but found none. He had with him a flask of wine, and he thought that would be sufficient. And again he fared as before. He cut off the branch, out of it came a beautiful fairy maiden, he gave her wine, but the maiden died nevertheless, for the wine was very strong drink for her. The prince was exceedingly sad that she too should perish. He took up that maiden too and carried her home very dolefully, thinking what a hapless fellow he was. God had granted him good fortune and he had failed to profit by it. He buried that maiden too in a fitting manner.

He grieved and grieved for a spell, and then went out again into the forest a-hunting. This time he came upon the hare.

"Well, gracious prince, I will tell you something good in return for your good deed. But come with me, let me show you where there is running water."

Off they went together and found the spring.

"Take some water from here with you. Now let us go on."

They came to the oak from which the prince had cut two branches. The third was still on the tree.

"Now, cut off that fine oak branch."

He cut it off and from it too there emerged a beautiful fairy maiden. She cried out immediately and said:

"Water, water, for I shall suffocate!"

The little hare took the flask and passed it to the maiden. She drank deeply from it and survived, did not die. Then the maiden knelt before the prince and thanked him for releasing her from the oak. She explained what had happened to her:

"Well, honourable prince, God has ordained me for you in this world. I thank you for your kindness. We were three sisters, but we were all under a spell so that we could not escape from the root of this oak until a man should cut it down. Henceforth we two shall be together in this world."

They embraced and kissed. The little hare leaped before them in delight at the release of its dear lady.

No, útra keltek mind a hárman. Mentek, de útközben, mielőtt haza érkeztek volna, a városon kívül volt egy szép kút. Oda leültek, megbeszélték most már a maguk sorsát. Azt mondja a tündérlány a királyfinak:

– Tisztelt kedvesem, sajnálom fáradságodat, de én ebben a tündérruhában nem vagyok bátor bemenni a te kastélyodba. Hagyjál itt engemet a kis nyúllal. Menjél előbb csak te haza, hozzál nekem új ruhát.

Ott is maradt. A királyfi elment, hogy hozzon neki ruhát. De örömében sok időt töltött otthon, vadonatúj ruhát csináltatott a tündérlánynak. Várták ők, várták a királyfit, de csak nem érkezett vissza.

Jártak a kútra sokan vízért. A tündérleány azért, hogy ne lássák ott a kútnál tündérruhában, felmászott arra a nagy fűzfára, amely árnyékot tartott a kútnál. A kis nyúl meg elment eleséget keresni.

Kiment a kútra egy boszorkányné is, vizet meríteni. Betekint a kútba, lát egy fényes fehérségű szép tündért. A tündér már fenn volt a fűzfán, de képe meglátszott a vízben. Tekintett a boszorkány erre, arra, de élő személyt csak nem látott. Végül is azt gondolta, hogy az a kép a kútban az ő képe. De végül mégis meglátta a tündérlányt fenn a fán. Levette a fáról, megkérdezte, hogy mi okból hágott oda. A tündérlány elmondta, hogy mi minden történt véle, s hogy őt egy királyfi szabadította meg. Mindent, mindent elmondott annak a boszorkánynénak. Azt is, hogy épp most várja ő a királyfit, hogy más gúnyát hozzon neki.

Akkor a boszorkányné megfogta, és bedobta a kútba a tündérlányt. Volt neki is egy lánya: elment gyorsan haza, kivezette a maga lányát a kúthoz, és felhágatta azt a fűzfára.

Odaérkezett a királyfi a gúnyával. Szólítgatta a tündérlányt, keresi, hogy hol lehet az ő menyasszonya. A tündérruhát már felvette a boszorkányné lánya, de ő maga, hiába, mégis fekete volt.

Meglátja végre a kis nyulat a királyfi, kérdi attól is, hogy hol van a lány.

– Én itthagytam – mondja a kis nyúl – a kút mellett. Elmentem valami eleséget keresni, közben fölmászott a fűzfára.

No, már nézik körül kereken, hát hol van az a lány a fán. Mondja a királyfi neki:

– Szállj le onnan, öltözzél fel!

So off they all set together. On their way, before they reached home, there was a fine well outside the city. There they sat down and discussed what to do next. The fairy maiden said to the prince:

"My dear, I regret to trouble you, but I dare not enter your palace in this fairy dress. Leave me here with the little hare, go home and bring me a new dress."

There she stayed, while the prince went to bring her a dress. But in his delight he spent a long time at home and had a brand-new dress made for the fairy maiden. They waited and waited for the prince, but he did not come.

Many people came to the well for water. So as not to be seen in her fairy dress the fairy maiden climbed up a big willow, the shadow of which reached to the well. The little hare went off to find food.

There came a witch to the well to draw water. She looked into the well and saw a beautiful, gleaming white fairy. The fairy was up in the willow, but her reflection could be seen in the water. The witch looked this way and that, but not a living soul could she see. At length she thought that the picture in the well was her own. Finally she caught sight of the fairy up in the tree. She took her down and asked for what reason she had climbed up there. The fairy maiden explained everything that had happened to her, and how the prince had set her free. She told that witch every single thing, even that she was just waiting for the prince, who was bringing her new clothes.

Then the witch seized the fairy and threw her into the well. She too had a daughter; she went home quickly, brought out her own daughter to the well and sent her up the willow.

The prince arrived with the clothes. He called the fairy maiden and looked to see where his bride could be. The witch's daughter was now wearing the fairy dress, but to no avail, as she herself was nonetheless black.

At last the prince caught sight of the little hare and asked it too where the maiden was.

"I left her here," said the little hare, "beside the well. I went to find some food and she meanwhile climbed the willow tree."

Well, they looked all around to see where in the tree she was. The prince said:

"Come down from there and put these clothes on!"

Mikor leszállt a fáról, látja az ábrázatát, hogy csúnya, fekete. Pedig milyen szép volt! Mi történt vele?

– Ó, lelkem, kedvesem – mondja a boszorkányné lánya –, a nap sugara reám tűzött, megfogta az egész ábrázatomat.

Felöltöztette így is a királyfi, azt gondolta, hogy ő a tündérlány. Elvitte haza. De abból a tündérlányból, az igaziból, akit a boszorkányné bevetett a kútba, lett egy szép aranyhal. De hagyjuk most még azt az aranyhalat a kútban.

A cigánylány élt, élt a királyfival, felesége volt neki. Elment egyszer a boszorkányné a lányához. Mondja neki:

– Vajon nem történik-e valami még abból, amit azzal a tündérlánnyal csináltunk? Mert én kijártam a kúthoz, és egy szép aranyhalat láttam a vízben. Hátha abból a lányból lett az a hal? Azt tanácsolom én neked, fiam – mondja a lánynak –, tedd magad beteggé. Mondjad a királyfinak, addig nem fogsz meggyógyulni, amíg azt az aranyhalat, amely abban a kútban van, ő ki nem fogatja.

A királyfi azt is megcselekedte a kedveséért. Kifogatta az aranyhalat, megfőzték; a boszorkányné lánya evett belőle, és íme, meggyógyult. De mikor a szakácsné tisztította a halat, egy pikkelyecske, egy halpénzecske leesett a földre. Ahogy a földben az kifakadott, lett egy szép aranyalmafa. Az a fa minden éjszaka megvirágzott, délig megért az alma rajta, de éjszaka mindig elvitték a gyümölcsét.

Gondolkodóba esett a király, vajon mi lehet az oka, hogy ők annak a fának a gyümölcsét nem tudják használni. Nem tudta, hogy annak a gyümölcsét a tündérek hordják el. No, de a boszorkányné megint elment a lányához. Mondja a lányának:

– Mi dolog ez? Valahogy még kiderül, hogy nem te vagy a tündérlány. Ki kéne vágatni azt a fát!

Mondta is hát a királyné a királynak:

– Semmi hasznát nem vesszük annak a fának! Vágasd le onnét, hogy többet ne is lássuk!

Volt a szomszédban egy szegény ember. Azt hívatta el a király, hogy vágja ki a fát. Ki is vágta az rendesen, de mikor a szegény ember hasigálta, aprítgatta a fát, egy kis darab kiesett belőle. A szegény ember pedig látva, hogy aranyfa ez, azt a kis darabot betette a zsebébe azzal, hogy hazaviszi kincsnek. A király nem tudta, hogy a szegény ember valamit elvisz onnan, megfizette a fáradsága díját. A szegény

When she came down the tree he saw her face, which was ugly and black. How beautiful she had been! What had happened to her?

"Oh, my dear, my beloved," said the witch's daughter, "the sun's rays have burnt me, caught my whole face."

And so the prince gave her the clothes to put on, thinking that she was the fairy maiden, and took her home. But the fairy maiden, the real one that the witch had thrown into the well, became a beautiful goldfish. And let us leave that goldfish in the well.

The gipsy girl lived awhile with the prince, and was his wife. One day the witch went to see her daughter. She said to her:

"I wonder whether trouble will come from what we did to that fairy maiden? Because I went out to the well, and saw a beautiful goldfish in the water. What if she has changed into that fish? I advise you, my girl," she said to her daughter, "to pretend to be ill. Tell the prince that you will not be cured until he catches that goldfish that is in the well."

The prince did that for his beloved. He caught the goldfish; it was cooked, the witch's daughter ate some of it and lo and behold! she was cured. But when the cook was cleaning the fish a scale, a single scale, had fallen on the floor. When it sprouted in the earth it became a fine apple tree. This tree blossomed every night, and by mid-day the apples on it were ripe, but in the night all its fruit was removed.

The king fell to wondering why they could not have the fruit of this tree. He did not know that the fairies were carrying off its fruit. Well, the witch went again to visit her daughter.

"What is happening? Somehow it will be revealed that you are not the fairy maiden. That tree ought to be cut down!"

And so the queen said to the king:

"That tree is of no use to us! Have it cut down, so that we see it no more!"

There lived in the neighbourhood a poor man. The king called him in to cut down the tree. He did so completely, but while the poor man was splitting and cutting up the tree a little bit fell out of it. The poor man saw that it was golden wood and put it in his pocket to take home as treasure. The king did not know that the poor man had taken anything away and paid him for his labour. The poor man went home, put

ember hazament. Letette azt a kis darabka fát, melyet a zsebében vitt, a tűz mellé a kis szegletbe. Az ott megmaradt, de a fa többi részét a királyné elégette.

A szegény ember házában pedig, amikor este lett, olyan világosság támadt, hogy gyertya nélkül is láttak. Mondja a feleségének a szegény ember:

– Bizonyára ez a kis fadarabocska világít.

Úgy is volt.

Másnap elment a szegény ember munkába feleségestül, lányostul. Jó reggel elmentek, a házat ki se seperték, s az ágyat se rendezték el. Estére, mikor hazaértek, hát az ő házuk ki van seperve, az ágy felékesítve, minden rendesen. Gondolták magukban, ki járhat az ő házukban, aki úgy dolgozik, mikor ők mindent szerteszét hagytak.

Másnap reggel újra készültek, hogy menjenek a királyhoz, munkába. De most otthon hagyták a lányt elrejtve, hogy lesse meg, ki jár az ő házukba. Megint úgy hagyták szerteszét minden portékájukat. A lány az ablak alatt állott, titkon, hogy senki meg ne lássa. Hát abból a kis fadarabból kijő egyszer csak egy tündérlány, kezd sepregetni a házban. A szegény ember lánya csak nézte egy ideig, hogy mit dolgozik az a lány, aki abból a fácskából jött ki. Aztán hirtelen beszaladt a házba, a fácskát megragadja. A tündérlány már nem bírt visszamenni a fába.

No, megkapták a tündérlányt. Annak nem volt mit csinálnia, ott maradt velük. Attól fogva a két lány együtt ment el a király udvarába, munkába. Egyszer a király mesét akart hallani. Mondott ez is mesét, a másik is egy mesét. Rákerült a sor a tündérlányra. Mondja a király:

– No, mondjál már te is egyet, te vagy itt a legszebb. Lássuk, mit láttál, mit próbáltál életedben.

A tündérlány erre elkezdte mondani. Éppen az ő kedveséről kezdett mesélni:

– Egyszer volt, hol nem volt, volt egyszer egy királyfi. Kiment az egyszer vadászatra, találkozott egy kis nyúllal... – És végig mondta az egészet addig, hogy: „Én vagyok az a tündérlány, akit a királyfi a tölgyfából kivett!"

Megölelte erre a lányt a királyfi, elzavarta a boszorkány lányát, s elvette feleségül a tündérlányt. Máig is élnek, ha meg nem haltak.

down the little bit of wood that he had taken in his pocket in the corner by the fire. And there it remained, but the queen had the rest of the wood burnt.

In the poor man's house, however, when evening fell, there was such brilliance that they could see without a candle. The poor man said to his wife:

"Surely, that little bit of wood is lighting us."

And so it was.

Next day the poor man went off to work with his wife and daughter. They left early in the morning without sweeping the house or making the bed. When they returned in the evening their house had been swept and the bed made, everything was tidy. They wondered who could have been in their house and done this work when they had left everything in disorder.

Next morning they went off again to go to the king, to work. But this time they left the girl at home, hidden, to see who was in their house. Again they left all their belongings strewn about. The girl stood by the window, in hiding so that none should see her. And suddenly, out of that little bit of wood there came a fairy maiden and started to sweep the house. The poor man's daughter just watched for a while as the maiden worked, that had come from the piece of wood. Then quickly she rushed into the house and seized the piece of wood. Now the fairy maiden could not go back into it.

Well, the fairy maiden was caught. There was nothing for it, she had to remain with them. From that time on the two girls went together to work at the king's court. One day the king wished to hear a story, and one after another told this story and that. When the fairy maiden's turn came round, the king said:

"Now, you tell one, you are the most beautiful here. Let us see what you have seen, what you have experienced in your life."

At that the fairy maiden began, and she told of her beloved:

"Once upon a time there was a prince. One day he went a-hunting and came upon a little hare..." And she told the whole tale, ending: "I am that fairy maiden whom the prince took from the oak!"

At that the prince embraced the maiden, locked up the witch's daughter and married the fairy maiden. They are living to this day, if they have not died.

A háromágú tölgyfa tündére
The Fairy from the Three-branched Oak

A koporsóba tett fiú

Hol volt, hol nem volt, volt egyszer két vándorló. Amint jöttek-mentek erre s arra, elesteledtek.

Elérkeztek egy faluba. Szállást akartak kérni, de nem kaptak az egész faluban. Mindenütt kértek, mindenütt elutasították a két vándort.

Bementek egy szegény emberhez, akinek annyi gyermeke volt, hogy nem tudta azt sem, melyik őszi, melyik tavaszi. A felesége épp akkor is gyereket várt.

Azt mondja ez a szegény ember:

– Én adnék szállást, de még hely sincs, ahová lefeküdjetek, annyi a gyermekünk!

– Nem baj – felelte a két vándor –, meghúzódunk mi a földön is, egy kis szalmán.

– Akkor jól van – mondja rá a szegény ember –, ha meghúzódnak; de annál még nagyobb baj is van. A feleségem úgy áll, minden percben várom, hogy megszül. Akkor mi lesz magukkal?

– Majd lesz valami – válaszolja a két vándor.

Szép rendben lefeküdtek azután. A szegény ember hozott be szalmát, az volt az ágyuk. De még annyi sem volt, hogy lepedőt tegyenek a szalmára. Kértek egy kis kenyeret:

– Van ennivaló?

Azt mondja a szegény ember, van húsz esztendeje, hogy nem látott kenyeret; csak hamupogácsával élnek.

Nahát, úgy is leheveredtek azért, éhen.

Egyszer eljajdítja magát az asszony.

– Jaj – mondja –, mindjárt meghalok!

Na, megijedt a szegény ember, hogy mi lesz most. A két vándor most mit csinál, ha a felesége lebetegszik? Mert még bába sem volt.

Azt mondja az egyik vándor a másiknak:

– Eredj ki, nézd meg, milyen idő van!

The Boy That was Put in a Coffin

Once upon a time there were two travellers. As they came and went this way and that evening fell.

They came to a village and sought lodging, but found none in all the village. Everywhere they asked they were turned away.

They went into the house of a poor man who had so many children that he knew not which had been born in autumn and which in spring. Just then his wife was expecting a child.

This poor man said:

"I would give you lodging, but there is not even room for you to sleep, we have so many children."

"Never mind!" said the two travellers, "we will lie on the floor, on a little straw."

"Very well, then," said the poor man, "if you will do that; but there is an even greater difficulty. My wife's condition is such that I am expecting her to give birth at any time. Then what will become of you?"

"Something will be arranged," answered the two travellers.

Then they went to bed in good order. The poor man brought in straw and that was their bed. But he was too poor to put a blanket on the straw. They asked for a little bread:

"Is there any food?"

The poor man said that it had been twenty years since he had seen bread; all that they lived on was oatcakes baked in the ashes.

Very well, so they lay down hungry.

Suddenly the woman gave a cry of pain.

"Oh," she said, "I am dying!"

Well, the poor man was alarmed, what was going to happen next? What would the two travellers do now, if his wife were taken sick? For there was not even a midwife.

One of the travellers said to the other:

"Go out and see what the weather is like."

Kiment a másik vándor, de tért is rögtön vissza. Azt mondja:

– Nagyon felleges az idő.

– Na – feleli a társa –, akkor még nem lehet meg a gyerek!

De az asszony már nagyon jajgatott.

Hogy az asszony annyira jajgatott, megint megszólalt az első vándor:

– Menj ki ismét, és nézd meg, milyen idő van!

Újra kiment a másik vándor, és beszél vissza:

– Most már egy kicsit oszlik a felleg.

– Még most sem lehet meg a gyerek – feleli rá a társa.

De az asszony még jobban jajgatott. Hogy az asszony annyira jajgatott, csak nem állta most sem tovább szó nélkül az első vándor:

– Eredj csak ki ismét, nézd meg, milyen idő van!

Megint kiment a társa, s visszaszól:

– Nagyon szép tiszta idő van. Sehol egy darab felleg sincs!

– Most már megszülethetik a gyermek – feleli az öregebbik vándor.

Egy perc alatt megszült az asszony: szép fiúgyereke lett.

Ez idő alatt a szomszédban is született egy gyermek. Egy nagygazdának, aki nagyon gazdag volt: annak egy kislánya született. Épp annak a gazdag embernek, aki nem adott szállást a vándoroknak.

Na, jól van, felvirradtak. A két vándor útnak indult. De az öregebbik otthagyta a gyűrűjét a szalma közt, mintha ottfelejtette volna. Pedig csak megpróbálta, hogy milyen szíve van a szegény embernek.

Szép rendben a szegény ember kivitte a szalmát a ház földjéről; megtalálta a gyűrűt.

– Jaj – mondja –, ez a két vándor itt felejtette a gyűrűjét! Itt volt a szalma között. Megyek – szól oda a feleségének –, utánuk viszem! De merre? Azt sem tudom, merre mennek, merre indultak!

De a szegény ember azért csak megindult, futott ki a faluból. Hát meglátta a két vándort, ahogy mentek. Kiáltott utánuk, de azok nem hallották. Még a kalapjával is integetett a szegény ember.

Egyszer aztán meghallotta az egyik vándor. Odaszól a másiknak:

– Te, az a szegény ember nagyon fut utánunk, még a kalapját is levette, vajon mi lehet a baj?

– Várjuk meg – mondja a másik –, lássuk, mi a baj!

Mikor elérte a két vándort a szegény ember, lihegve azt mondja:

– Ott felejtette valamelyikük a gyűrűjét; azt hozom maguk után.

Out went the other and came back very soon. He said:
"It is very overcast."
"Well," replied his companion, "in that case the child cannot be coming yet."
But the woman was crying in pain very much. As she was crying so much the first traveller said again:
"Go out again and see what the weather is like!"
Again the other went out and called back:
"Now the clouds are dispersing a little."
"The child still cannot be coming," answered his companion.
But the woman cried even more, so much that the first traveller could not bear it without saying something.
"Go out again and see what the weather is like."
Out went his companion again and called back:
"It is fine and clear. Not a cloud in the sky."
"Now the child can be born," answered the elder traveller.
One minute later the woman gave birth to a fine boy.
Meanwhile in the neighbouring house too a child had been born – a daughter to a peasant who was very rich. That rich man had, as it happened, refused lodging to the travellers.
Well, all was well, and dawn broke. The two travellers set off, but the elder had left his ring in the straw, as if he had forgotten it. But he was only testing to see what kind of heart the poor man had.
The poor man tidily picked up the straw from the floor in the house and found the ring.
"Oh," he said, "those two travellers have forgotten their ring! It was here in the straw. I will go," he said to his wife, "and take it after them! But which way? I do not even know which way they have gone."
The poor man then set off and ran out of the village. He caught sight of the two travellers as they went along and shouted after them, but they did not hear him. He waved his cap too.
Suddenly one of the travellers heard him and said to the other:
"Look, that poor man is running hard after us, he has taken off his cap, I wonder what is the matter?"
"Let us wait for him," said the other, "and see what is wrong!"
When the poor man came up with the two travellers he said, gasping:
"One of you forgot his ring; I have brought it for you."

– Köszönjük szépen, hogy utánunk hozta – mondja az öregebbik –, meg fogjuk magának hálálni!

– Hát akkor máris volna nekem egy kérésem – feleli a szegény ember. – Legyenek szívesek, jöjjenek vissza, mert én annyira szegény vagyok, hogy még azt sem kapok, aki ezt a gyereket elviszi megkeresztelni!

– Visszamegyünk szívesen!

Vissza is mentek. A gyermeket nem tudták mibe takarni, nem volt arra való ruhájuk, olyan szegények voltak. Úgy vitte meztelenül a két vándor a gyereket a keresztelőre.

A nagygazdának a lányát is éppen akkor vitték keresztelni, amikor a szegény emberét. Tartják szép rendben a nagygazda lányát a keresztanyának – annak volt, aki elvigye keresztelni a gyereket –, hogy azt kereszteljék előbb, ne a szegény ember gyermekét. De megszólal ekkor az egyik vándor:

– Nem úgy, emberek! Elébbvaló a kalap, mint a főkötő!

Így aztán előbb keresztelték meg a szegény ember gyermekét.

Ahogy hazamentek a keresztelőről, elmondták az esetet a keresztanyák a nagygazdának. Elmondták, hogy két vándor vitte a szegény ember gyermekét keresztelni, és azok nem engedték a nagygazda lányát előbb sorra kerülni. Azt mondták, hogy előbbvaló a kalap, mint a főkötő.

Erre a nagygazda nagyon megharagudott; azt emlegette, hogy majd megnézik, mit ád az a koldus a keresztkomáknak enni, amikor még hamupogácsájuk sem igen van!

De a szegény asszony nem volt ám beteg, hiába született akkor éjszaka a gyereke. Megkérdi tőle az egyik vándor:

– Nincs egy kis lisztje, hogy sütne nekünk pogácsát?

– Jaj – azt mondja a szegény asszony –, húsz esztendeje is van, mióta nem láttam lisztnek színét sem!

– Menjen csak – mondta a vándor –, nézze meg a hordót! Oda a hordó tetejére szokták tenni a lisztet. Hátha tud egy kis lisztet összekaparni!

Kiment az asszony, kapart össze annyi lisztet, hogy talán lett volna egy gyűszűvel.

– Na – mondja neki a vándor –, tegye a teknőbe!

– Hát elvész az a teknőben – mondja a szegény asszony.

– Ne törődjön vele, csak tegye a teknőbe!

Belétette a teknőbe, aztán megáztatta.

"Thank you very much for bringing it," said the elder. "We shall reward you!"

"In that case I have a request," answered the poor man. "Please come back, because I am so poor that I cannot find anyone to take this child for christening."

"Gladly we will come back."

And back they went. There was nothing that they could wrap the child in, they were so poor that they had no suitable clothes; and so the two travellers took the child naked to be christened.

The rich peasant's daughter happened to be taken to christening at the same time as the poor man's child. She was carried properly by the godmothers - he had someone to carry the child - so that she should be christened first, before the poor man's child. But then one of the travellers spoke up:

"That is not the way, ladies! The cap before the kerchief!"

Thus the poor man's child was christened first.

When they returned from the christening the godmothers told the rich man what had happened. They told him how the two travellers had taken the poor man's child to be christened and had not allowed the rich man's daughter to take the first turn. The cap before the kerchief, they had said.

At that the rich peasant was very angry; they would see, he said, what that beggar would give the godparents to eat, when they had not even any oatcakes baked in the ashes.

The poor woman was not ill, although she had borne the child in the night. One of the travellers asked her:

"Have you not a little flour to make us some oatcakes?"

"Oh," said the poor woman, "it has been twenty years since I so much as saw flour!"

"Just go," said the traveller, "and look in the barrel! Flour usually clings to the end of the barrel. You may be able to scrape a little together!"

Out went the woman and scraped together enough flour perhaps to fill a thimble.

"There," said the traveller, "put it in the tub."

"It will be lost in the tub," said the poor woman.

"Do not concern yourself, just put it in the tub!"

She put it in the tub and added water.

– Na, dagassza meg! – mondja a vándor az asszonynak.

Az asszony aztán megdagasztotta. De nem volt ott mit dagasztani, csak összesöpörte. Lett belőle olyan kicsi csomó, mint egy szem kukorica.

Azt mondja az egyik vándor az embernek, hogy menjen fel a padlásra. Nézze meg, nem maradt-e ott valahol egy kis hús.

– Jaj – sopánkodik a szegény ember –, még a szalonnamadzagot is megette az egér, amit a füst bekormozott.

– Menjen csak – bátorította a vándor –, és nézzen körül!

Megyen az ember fel. Mikor fellép a padlásra, belevágta a fejét egy nagy disznóoldalba. Néz körül, hát annyi a hús, hogy egymást éri a szalonna, orja, kolbász, mindenféle. Leszól a padlásról:

– Melyiket lökjem le? – kérdi.

– Azt – felelték lentről –, amelyiket előbb érte!

Lelökött egy nagy disznóoldalt egészben.

Az asszonynak meg azt mondták a vándorok, hogy gyújtson be a kemencébe, hadd égjen a tűz. Az asszony jól befűtötte a kemencét, ahogy szokták egy sütet kenyérnek.

– Na – mondja az egyik vándor –, szaggassa ki hatfelé azt a kis tésztát, és vesse be már!

– Hova tegyem én ezt? – kérdi meglepődve az asszony. – Széjjelég ebben a nagy tűzben! Sohasem látja ezt meg senki.

– Ne törődjön vele – nyugtatja a vándor –, csak szaggassa ki hatfelé, aztán be a kemencébe!

A szegény asszony kiszaggatta a kis tésztát hatfelé, de nem volt nagyobb egy-egy darab, mint egy szem búza.

Berakta abba a nagy kemencébe. Na, gondolja magában, nem lát ebből senki kenyeret!

Egyszer megszólal a vándor, hogy nézze meg, megsütötte-e már a kenyeret a kemencében a tűz! Benéz az asszony, hát hat olyan nagy kenyér volt a kemencében, mint a véka. Az asszony elcsodálkozott, hogy mi lett abból a csepp kis morzsa tésztából!

Megint mondja az egyik vándor a szegény embernek, hogy van-e egy kis bora.

– Haj, hamut tartunk mi a hordóban, ki tudja mióta! De az is kifolyt belőle, úgy el van száradva.

– Menjen csak, nézze meg a pincében! – biztatta a vándor.

"Now knead it!"

She kneaded it. But there was nothing there to knead, she could only scrape it together. It became a little lump, like a maize seed.

One of the travellers told the poor man to go up into the loft and see whether there was a little meat left.

"Oh," moaned the poor man, "the mice have eaten even the rind off the bacon, soot and all."

"Just go," the traveller encouraged him, "and look around!"

Up went the man. As he stepped into the loft he struck his head on a big side of bacon. He looked around, and there was so much meat that the bacon, spare ribs, sausage, all sorts, were touching one another. He called down:

"Which one shall I take down?"

From below came the reply "The one you came to first!"

He took down a whole big side of bacon.

The travellers told the woman to light the oven, let the fire blaze. She stoked the oven as is usual for baking bread.

"Now," said one of the travellers, "divide that piece of dough into six and put it in the oven."

"How can I do that?" asked the woman in astonishment. "It will burn to a cinder in that great fire! No-one will ever see it."

"Do not concern yourself," the traveller soothed her, "just divide it into six and put it in the oven!"

The poor woman rolled out the dough, but each piece was no bigger than a grain of wheat.

She put it into that big oven. Really, she thought to herself, no-one will see any bread out of this!

Then the traveller told her to see whether the fire had baked the bread in the oven. She looked, and there was six big loaves in the oven, each as big as a bushel. She was amazed what had become of that scrap of dough!

Again one of the travellers asked the poor man whether he had a little wine.

"Dear me, we have had ashes in the barrel since goodness knows when! And even that runs out of it, it is so dried up!"

"Just go and look in the cellar," the traveller assured him.

Kimegyen a szegény ember. Lemegy a pincébe. Hát a hamushordó tele szép piros borral! Visz bé egy nagy kantával belőle.

– Hát – azt mondja a szegény ember –, van ott bor egy egész hordóval.

– Na ugye – mondja a vándor –, maga meg eltagadta volna, hogy nincsen sem bora, sem húsa!

Az oldalt odavetették a nagy lábosba. Elkészült a vacsora, összeültek vacsorázni.

A nagygazdánál meg állott a nagy komaság, daloltak, mulattak. Azt mondja a nagygazda a komáinak:

– Ugyan, az a koldus mit ad a keresztapának most enni?

Az asszonyok, mint ahogy szoktak, kíváncsiak voltak. Elmentek a szegény emberhez, leskelődni. Ahogy ott leskelődtek, az egyik vándor észrevette, hogy az ablak alatt van valaki. Egy-egy nagy oldalcsontot kivetett az ablakon. Olyat, hogy volt még rajta hús is, bőven.

– Jó lesz a kutyáknak! – mondja.

Az asszonyok felszedték az oldalcsontokat, nem hagyták ott.

– Jó ez! Ez komaság! Nem olyan, mint ahol mi vagyunk!

Akkor egy nagy darab fehér kenyeret hajított ki a vándor. Azt is felszedték az asszonyok a kötőjükbe. Végül is annyit hajigált ki húsból, kenyérből a vándor, hogy minden asszony szedett egy nagy kötővel.

Mentek vissza az asszonyok a nagygazdához. Csodálkozva kérdi tőlük:

– Nahát, mi van ott, asszonyok?

– Ott van komaság, nem itt! – felelik rá az asszonyok. – Ni, milyen húsokat hajigálnak ki az ablakon, hogy jó lesz a kutyáknak! Mi pedig felszedtük, hogy jó lesz nekünk, nem a kutyáknak – mondják az asszonyok. – Olyan piros bort isznak, mint a vér.

A szegény embernél meg csak eszegetnek tovább. Evés közben odasúg az egyik vándor a másiknak. De még az asszonyok is meghallották, amit mondott:

– Te, meglásd, ez a fiú még a nagygazdának a lányát veszi el feleségül!

Az asszonyok ezt is megmondták a nagygazdának.

– Mi, az én lányomat venné el? – háborodik fel a nagygazda. – Annak a koldusnak a fia?! Inkább megölöm azt a gyereket!

A két vándor aztán másnap útnak indult. Elbúcsúztak a szegény embertől. A szegény embernek nem tartott sokáig az a sok hús meg a bor. Egyszer csak elfogyott, megint csak hamupogácsára szorultak.

Out went the poor man, down into the cellar. Well, the ash-barrel was full of fine red wine! He took in a big jugful.

"Well," said the poor man, "there is a whole barrel of wine there."

"Now, you said that you had neither wine nor meat," said the traveller, "did you not?"

The side of bacon was placed in the big cauldron. The meal was cooked and they sat down to eat.

At the rich peasant's house too there was great conviviality. He said to his friends:

"I wonder what the beggar is giving the godparents to eat?"

The women, as is their wont, were curious. Out they went to the poor man's house to spy. As they were so doing one of the travellers noticed that there was someone at the window and threw big rib-bones out one by one, with plenty of meat left on them.

"That will be good for the dogs!" he said.

The women gathered up the ribs, did not leave them there.

"This is good! This is hospitality! It is not so where we are!"

Then the traveller threw out a large piece of white bread. That too the women gathered up into their kerchiefs. At length the traveller had thrown out so much meat and bread that every woman had gathered a large bundle in her kerchief.

Back went the women to the rich peasant's house. He asked them in astonishment:

"Well, ladies, what is happening there?"

"That is where the hospitality is, not here!" the women replied. "Look what meat is being thrown out of the window because it will be good for the dogs! We have gathered it up, as it will be good for us, never mind the dogs," said the women. "And wine is being drunk, red as blood."

In the poor man's house the eating continued. During the meal the one traveller whispered to the other, but the women too overheard what he said:

"You will see, this boy will marry the rich peasant's daughter!"

The women told the rich peasant this too.

"What, he would marry my daughter?" burst out the rich peasant. "The son of that beggar? I will rather kill my child!"

Next day the two travellers left, taking their leave of the poor man. All the meat and wine did not last him long, and once it was gone they were reduced to oatcakes baked in the ashes.

A nagygazda ettől fogva mindig azon törte a fejét, hogyan tudná elcsalni és elpusztítani a szegény ember gyermekét.

Ezért egyszer-egyszer elment a szegény emberhez, s azt mondta neki:

– Add nekem ezt a kisfiút, úgysincs mit adnod neki! Még az is lehet, hogy a lányom lesz az ő felesége. Nálam jó dolga lesz. Adok érte két véka kukoricát!

A szegény ember mit gondolt, mit nem, hogy ne éhezzen otthon az a szegény gyermek, odaadta két véka kukoricáért.

A nagygazda első dolga volt, hogy fogta magát, csináltatott egy kis koporsót. És a szegény ember gyermekét beletette a koporsóba, s eleresztette a folyón, hadd vigye el a víz.

Vitte, vitte a víz a kis koporsót. Ahogy vitte, vitte, volt a vízen egy malom, odaütődött a malomhoz a kis koporsó.

A molnár éppen kint volt, halászott. Meglátta a molnár a kis koporsót. „Valahol nagy eső lehetett – gondolta magában –, kihozta ezt a kis koporsót a víz a házból!"

A molnár aztán ügyesen kifogta a kis koporsót, vitte be. Mondja a feleségének:

– Nézd, anyjuk, a víz egy kis koporsót hozott! Nem tudom, mi van benne. Bizonyosan valami gyermek.

Hát amint felbontja a molnár a koporsót, egy szép fiúgyermek van benne. És nem halott, hanem eleven.

– Ó, milyen szerencsénk van, hogy a sors ilyen gyermeket adott! Nekünk – mondja a molnár – úgysem volt soha, s mivel öregek vagyunk, már nem is lesz.

A gyereket kibontották, tisztába tették, megétették. Azután is mindig gondját viselték neki. Öreg ember volt a molnár, öreg a felesége is, de annál jobban örültek a gyereknek.

Felnőtt a gyermek annyira, hogy már legényszerben volt. De a nagygazdának is felnőtt a lánya annyira, hogy már eladó lány volt. Hamarosan meg is kérték a nagygazda lányának a kezét, és a lány az első kérőhöz férjhez is akart menni. Már az esküvőre készültek.

Befogott a nagygazda négy ökröt a szekérbe, ment a malomba egy nagy szekér búzával, hogy őrlessen a lakodalomra.

Amikor a malomba megérkezik, látja, hogy egy szép szál fiatal legény van ott a malomban. Az őrölt, az öreg molnár csak járkált le és fel.

From that time on the rich peasant constantly racked his brains for a way to kidnap and kill the poor man's child.

Therefore he went time and again to the poor man and said to him:

"Give me this little boy, you have nothing to offer him! It is even possible that my daughter will become his wife. With me he will be well off. I will give you two bushels of maize for him!"

The poor man thought that at all events the poor child would not starve at home, and sold him for two bushels of maize.

The first thing that the rich peasant did was quickly to have a little coffin made. He placed the poor man's child in the coffin and put it in the river for the water to carry off.

The water carried the little coffin along to where there was a mill on the riverside. There the little coffin lodged against the mill.

The miller happened to be outside fishing. He caught sight of the little coffin; "There must have been heavy rain somewhere," he said to himself, "that has washed this little coffin from its place."

He therefore carefully took it out of the water and carried it indoors. He said to his wife:

"Look, mother, the river has brought down a little coffin! I do not know what is in it. It must be some child."

Well, when the miller prised open the coffin there was a fine baby boy, and not dead, but alive.

"Oh, how fortunate we are, that Fate should give us such a child! We have never had any children," said the miller, "and as we are old we never shall have."

They took the child out, dressed him in clean clothes, fed him and lavished every care upon him. The miller was an old man, and his wife too was old, but their joy in the child was all the greater.

The child grew and became a young man. The rich peasant's daughter too grew up and reached marriageable age. Her hand was quickly sought, and she was willing to marry the first that asked. Now preparations were being made for the wedding.

The rich peasant harnessed four oxen to the waggon and went to the mill with a great load of wheat to have it ground for the feast.

When he reached the mill he saw there a fine figure of a young lad. He was grinding and the old miller was just walking up and down.

Mindjárt gondolta magában, nem az a fiú lehet az, akit én víznek eresztettem? Úgy nézte, hogy az a fiú az.

„Még most is övé lehet a lányom, hiába van már jegyben."

Mondja azután a molnárnak:

– Legyen olyan szíves, eressze el ezt a fiút, hadd vigyen a feleségemnek egy levelet, mert elfelejtettem valamit!

Azt mondja az öreg molnár:

– Eresztenéni, de annyi a dolga, hogy nála nélkül nem boldogulok.

– Visszajön az hamar – nyugtatta a nagygazda.

Addig-addig rimánkodott, beszélt a nagygazda a molnárnak, hogy csak eleresztette a fiút.

A fiú elindult a levéllel a nagygazda feleségéhez. Egy réten kellett keresztülmennie.

A réten egy helyt nagy bokrok voltak. Amint megy a legény arra keresztül, egy bokorból csak megszólal egy ősz öreg ember:

– Hová sietsz, fiam? – kérdi.

– Megyek – feleli a fiú – ebbe és ebbe a faluba, egy levelet viszek a nagygazda feleségének.

– Hadd lám azt a levelet! – mondja neki az öregember.

– Nem szabad felbontani! – tiltakozott a fiú.

– Hadd lám csak!

Addig erőszakolta a fiút, hogy az odaadta a levelet, és az öregember felbontotta. Olvasta mindjárt. Az volt írva a levélben:

„Kedves feleségem, ha valaha megfogadtad a szavamat, hát most kétszeresen fogadd meg! Végy egy embernek való mérget, ennek a legénynek add be valami italban, hogy haljon meg!"

Az öregember gondolt egyet, mindjárt írt egy másik levelet. Lezárta a borítékot úgy, mint volt.

– Na, fiam – mondja az öregember –, nesze a levél, vidd el, és add át az asszonynak.

El is vitte a fiú a levelet. Odaadta az asszonynak. Az asszony olvassa, hát az volt a levélben írva:

„Kedves feleségem, ha valaha megfogadtad a szavamat, most kétszeresen fogadd meg! Ahogy ezt a levelet megkapod, a lányomat azonnal eskesd meg ezzel a legénnyel! De mindenképpen tedd meg!"

At once he thought to himself, could that not be the boy that I put in the water? As he looked at him he realised that it was he.

"My daughter may yet be his, despite her betrothal."

Then he said to the miller:

"Be so good as to send that boy out to take a letter to my wife, for I have forgotten something!"

The old miller said:

"I would send him, but he does so much that without him I shall not prosper."

"He will soon return," the rich peasant assured him.

He pleaded on and on, did the rich peasant, so that in the end the miller sent the lad.

Off he set with the letter for the rich peasant's wife. He had to cross a meadow.

In one place on the meadow there were big bushes, and as he was going through there suddenly a very old man called to him:

"Where are you hurrying to, my boy?" he asked.

"I am going to such-and-such a village," answered the lad, "to take a letter to the rich peasant's wife."

"Let me see that letter!" said the old man.

"I must not open it," protested the lad.

"Just let me see it!"

He so coerced the lad that he handed over the letter; the old man opened it and read it at once. It said:

"Dear wife, if you have ever done my bidding then do so twice over now! Take some poison that will kill a man and give it to this lad in a drink, that he may die!"

The old man thought for a moment and at once wrote another letter. He sealed the envelope as it had been.

"Now, my boy," said the old man, "there is your letter, take it and give it to the woman!"

And the lad took the letter and delivered it to the woman. She read it, and it said:

"Dear wife, if you have ever done my bidding then do so twice over now! When you receive this letter, immediately marry my daughter to this young man! Do it at once!"

Hát úgy lett. Az asszony, ahogy megkapta a levelet, azonnal ment a jegyzőhöz, s hívta esketni. Össze is eskette a két fiatalt.

Mert az az ősz öregember nem volt más, mint az a vándor, aki a szegény gyermek születésénél ott volt.

A nagygazda, amikor megőrölt, hazament a malomból. Ahogy bément az udvarra, a két fiatal már ott állt a tornácon összeölelkezve, már ahogy a fiatalok szoktak. A nagygazda még az ostort is elhajította mérgében.

– Feleség! – mondja dühösen. – Ezt írtam én neked?

– Itt a levél – feleli a felesége –, nézd meg! A te írásod!

Nézi a nagygazda az írást, hát csakugyan az ő írása.

– Na, nem baj – azt mondja –, azért mégsem marad az övé a lányom, majd csak elpusztítom valami módon.

Odafordul aztán a szegény legényhez:

– Hiába esküdtél meg a lányommal, azért mégsem lesz a lányom a tied. Hanem menj el a felséges Virágkirályhoz, hozz onnan három szál virágot, csak akkor lesz a lányom a tiéd!

Így aztán a fiúnak tarisznyát raktak. Útnak indult, és ment a fiú. Ment, mendegélt hetedhét országon keresztül. Addig ment, míg csak el nem fogyott az ennivalója.

Egyszer beérkezett egy városba. Abban a városban pedig király lakott. Gondolt a fiú egyet, elment a királyhoz, hátha kap egy kis eleséget.

Az a király meg úgy tele volt sebbel, fekélyekkel, hogy nem tudott tőlük mozdulni. Azt kérdi a legénytől:

– Hova utazol?

– Megyek – feleli a legény – a felséges Virágkirályhoz, három szál virágért.

– Na – mondja neki –, ha odamégy, kérdezd meg tőle, miért vagyok én így sebbel, fekéllyel tele. És amikor visszafelé jössz, gyere be, és mondd meg nekem.

Ezért azután ott is raktak neki tarisznyát, adtak neki az útra pénzt. Megint útnak vette magát a fiú, ment, ment, mendegélt hetedhét országon keresztül.

Addig ment, míg egyszer újra csak elfogyott az ennivalója.

Ismét elért egy várost. Abban is király lakott. Ott is bément ahhoz a királyhoz. Az meg vak volt.

Az a király is azt kérdezi tőle:

So it was. When the woman received the letter she went straight away to the notary and summoned him to marry them. And he married the two young people.

The very old man had been none other than the traveller that had been present at the poor child's christening.

When the rich peasant had done his grinding he went home from the mill. As he entered the yard the two young people were standing on the porch embracing as young people do. The rich peasant flung away his whip in rage.

"Wife!" he said furiously. "Is this what I wrote to you?"

"Here is the letter," answered his wife, "look at it! It is your writing!"

The rich peasant looked at the letter, and indeed the writing was his.

"Well, never mind," he said, "my daughter will not remain his, I will kill him somehow."

He turned to the poor lad.

"You have married my daughter in vain, she shall not be yours. Go to His Majesty the Flower King and bring three flowers from there, only then shall my daughter be yours!"

Then a bag was packed for the lad and he set off. He roved and roamed through seventy-seven lands, until his food was all gone.

One day he came to a city, and in that city there lived a king. The boy had an idea and went to see the king, in case he could obtain a little sustenance.

That king was covered in sores and ulcers, so that he could not move for them. He asked the lad:

"To where are you travelling?"

The lad answered: "I am going to see His Majesty the Flower King, for three flowers."

"Well", said the king, "when you reach him, ask him why I am so covered with sores and ulcers. And when you return call on me and tell me."

There too a bag was packed for him and he was given money for the journey. He set off again and travelled, travelled through seventy-seven lands.

He travelled until his food was quite used up.

Again he came to a city in which there lived a king. There too he went to call on the king, and he was blind.

That king too asked him:

– Hová szándékozol te menni?

Mondja azután ennek is a legény, hogy hova akar menni.

– No, ha a Virágkirályhoz mégy – mondja az a király is a legénynek –, kérdezd meg tőle, miért vagyok én vak! Ha visszafelé jössz, gyere bé, és mondd meg nekem, mit hallottál!

Ezért ott is raktak a fiúnak tarisznyát, és útnak eresztették. A fiú el is indult, ment, mendegélt hetedhét országon keresztül. Most is addig ment, míg csak az elesége el nem fogyott.

Ekkor elért egy nagy vizet. Hát itt hogyan megyen keresztül?

Amíg tanakodik magában, látja, hogy egy asszony ott húzgál egy gályát le s fel a vízen. Odakiált az asszonynak:

– Vigyen átal engem ezen a vízen!

– Hova mész?

– Megyek a felséges Virágkirályhoz!

– Na – mondja az asszony – keresztülviszlek, de akkor kérdezd meg tőle, miért kell nekem húzgálnom itt ezt a gályát?

– Jól van – nyugtatta meg a fiú –, megkérdezem.

Az asszony azután keresztül is vitte a legényt a vízen.

Elért végre a fiú a Virágkirályhoz. De a király akkor épp nem volt otthon, csak a felesége. Azt mondja a királyné:

– Jaj, hol jársz ezen a földön, mikor erre még a madár sem jár?

– Eljöttem – feleli a fiú –, felséges Virágkirályné, három szál virágért.

– Az én uram – mondja a királyné –, ha hazajön, az téged rögtön megöl. Hanem, tudod mit? Elbújtatlak én téged. Úgyis fáradt lesz az uram, ha hazajön. Mihelyt megvacsorázik, azonnal lefekszik, és elalszik.

Leborította az asszony a legényt az ágy alatt egy nagy szappanozóteknővel. És azt mondja neki:

– De el ne aludj, hogy meghalld, mit mond az uram!

Ott van a legény a teknő alatt. Nemsokára rá jött is haza a Virágkirály. Ahogy halad a szobában, rögtön mondja a feleségének:

– Ki járt itt? Mert idegen szagot érzek!

– Nem járt itt senki – mondja a felesége –, csak te jártál messze, összebarangoltál mindenfélét, azután azért érzed az idegen szagot.

– Itt járt valaki!

Csak faggatta a feleségét, de az asszony váltig mondta, hogy messziről jött, és azért érzi az idegen szagot.

"Where do you intend to go?"

Then the lad told him where he wished to go.

"Well, when you reach the Flower King," said the king to the lad, "Ask him why I am blind! And when you return call on me and tell me what you have heard!"

And so here too the lad's bag was filled and he was sent on his way. Off he went and roamed and roved over seventy-seven lands. This time too he travelled until his food was quite used up.

Then he came to a great river. How was he to pass over it?

While he was considering this he saw that a woman there was pulling a ferry to and fro in the water. He called over to her:

"Take me across the water!"

"Where are you going?"

"I go to see His Majesty the Flower King!"

"Yes," said the woman, "I will take you across, but then ask him why I have to pull this ferry here."

"Very well", he assured her, "I will ask him."

Then the woman took his across the water.

At last the lad reached the Flower King's palace, but he was not at home, only his wife. The queen said:

"Goodness me, what is your errand here, where no bird flies?"

"I have come, Your Majesty," answered the lad, "for three flowers."

"If my husband comes home," said the queen, "he will kill you at once. But do you know what? I will hide you! In any case, my husband will be tired when he comes home. When he has supped he will go to bed and fall asleep."

The woman covered the lad up under the bed in a great wash-tub, and said to him:

"Do not fall asleep, so that you hear what my husband says."

There was the lad beneath the tub. Soon home came the Flower King. As he came into the room he immediately said to his wife:

"Who has been here? For I smell a strange smell!"

"No-one has been," said his wife, "but you have been a long way, roamed everywhere, and that is why you can smell a strange smell."

"Someone has been here!"

He questioned his wife, but she staunchly maintained that he had come from far away and that was why he smelled a strange smell.

Utóbb is megbékült a király. Megvacsorázott, és ahogy lefeküdt, azonnal el is aludt. Az asszony meg odatelepedett melléje.

Amint elaludt a király, a felesége kihúzta egy szál haját. Minden haja virág volt a királynak, minden szál haj egy szál virág.

Ahogy kihúzta az első szál haját, oldalba lökte a királyt. Fölébredt a király, azt kérdi:

– Minek bolygatsz engem? Hagyj aludnom!

– Jaj – mondja az asszony –, hallgasd meg, mit álmodtam.

– Ugyan mit álmodtál?

– Azt álmodtam – meséli a királyné –, hogy ebben és ebben a városban van egy király. Az úgy meg van telve sebbel, fekéllyel, hogy mozdulni sem tud. Hát miért van úgy tele sebbel?

– Úgy kell neki – feleli Virágkirály –, mert van neki egy kemencéje, amelyben sütik a kenyerét. Olyan nagy béka van az alatt, mint egy véka. Azon sütik neki a kenyeret. Azért van úgy megtelve sebbel meg fekéllyel. Ha a kemencét elrontanák, más kemencét csinálnának, és az abban sült kenyérből enne, akkor lehullana róla minden seb. Na, de most már ne háborgass többet – mondta morcosan a feleségének.

A Virágkirály ezzel megint elaludt. Alszik jó mélyen, egyszer ismét kihúzta egy szál haját a felesége, s újra csak jól oldalba lökte a Virágkirályt. Az fölébredt:

– Miért háborgatsz mindig?

– Jaj, megint mit álmodtam – mondta neki az asszony.

– Ugyan mit álmodtál?

– Azt álmodtam – meséli a felesége –, hogy ebben és ebben a városban lakik egy király. Az a király vak. De hát miért vakult meg?

– Úgy kell neki – mondja Virágkirály –, mert egész palotája, de még a tyúkólja is arannyal van fedve. Ha lehányná az aranyat, és abba a vízbe hordatná bele, amelyik ott folyik a palotája mellett, és cseréppel vagy zsindellyel födné be a házát, mindjárt visszakapná szeme világát!

Így már megvan két szál virág; most már csak egy van hátra!

Megint elalszik Virágkirály. Alszik jó mélyen. Az asszony ismét kihúzza egy szál haját, és jól oldalba löki az urát.

– Hát igazán nem hagysz aludni? – mondja a király. – Nem jól jársz velem, ha mindig döfölsz!

– Jaj, megint mit álmodtam – mondja az asszony.

– Ugyan mit álmodtál?

At last the king was pacified. He supped, then went to bed and immediately fell asleep. The woman settled down at his side.

As the king went to sleep his wife pulled out a hair of his head. Every one of his hairs was a flower, every hair was a flower-stem.

When she had pulled out the first hair she nudged the king in the ribs. He woke and asked:

"Why do you disturb me? Let me sleep!"

"Oh," said the woman, "listen to what I have dreamed."

"Well, what have you dreamed?"

"I dreamed," said the queen, "that in such-and-such a city there was a king, and he was so covered in sores and ulcers that he could not move. Now, why was he so covered with sores?"

"So he must be," replied the Flower King, "because he has an oven in which bread is baked. Beneath it is a frog as big as a bushel. His bread is baked on it, and that is why he is covered with sores and ulcers. If the oven were destroyed and another built, then it would all fall from him. So, do not disturb me further," he grumbled to his wife.

With that the Flower King fell asleep. When he was again fast asleep his wife plucked a second hair from his head, and again nudged him in the ribs. He woke.

"Why do you always disturb me?"

"Oh, I have dreamed another dream," said she.

"So what did you dream?"

"I dreamed," said his wife, "that in such-and-such a city there lives a king, and he is blind. Why has he become blind?"

"So he must," said the Flower King, "because his whole palace, even his chicken-coop, is roofed with gold. If he took down the gold and had it carried into the river that runs beside his palace and roofed his palace with tiles or shingles he would immediately regain his eyesight."

So now she had two flowers, and there remained one!

Again the Flower King fell asleep. When he was fast asleep the woman plucked out a hair and nudged him hard in the ribs.

"Can you really not let me sleep?" said the king. "You are unkind to poke me constantly."

"Oh, I have dreamed another dream," said the woman.

"So what did you dream?"

– Azt, hogy egy víz mellett egy asszony gályát húz. Mindig húzza le és fel, megállás nélkül. De hát miért húzgálja az az asszony ott azt a gályát?

– Úgy kell neki – feleli a király –, mert szép búzából sem tud jó kenyeret sütni. Süssön jó kenyeret, akkor nem húzgálja majd a gályát! De ha még egyszer bolygatsz, akkor nem jól jársz.

– Ne félj – nyugtatja a felesége –, nem bolygatlak többet.

El is aludt Virágkirály jó mélyen. Az asszony meg levette a teknőt a legényről.

– Hallottad – kérdi tőle –, mit mondott?

– Hallottam mind egy szóig.

– De annak az asszonynak meg ne mondd, míg keresztül nem visz a vízen – mondja a királyné a legénynek –, mert másképp nem jutsz át a folyón. Csak a túlsó parton mondd meg neki, mit hallottál a királytól.

Megkapta a fiú a három szál virágot, megköszönte a királyné jóságát, s elindult hazafelé.

Elment vissza, a vízhez. Megtalálta az asszonyt, az ott várta a gályával a legényt. Kérdi türelmetlenül:

– Mit mondott Virágkirály?

– Vigyél csak előbb átal – mondja a fiú –, akkor megmondom.

– Nem viszlek, míg meg nem mondod.

– Én meg nem mondom, míg átal nem viszel – feleli a legény.

Addig osztozkodtak ott, egyszer csak azt mondja az asszony:

– Na, ülj fel hát a gályára!

Felült a legény a gályára, az asszony meg átvitte a vízen. A túlsó parton legelőször is azt kérdi az asszony:

– Mondd meg már, mit mondott?

– Azt mondta Virágkirály, hogy azért húzod itt ezt a gályát, mert nem tudsz jó kenyeret sütni.

– Jaj, miért nem mondtad meg ott túl, akkor sohasem hoztalak volna át!

– Hát süss jó kenyeret!

– De nem tudok!

– Akkor meg húzd a gályát!

– Szerencséd, hogy odaát meg nem mondtad, mert örökre ott maradtál volna!

"That there was a woman pulling a ferry on a riverside. To and fro she pulled it, ceaselessly. Why is that woman there, pulling the ferry?"

"So she must be," said the king, "because she does not know how to bake bread from fine wheat. Let her bake good bread, and she will no longer pull the ferry! But if you disturb me once more I shall be cross with you."

"Fear not," said she, "I will not disturb you again."

And the Flower King fell into a deep sleep. The woman lifted the tub from the lad.

"Did you hear what he said?" she asked.

"To the last word."

"But do not tell that woman until she takes you over the river," said the queen, "for otherwise you will not cross it. Only tell her on the far side what you have heard from the king."

The lad took the three flowers, thanked the queen and set off for home.

On the way back he came to the river. He found the woman waiting for him with the ferry. She asked impatiently:

"What did the Flower King say?"

"Take me over first," said the lad, "Then I will tell you."

"I shall not take you over until you have told me."

"I shall not tell you until you have taken me across," said the lad.

There they argued until the woman said:

"Well, take you seat in the ferry."

The lad took his seat and the woman took him over the river. On the far side the very first thing that the woman said was:

"Now tell me, what did the Flower King say?"

"He said that you pull this ferry because you do not know how to bake good bread."

"Oh, why did you not tell me over there, then I would never have brought you across!"

"So bake some good bread!"

"I do not know how!"

"Then pull the ferry!"

"It is your good fortune that you did not tell me over there, or you would have remained there for ever!"

A legény nem pörölt vele tovább, otthagyta. Hamarosan elérte azt a várost, ahol a vak király volt. Bement hozzá, hogy elmesélje neki is, mit mondott Virágkirály.

De ahogy elmondta, abban a szempillantásban börtönbe zárták, amiért olyat merészelt mondani, hogy az egész épületről hányassa le a király az aranyat, és dobassa vízbe! De azért csak leszedték az aranyfödelet, hadd lássák, igazat beszél-e a legény, vagy sem.

Mestereket hívattak, s cseréppel fedték meg az egész palotát.

Mikor megfedték cseréppel az egész épületet, a király úgy látott, mint húszéves korában. Örült ám a király, hogy igazat mondott a legény. Mindjárt kieresztették a fogságból.

– Nos – kérdi tőle a király –, mit kívánsz tőlem, amiért visszanyertem látásomat?

– Csak azt kívánom – feleli a legény –, amit felséged nekem szán.

Mindjárt előhozatott egy szép lovat a király. Két átalvetőt megtöltötték a legénynek arannyal, feldobták a ló hátára.

– Na – biztatta a király –, ebből élhetsz boldogan.

Jött most már a legény lóháton, nem kellett többé gyalogolnia. Hamarosan elérte a másik várost. A másik városban is első dolga volt, hogy bement a királyhoz.

Ez a király is kérdi tőle:

– Megkérdezted a Virágkirályt?

– Megkérdeztem – feleli a legény.

– Mit mondott?

– Azt mondta – feleli a legény –, hogy felségednek a kenyeret olyan kemencében sütik, amely alatt akkora béka van, mint egy véka. De ha azt a kemencét elrontanák, s másikat készítenének, és az abban sült kenyérből enne, minden seb lehullana felségedről, nem lenne többé beteg.

A fiút ott is elzárták, amiért azt merte mondani, hogy rontsák le a király kemencéjét. De azért a kemencét azonnal elrontották, és mindjárt másikat csináltak. Míg a kemencét készítették, addig a szakácsok dagasztották a kenyérnek valót, hogy mire a kemence kifűl, vethessék be a kenyeret. A király pedig minél hamarább ehessék abból a kenyérből, amely az új kemencében sül.

Készen is lett a kemence. Kifűtötték, és bevetették a kenyeret. De a szakácsok, mint ahogy szokták a parasztasszonyok is, vetettek be a kenyérrel egy kiscipót is, hogy az hamarabb süljön, a király előbb ehessék.

The lad argued with her no more and left her. He soon came to the city where lived the blind king. He went in to him to tell him too what the Flower King had said.

But when he had told him, in a trice he was locked in a prison for daring to say that the king should tear down the gold and throw it into the river! But none the less they tore down the gold to see whether what the lad said was true or false.

Workmen were called and the whole palace was tiled.

When the whole building had been tiled the king could see as at the age of twenty. He was highly delighted that the lad had spoken the truth, and released the prisoner at once.

"Now then," asked the king, "what do you desire of me, as I have regained my sight?"

"All that I wish," answered the lad, "is what Your Majesty pleases."

At once the king had a fine horse brought forth. Two saddle-bags were filled with gold for the lad and placed on its back.

"There," the king encouraged him, "with that you can live prosperously."

Now the lad was on horseback and had no more to go on foot. He soon reached the other city, where his first task was to call on the king.

This king too asked him:

"Did you ask the Flower King?"

"Yes," said the lad.

"What did he say?"

"He said," answered the lad, "that Your Majesty's bread is baked in an oven beneath which is a frog as large as a bushel. But if that oven is destroyed and another made and you eat of the bread baked in it, everything would fall from Your Majesty and you would be sick no longer."

There too the lad was imprisoned for having dared to say that the king's oven should be destroyed. But none the less the oven was destroyed and another made straight away. While the oven was being made the cooks kneaded the dough so that when the oven was hot they could put it in, and the king could eat the bread baked in the new oven as soon as might be.

The new oven was ready. It was heated and the bread put in. The cooks put in with the bread a small loaf, as peasant women do, which would bake more quickly; the king could eat it first.

Egykettőre megsült a kiscipó. Alig várta a király, hogy ehessék belőle. Amikor abból a cipóból kezdett enni, a sebek máris lehullottak róla. Mire megelégedett az ennivalójával, egy csepp seb sem maradt a királyon.

– Na – mondja a fiúnak –, hát csak igazad volt.

Kiengedték a legényt a fogságból.

Rögtön kérdi a király:

– Hát mit követelsz tőlem?

– Csak amit felséged szánt.

Az a király is mindjárt elébehozatott egy szép lovat. Megtöltetett két átalvetőt arannyal, s azt mondta:

– Ezt neked adom ajándékba, fiam, amiért megkérdezted Virágkirálytól a betegségemet.

A fiú megköszönte, s útnak indult most már két lóval, négy átalvető arannyal, így tartott hazafelé.

Amikor hazaérkezett, látja ám, hogy a nagygazda ott kuporog egy kerítés tövében, ott didereg. A háza ablaka meg be volt nőve tövissel, az udvarát felverte a csalán, s minden rosszféle gaz. Annyi sem volt az udvarán, hogy jóllakjék, alig tudott napról napra életben maradni.

Halad arra a fiatalember, a három szál virág a kalapjába volt tűzve. Odaköszön:

– No, apám, itt van a három szál virág, elhoztam a felséges Virágkirálytól!

– Jól van fiam, ha elhoztad. Csak viseld, neked való az, nem nekem. Nincs nekem már szükségem virágra.

– Ne búsuljon semmit – mondta neki a fiú –, csak jöjjön be!

Együtt mentek be. A legény megtalálta szépen a feleségét. Csináltak azután nagy lakodalmat, mert előbb úgy se volt, mikor megesküdött a feleségével.

Olyan nagy lakodalmat csaptak, hogy hetedhét országra szólt. Meghívta a legény a rokonokat: apját, anyját, de még a két vándort is. Állt a lakodalom. Én is ott kucorogtam egy szegletben, és vártam, hátha kapok valami koncot. Kaptam is én olyan jó nagy darab húsokat enni, hogy még haza is hoztam belőle.

The small loaf was baked in a trice. The king could scarcely wait to eat some of it. When he began to eat from that loaf the sores already began to fall from him, and when he had eaten his fill not a single one remained.

"Well," he said to the lad, "so you were right."

The lad was released from captivity.

At once the king asked him:

"So what do you desire from me?"

"Only what Your Majesty pleases."

At once the king had a fine horse brought forth. He filled two saddle-bags with gold and said:

"I give you this as a gift, my boy, because you asked the Flower King about my sickness."

The lad thanked him and set off, now with two horses and four saddle-bags of gold, and made for home.

When he arrived, he saw to his surprise the rich peasant crouching, shivering, at the foot of a fence. The windows of the house were overgrown with thistles, the yard was covered with nettles and every foul weed. There was not enough in the yard for him to be fed, and he could scarcely live from day to day.

"Well, father, here are the three flowers. I have brought them from the Flower King."

"It is good, my boy, that you have brought them. Take them, they are for you, not me. I have no more need of flowers."

"Do not concern yourself in the least," said the lad to him, "come inside!"

They went in together. The lad found his wife in good health, and they held a feast, which had not been done before when they were married.

So great was the feast that they held that its fame spread over seventy-seven lands. The lad invited the relations: his father and mother, and the two travellers also. I too squatted in a corner and waited to see if I received a bone of some sort. And I received such large pieces of meat to eat that I even took some home.

A koporsóba tett fiú
The Boy That was Put in a Coffin

A halhatatlanságra vágyó királyfi

Egyszer volt, hol nem volt, hetedhét országon, még azon is túl, még az Operencián is túl, bedőlt kemencének kidőlt oldalában, vénasszony szoknyájának a hetvenhetedik ráncában, volt egy fehér bolha, annak a kellős közepiben volt egy fényes királyi város, a városban pedig lakott egy öreg király, kinek volt egyetlenegy jóravaló fia.

Elég az hozzá, hogy a király sokat remélt ettől a fiától, azért kitaníttatta minden iskolai tudományra, azután elküldötte világot látni, hallani, tapasztalni. Vándorolt is több esztendeig a királyfi, míg végre az apja kívánságára hazatelepedett – de a királyfinak a sok járás-kelésben egészen elváltozott a természete: gondolkodóvá és szomorkodóvá lett.

Történt egyszer, hogy a király kettesben maradt a királyfival a királyi rezidencia ebédlőszobájában. Az öreg király karon fogta a fiát, bevezette egy oldalszobába, amely teli volt mindenféle szép leányképekkel, s azt mondá a fiának:

– Te, édes fiam, úgy látom, hogy nagyon kedvetlen vagy; jó volna, ha megházasodnál. Lásd, ebben a szobában minden császár, király és fejedelem leánya le van festve, tetszésed szerint választhatsz; én azt adom hozzád feleségül, amelyik leginkább szíved szerint való, csak jobb kedvedet lássam.

– Jaj, édes király atyám – felel a királyfi –, nem a szerelem, sem a házasság nem bánt engemet, hanem az a gondolat szomorít, hogy minden embernek, még a királynak is egyszer meg kell halni. Szeretnék olyan birodalmat találni, ahol a halálnak nincs hatalma; el is határoztam magamban, hogy ha a lábam térdig vásik is, addig megyek, amíg ilyent találok.

Az öreg király igyekezett lebeszélni fiát a szándékáról: azt mondotta, hogy a királyságot is átadja neki, csak maradjon otthon, de a királyfi másnap reggel kardot kötött az oldalára, s útnak indult.

Ment, mendegélt, s amint haladott az úton, messziről meglátott egy roppant nagy élőfát – mintha a tetejiben egy nagy sas libegne. Közelebb

The Prince That Desired Immortality

Once upon a time, beyond seventy-seven lands, even farther, beyond the Óperencia too, at the crumbling side of a ruined oven, in the seventy-seventh pleat of the skirt of an old woman there was a white flea, and right in the middle of it was a gleaming royal city, and in the city lived an old king who had a single worthy son.

Suffice it to say that the king had high hopes for that son, and so had him taught every scholarly subject and then sent him out to see the world, to hear and experience it. The prince travelled about for several years before at last settling down at home at his father's request – but in the course of all his wanderings the prince's nature had changed altogether: he had become pensive and melancholy.

One day it befell that the king and the prince were alone together in the dining-room of the royal palace. The old king took his son, led him to a side-room which was full of pictures of beautiful girls, and said to him:

"My dear son, I can see that you are very much out of sorts; it would be good if you married. See, in this room are portraits of the daughters of every emperor, king and ruler, and you may take your choice; I will give you in marriage her that pleases you most, only let me see your good humour restored."

"Alas, dear king and father," replied the prince, "it is not love or marriage that troubles me, but the thought that every man, even kings, must some day die. I would like to find a kingdom where death has no power; and I have resolved that even if my legs are worn down to my knees I will travel until I find one such."

The old king tried to dissuade his son from this plan: he said that he would even give him his kingdom if he would but stay at home, but next day the prince girded on his sword and set out.

He walked and walked, and as he went his way he saw in the distance a huge tree – and it seemed that a great eagle was fluttering at the top of

megy a fához, hát látja, hogy egy nagy sas annak a magas fának a tetején levő ágakat úgy rugdossa, hogy csak úgy repdestek szerteszéjjel a gallyak, s mikor látja a sas, hogy a királyfi elbámészkodik rajta, leszáll melléje, keresztülbukik a fején, lesz belőle egy király, s azt kérdi a királyfitól:

– Te mit bámulsz, öcsém?

– Hát biz én csak azt bámulom, hogy te miért rugdosod ennek a nagy fának a tetejét!

Erre a saskirály azt mondja:

– Látod-e, én arra vagyok kárhoztatva, hogy se én, se semmi hozzám tartozó nemzetségem meg ne halhassunk addig, míg ezt a nagy élőfát tőstől-gyökerestül ki nem rugdosom sas képében. Azért járok ide mindennap dolgozni. De már este van, ma többet nem dolgozom, hanem hazamegyek, s tégedet is mint utazót, s mint formádból látom, királyfit jó szívvel látlak szegény házamban.

A királyfi megörült ennek, s együtt sétáltak be a saskirály rezidenciájába. Volt ennek a saskirálynak egy gyönyörűséges szép leánya, aki kedvesen fogadta az apját és a vendég királyfit, s azonnal asztalt terített.

Vacsora közben kérdi a saskirály a királyfit, hogy miért vándorol országról országra.

Azt mondja a királyfi: addig akar menni, míg olyan birodalomra nem talál, melyben a halálnak semmi hatalma.

– No, édes öcsém – mondá a saskirály –, úgy éppen jó helyen jársz. Addig rajtam és a hozzám tartozókon a halálnak semmi hatalma nincs, amíg azt a nagy fát tőstől-gyökerestül ki nem rugdosom; addig pedig eltelik hatszáz esztendő is. Kelj össze a leányommal, s itt nálam addig eleget élhettek.

– Jaj, édes király bátyámuram, az mind jó volna! De hatszáz esztendő múlva csak meg kell halni, én pedig olyan helyet akarok felfedezni, hol a halálnak sohase legyen hatalma.

A királykisasszony is marasztotta, de semmiképpen sem tudta őt maradásra bírni. Végre hát, hogy minden emlék nélkül mégis el ne bocsássa, adott neki egy skatulyát, annak a belső falán az ő képe volt lerajzolva, s azt mondá:

– No, te királyfi, mivelhogy semmiképpen sem maradsz nálam, vedd ezt az emléket! Ennek olyan tulajdonsága van, hogy ha elfáradsz a földön járásban, nyisd föl a skatulyát, nézz az én képemre, s ahogy gondolod, úgy utazhatsz: ha tetszik, a levegőben, ha ott igen éles a levegő

it. As he approached he could see that a great eagle was kicking the branches at the top of the tree in such a manner that twigs flew everywhere. When the eagle saw the prince staring at it flew down to his side, turned a somersault and became a king. He asked the prince:

"What are you staring at, my lad?"

"Well, I was only wondering why you were kicking the top of this big tree!"

To that the eagle-king replied:

"Do you see, I am under a curse that neither I nor any of my kin may die until I, in the form of an eagle, have kicked this great tree root and branch out of the ground. And so I come here every day and work. But now it is evening, I shall work no more today but shall go home, and I shall be heartily glad to see you as a traveller in my poor home, for from your dress I see that you are a prince."

The prince was pleased at that, and together they walked to the eagle-king's residence. This eagle-king had a wondrously beautiful daughter, who welcomed her father and the princely guest and straightway laid the table.

Over dinner the eagle-king asked the prince why he was wandering from land to land.

The prince said that he meant to travel until he found a kingdom wherein death had no power.

"Well, my dear boy," said the eagle-king, "you have come to just the right spot. Death has no power over me and mine until I tear out that great tree root and branch; and that will take six hundred years. Marry my daughter and you can live happily with me until then."

"Alas, dear king, that would be all very well! But in six hundred years I will have to die, and I wish to discover a place where death will never have power."

The princess too would have detained him, but he would brook no delay. In the end, so that at least he should not leave her without a keepsake, she gave him a box on the inside of which was a picture of her, and she said:

"Well, prince, as you will on no account stay with me, take this keepsake! It has the property that when you are weary of walking, open the box and look at my picture, and you will be able to walk anyhow you

fúvása, a föld színén, úgy, mint a sebes gondolat vagy mint a sebes forgószél.

A királyfi megköszönte a skatulyát, a zsebébe tette, s másnap búcsút vett a saskirály házától, s útnak indult.

Egy darabig ment, mendegélt gyalog az országúton, de egy idő múlva kezdett bágyadni, s eszébe jutott a skatulya. Elővette hát, kinyitotta, és rápillantott a királykisasszony képére, s gondolta magában: „Haladjak úgy, mint a sebes szél fenn a levegőben!" – s azonnal felkerekedett, s úgy száguldott, mint a sebes szél.

Mikor már jó messzire elért, látja, hogy egy kopasz ember egy kosárba ásóval és kapával földet rak egy roppant nagy, magos hegy fölött, a hegy tetejéről az alja felé. Megáll, s elbámul ezen a királyfi – a kopasz ember is megáll s kérdi:

– Te mit bámulsz, öcsém?

– Hát én bizony csak azt bámulom, hogy kegyelmed hova viszi azt a kosár földet?

– Jaj, édes öcsém – mondá a kopasz –, én arra vagyok kárhoztatva, hogy addig sem én, sem semmi famíliám meg nem halhatunk, amíg ezt a nagy hegyet ezzel a kosárral mind el nem hordom, s a helyet itt meg nem teresítem; de már estefelé jár az idő, ma többet nem dolgozom.

Azzal keresztülbukott a fején, s lett belőle egy kopasz király, mindjárt meg is hívta a királyfit magához éjjeli szállásra. El is mentek együtt a kopasz király rezidenciájába, hát ennek a királynak még százszorta szebb leánya volt, mint az előbbeninek – ez is jó szívvel látta őket s vacsorával is csakhamar. Vacsora közben a kopasz király is megkérdezte, hogy meddig utazik. Mire a királyfi megint csak azt felelte, hogy addig megy, amíg olyan országot talál, melyben a halálnak nincs hatalma.

– Úgy éppen jó helyt jársz – azt mondja a kopasz király is –, mert amint mondám, én arra vagyok kárhoztatva, hogy addig nem halhatok meg, míg azt a nagy hegyet mind el nem hordom, addig pedig eltelik nyolcszáz esztendő is. Keljetek össze a leányommal, úgyis látom, nem unjátok egymást, s nyolcszáz esztendeig eleget élhettek.

– Igen – mondja a királyfi –, de én oda akarok menni, hol a halálnak soha nincsen hatalma.

Másnap mindnyájan jókor felkeltek, s a királykisasszony újból marasztotta a királyfit, de az bizony nem maradt; hogy tehát minden emlék nélkül el ne menjen, adott neki egy aranygyűrűt, annak az a tulaj-

desire: if you wish, in the air, as when the wind blows keenly, or on the ground, with the speed of thought or like a swift whirlwind."

The prince thanked her for the box and put it in his pocket. Next day he took his leave of the eagle-king's house and set out.

He went a way on foot along the highway but after a while he became weary and thought of the box. So he took it out, opened it, looked at the princess's portrait and thought to himself: "Let me go like the swift wind in the air!" – and at once he was lifted up and was rushing along with the speed of the wind.

When he had gone a long way he saw a bald man on top of a very high hill, piling earth with a spade and a hoe into a basket and moving it to the bottom of the hill. The prince stopped and stared, and the bald man stopped and asked:

"What are you staring at, my lad?"

"Well, I am just wondering where you are taking that basket of earth."

"Alas, my dear boy," said the bald man, "I am under a curse that neither I nor any of my family shall die until I have moved this hill with this basket and cleared this space; but evening is drawing on now, and I shall work no more today."

With that he turned a somersault, became a bald king, and immediately invited the prince home to stay the night. So off they went together to the king's palace, and this king had a daughter a hundred times more beautiful than the previous one; she too welcomed them and dinner was promptly served. Over dinner the bald king too enquired where he was going, to which the prince replied once more that he was going until he found a land where death had no power.

"Then you are in luck," said the bald king, "for as I said, I am cursed that I cannot die until I have moved all that great hill, and that will take nine hundred years. Marry my daughter, for I see that you do not dislike one another, and you can live happily for nine hundred years."

"Yes," said the prince, "but I mean to go to where death will never have power."

Next day they all rose early and the princess again tried to make the prince stay, but that he would not do; therefore, so that he should not go away without a keepsake she gave him a gold ring, which had the

donsága volt, hogy aki az ujján megfordította, azonnal ott termett, ahol akarta. A királyfi a gyűrűt megköszönte, s azzal elbúcsúzott, s útra kelt megint.

Egy darabig ment az országúton; egyszerre eszébe jut a gyűrű. Megfordítja az ujján, s gondolja magában, hogy legyen a világ végén. Behunyja szemét, s hát egy pillantás, s egy pompás királyi város közepében találja magát. Megindul az utcákon le és fel; látja, hogy ebben a városban minden ember csodálatos öltözetű és formájú; huszonhétféle nyelven próbált velük szólani, mert annyi nyelven értett a királyfi, de senki sem felelt egyre sem. Nagyon elbúsulta magát, hogy mitévő is legyen, mert senkivel sem tud szóba elegyedni. Addig jár-kel bújában, míg egyszerre egy olyan öltözetű emberre talál, amilyent az ő országában viselnek, meg is szólítja a maga nyelvén, hát tud rá felelni. Megkérdezi mindjárt:

– Miféle város ez?

– A kék király országának fővárosa – azt mondja az ember. – Maga a király meghalt, hanem van neki egy kedves, szép leánya, s az uralkodik hét ország felett.

Kérdi a királyfi:

– Nem tudnád-e a királykisasszony rezidenciáját megmutatni?

– Jó szívvel – mondja az ember, s elvezeti a királyfit a rezidenciához, s ott elbúcsúzik tőle.

A királyfi indul befelé a királyi rezidenciába, hát látja, hogy a királykisasszony a rezidencia garádicsán ül, és éppen hímet varr. A királyfi egyenesen felé megy, a kisasszony pedig tüstént felállott ültőhelyéből, s felvezette a rezidencia palotáiba. Mindjárt kérte a királyfit, maradjon nála, s legyen neki társa az uralkodásban, de a királyfi kijelentette, hogy csak abban az országban akar megtelepedni, ahol a halálnak nincs hatalma. Ekkor a királykisasszony karon fogta a királyi úrfit, bevezette egy oldalszobába. Hát annak a szobának a pádimentuma úgy teli volt szurkálva varrótűvel, hogy talán egyet sem lehetett volna többet beleszúrni.

– No, te királyfi – azt mondja a királykisasszony –, látod-e ezt a roppant sokaságú varrótűt? Én arra vagyok kárhoztatva, hogy amíg ezt a sok tűt el nem használom a varrásban, addig sem én meg nem halhatok, sem pedig a hozzám tartozó famíliám. Addig pedig eltelik ezer esztendő. Ha nálam maradsz, éppen eleget élhetünk s uralkodhatunk.

property that he who turned it on his finger was immediately carried to wherever he wished to be. The prince thanked her for the ring and with that took his leave and set off once more.

He walked along the highway for a spell; suddenly he thought of the ring. He turned it on his finger and thought to himself that he wished to be at the end of the world. He blinked his eyes and lo! he found himself in the middle of a splendid royal city. He walked up and down the streets and saw that everyone in the city was handsome and magnificently dressed. He tried to speak with them in twenty-seven different languages, for he understood that many, but no-one replied to any of them. He was very put out, not knowing what to do, being unable to converse with anyone. In his unhappiness he was walking up and down, when suddenly he saw a man dressed as men in his own land, and when he spoke to him in his own language he was able to reply. First of all he asked:

"What city is this?"

"The capital of the Blue King's kingdom," said the man. "The king himself is dead, but he has a kindly, beautiful daughter, and she rules seven lands."

The prince asked:

"Could you show me the princess's palace?"

"With all my heart," said the man, and led the prince to the palace, where he took his leave of him.

The prince went into the royal palace and saw the princess sitting on the stairs, engaged in her embroidery. He went straight up to her, and she at once rose and took him into the great hall of the palace. Straight away she asked the prince to stay with her and be her companion on the throne, but he insisted that he wished to settle only in a country where death had no power. Then the princess took the prince by the arm and led him into a side-room. The floor of this room was stuck full of needles, so that there would not, perhaps, have been room for a single one more.

"Now, prince," said the princess, "do you see this enormous number of needles? A curse is laid upon me, that neither I nor mine may die until I have worn out all these needles in embroidery, and that will take a thousand years. If you stay with me we can live happily and rule."

– Igen – azt mondja a királyfi –, de ezer esztendő múlva csak meg kell halni; én pedig olyan országot keresek, ahol a halálnak soha hatalma ne legyen.

Eleget igyekezett a hímvarró királykisasszony lebeszélni a szándékáról a királyfit, de az kijelentette, hogy nem marad, hanem folytatja az útját. A királykisasszony ekkor elébe állott, s így szólt:

– Mivel semmiképpen nem tudlak megtartani, emlékbe fogadj el tőlem egy aranyvesszőcskét. Ennek olyan tulajdonsága van, hogy szorultság esetében azzá változik, amivé gondolod.

A királyfi megköszönte a királykisasszony adományát, a zsebébe rejtette, avval búcsút vett tőle, s útra indult újból.

Alig ért ki a városból, hát ott egy nagy folyóra talált; de látta, hogy annak a túlsó szélénél az ég már leereszkedett, s továbbmenni nem lehet, mert ott a világnak vége van. Elindult tehát a folyó martján. Mikor egy darabocskáig felfelé haladt, egyszer csak lát ám egy fényes királyi kastélyt a folyóvíz felett, függve a levegőben. Akárhogyan is vizsgálta, nem lelt semmi utat vagy hidat, amelyik azt a szárazfölddel összekötötte volna; pedig csakugyan szeretett volna abba a fényes kastélyba bepillantani. Egyszer csak eszibe jut az aranyvessző, melyet a hímvarró királykisasszonytól kapott volt. Elővészi, s ledobja a földre:

– Legyen belőled egy palló, vezess a fényes királyi kastélyba! – s a vesszőből legott aranypalló lett. A királyfi nem késlekedett sokáig; ráugrik az aranypallóra, s átalmegyen rajta a kastélyba. De mikor a kastély kapuján belép, látja, hogy azt olyan csudaállatok őrzik, amilyeneket ő még sohasem látott. Megijed, s parancsol a kardjának:

– Kard, ki a hüvelyből! – s kardja ki is ugrik, s egynéhánynak fejét leüti. De bezzeg azoknak egyszeribe más fejük nőtt. Erre még jobban megrettent a királyfi, a kardját a hüvelybe parancsolta, s csak bámult felfelé. A kastély királynéja mindezt látta az ablakból, s egy inast tüstént leszalasztott, hogy az őrök ne bántsák a királyfit. Megparancsolta az inasnak azt is, hogy az idegent hozza eléje. Úgy is lett. Az inas gyorsan lefutott, a királyfit az őrökön keresztül vitte a kastély királynéja elébe.

Azt mondja a királyné:

– Azt látom, hogy nem mindennapi ember vagy; de azt is akarom tudni, hogy ki vagy s mi járatban jöttél.

"Yes," said the prince, "but after a thousand years I shall have to die; but I seek a land where death will never have power."

The embroidering princess tried hard to dissuade the prince from his plan, but he made it clear that he would not stay, but would continue on his way. Then the princess stood before him and said:

"Since I cannot by any means hold you back, take from me as a keepsake this golden wand. It has the property that in time of necessity it will change into what you think of."

The prince thanked the princess for her gift and put it in his pocket. With that he took his leave of her and set out once more.

Scarcely had he left the city than he came to a great river, and he could see that on the other side the sky came down and it was impossible to go farther, for that was the end of the world. And so he set off along the river-bank. When he had gone upstream a while suddenly he saw a gleaming royal palace above the stream, suspended in the air. Seek though he might he could discover no road or bridge by which it was connected to the land; nevertheless he would dearly have wished to see inside that gleaming palace. Suddenly he bethought him of the golden wand that he had received from the embroidering princess. He took it out and cast it on the ground:

"Become a plank and take me to the gleaming royal palace!" And the wand became there and then a golden plank. The prince did not delay; he sprang onto the golden plank and crossed it to the palace. But when he entered the palace gate he saw that it was guarded by wondrous beasts, the like of which he had never seen. He was alarmed, and ordered his sword:

"Sword, out of your scabbard!" and the sword leapt forth, and cut off the heads of several. But forthwith others grew in their place. At that the prince was even more affrighted, ordered his sword back into its scabbard and merely stared upward. The queen of the palace had seen all this from the window, and immediately sent down a footman, that the guards might not impede the prince, and commanded him to bring the prince into her presence. And so it happened. The footman ran quickly down and took the prince quickly past the guards into the presence of the queen of the palace.

The queen said:

"I can see that you are no ordinary person; but I wish to know who you are and on what errand you come."

A királyfi elmondja, hogy ő melyik királynak a fia, s azért indult útra, hogy olyan országot fedezzen fel, hol a halálnak nincs hatalma.

– No, jó helyt jársz – mondá a királyné –, mert én vagyok az élet és a halhatatlanság királynéja, itt már bátorságban vagy a halál ellen.

Egyszeribe leültette, s jó szívvel is látta a királyfit.

Éppen egyezer esztendeig maradt ebben a fényes kastélyban a királyfi, de az oly hamar eltelt, mint azelőtt egy fél esztendő.

Mikor eltelt az ezer esztendő, egy éjszaka olyan álmot lát a királyfi, mintha otthon az apjával s anyjával beszélgetett volna. Reggel, amikor felkelt, tüstént jelentette a halhatatlanság királynéjának, hogy ő haza akar menni, az apját és anyját még egyszer meglátni. A királyné elbámult ezen a beszéden, s azt mondá:

– Jaj, te királyfi, mit vettél a fejedbe! Hiszen apád és anyád nyolcszáz esztendeje meghalt, már hírüket-porukat fel sem találod.

De a királyfit nem tudta lebeszélni szándékáról, azt mondá tehát:

– No, ha csakugyan mégis elmész, legalább feltarisznyázlak az útra.

Azonnal a nyakába akasztott egy arany- és egy ezüstkulacsot, s bevezette őt egy kis oldalszobába. Az egyik szegletben megmutatott neki egy kis kannát, s azt mondá:

– No, ebből a folyadékból, amit itt találsz, töltsd teli az ezüstkulacsodat. Ha ebből akárkit lefröcskölsz, ezer élete volna is, azonnal halálfia lenne.

Azután bevitte egy másik oldalszobába, annak egyik szegletében ugyancsak egy kis kanna állt, annak a folyadékából az aranyflaskót töltette meg, s azt mondá:

– No, te királyfi, ennek a folyadéknak, mely az örökkévalóság kősziklájából fakadt, olyan tulajdonsága van, hogy ha valaki ezelőtt négy- vagy ötezer esztendővel meghalt is, ha csak egy csontikáját megkapod, s lefröcskölöd ennek vizével, azonnal fölébred.

A királyfi megköszönte a halhatatlanság királynéjának szép ajándékait, avval elbúcsúzott tőle és az egész kastélytól, s útra indult.

Csakhamar beért abba a városba, hol a hímvarró királykisasszony lakott, de alig ösmert reá, annyira el volt változva. Ment sietve a királyi rezidenciához, hát ott olyan csöndesség van, mintha senki sem laknék benne. Megy fel a palotába, hát mikor a nappali szobába ér, ott találja a királyi kisasszonyt a varrójára bukva, mély álomban. Szép csendesen odaosonkodik, szólítja, de nem felel. Megráncigálja a szoknyáját, de

The prince told her of which king he was the son, and that he had set out to discover a land wherein death had no power.

"Then you are in luck," said the queen, "for I am the Queen of Life and Immortality, here you are safe against death."

She made him sit and received him hospitably.

The prince remained in that gleaming palace a thousand years, but they passed as quickly as the previous six months.

One night, when the thousand years were over, the prince had a dream in which he was at home talking to his father and mother. When he rose in the morning he told the Queen of Immortality that he wished to go home to see his parents once more. The queen was astounded at these words and said:

"Goodness, prince, what an idea! Your father and mother have been dead these eight hundred years, and you will find no trace of them."

But she could not dissuade the prince from his plan, and so she said:

"Well, if you will really go, at least I will equip you for the journey."

And at once she hung about his neck a gold flask and a silver flask and led him into a little side-room. She showed him a little kettle in the corner and said:

"Now, fill your silver flask to the brim with the liquid that you will find in this. Anyone that you sprinkle with it, though he has a thousand lives, he will die on the spot."

Then she took him into a second side-room and made him fill the gold flask with the liquid from a similar little kettle in the corner, and said:

"Now, prince, this liquid, which springs from the cliff of eternity, has the property that if anyone has died four or five hundred years ago, if you can obtain only a tiny bone of them and sprinkle it with this, they will come back to life."

The prince thanked the Queen of Immortality for her fine gifts, and with that took his leave of her and the whole palace and went his way.

Soon he came to the city where the embroidering princess lived, but he scarcely recognised it, it was so changed. He hurried to the royal palace, and there all was so silent, it seemed that no-one lived there. He went up to the hall and when he reached the day-room there he found the princess bent over her embroidery, fast asleep. Very quietly he crept up and spoke to her but she did not reply. He tugged at her skirt but she

nem mozdul. Szalad abba a szobába, mely teli volt tűvel, hát egy sincs benne. Az utolsó varrótű beletörött a királykisasszony varrásába, s avval a királykisasszony meghalt. Csakhamar kapja az aranyflaskóját, meglocsolja belőle a királykisasszonyt, az éledezni kezd, felveti a fejét, megszólal, s azt mondja a királyfinak:

– Jaj, édes barátom, be jó, hogy felébresztettél! Úgy lehet, rég aluszom.

– De alhattál volna – feleli a királyfi –, míg a világ, ha fel nem támasztottalak volna!

Ekkor a királykisasszony észrevette, hogy ő meghalt, s a királyfi támasztotta fel. Megköszönte igen szépen, s jótét helyébe jót ígért.

Innen a királyfi egyenesen a kopasz királyhoz ment. Hát már messziről látja, hogy a nagy hegyet mind elhordotta. Mikor közelebb ér, látja, hogy a kopasz király kosarát feje alá tette, az ásót és lapátot maga mellé elnyújtotta s meghalt. Csakhamar előveszi itt is az aranyflaskóját, lefröcsköli vele a kopasz királyt, s föltámasztja őt is.

Ez is jótét helyébe jót ígér, s a királyfi tőle is elbúcsúzik, s megy a saskirályhoz. Hát a saskirály a nagy élőfát tőstül-gyökerestül együtt úgy kikapálta, hogy a legkisebb ágának sincs híre-pora; maga pedig a szárnyait kétfelé vetette, az orrát a földre gubbasztotta, s ott feküdt holtan. A királyfi előveszi az aranykulacsot, megöntözgeti a halhatatlanság vizével a saskirályt, s az is éledezni kezd, összeszedi magát s megszólal:

– Jaj, de sokat aludtam! Köszönöm, hogy megébresztettél, édes jó barátom.

– De alhattál volna – mond a királyfi –, míg a világ, ha fel nem támasztottalak volna!

Ekkor veszi észre magát a saskirály, hogy ő bizony meghalt. Újból csak megköszöni, hogy őt a királyfi feltámasztotta, s jótétel helyébe jót ígér.

Ezután búcsút vesz a királyfi a saskirálytól is, elindul, s csakhamar megérkezik apja királyi városához, de már messziről észreveszi, hogy a királyi rezidencia elsüllyedt, se híre, se pora. Közelebb megy, hát kénköves tó van a palota helyén, mely úgy ég folyvást kék lánggal, mint a jó szilvapálinka.

Reményét veszíti a királyfi, hogy valaha az apját s anyját feltalálhassa, s bújában indul is vissza, de amint a városból haladna ki, hátulról valaki megszólítja ezekkel a szókkal:

did not move. He ran to the room that had been full of needles, and there was not one there. The last needle had broken in her embroidery, and with that the princess had died. Quickly he took the gold flask, bathed the princess from it and she began to revive, raised her head, spoke, and said to the prince:

"Oh, my dear friend, it is good that you have woken me. I must have slept long."

"You would have slept till the end of the world," replied the prince, "had I not roused you!"

Then the princess realised that she had died and that the prince had brought her back to life. She thanked him very warmly, and promised to return the favour.

From there the prince went directly to the bald king. He saw from afar that he had removed all the great hill. When he came closer he saw that the bald king had placed the basket under his head, laid down the spade and hoe at his side and died. This time too he quickly took the golden flask, sprinkled the bald king from it and revived him.

He too promised to return the favour and the prince took his leave and went to call on the eagle-king. Now, the eagle-king had so completely destroyed the big tree, root and branch, that not the least little twig of it remained; he himself, however, had spread out his wings and lay there dead, his beak pressed to the ground. The prince took the gold flask, moistened the eagle-king with its water and he too began to revive, came to himself and said:

"Goodness, but I have slept a long sleep! Thank you for waking me, my dear friend."

Then the eagle-king realised that he must have been dead. He renewed his thanks to the prince for bringing him back to life and promised to repay the kindness.

Then the prince took his leave of the eagle-king too, resumed his journey and soon came to his father's royal city, but even from afar he saw that the royal palace had been levelled without trace. He approached and saw where the palace had been a lake of fire and brimstone, burning continually with a blue flame, like good plum brandy.

The prince abandoned his hopes of finding his father and mother, and set out in his grief to return, but as he was leaving the city someone called to him from behind:

– Megállj, királyfi, jó helyt jársz! Éppen ezer esztendeje, hogy szüntelen kereslek.

A királyfi hátratekint, s megismeri, hogy aki megszólította, az bizony az öreg Halál! Csakhamar kapja az ujján levő gyűrűt, megfordítja, s mint a gondolat, olyan sebesen a saskirálynál terem, onnan a kopasz királynál, onnan a hímvarró királykisasszonynál, mindegyikkel kiállíttatja minden ármádiájukat a Halál megakadályoztatására; de a Halál olyan gyorsan vágtatott mindenütt utána, hogy mikor a halhatatlanság királynéja kastélyába egyik lábát betette a királyfi, a másikat kívül megragadta a Halál:

– Megállj! Enyim vagy!

Észrevette a halhatatlanság királynéja a dolgot, s pirongatta a Halált, hogy mit keres az ő országában, mikor ott hatalma nincs.

– Igen – azt mondja a Halál –, de fél lába az én országomban van, az az enyém!

– Igen, de a fele az enyém mindenképpen – azt mondja a halhatatlanság királynéja –, s mi hasznod, ha elhasítjuk? Fele királyfinak sem én, sem te nem vehetjük hasznát. Hanem azt mondom: gyere be hozzám, s itt ketten fogadással intézzük el a dolgot.

Ráállott a Halál, bement a halhatatlanság királynéja kastélyába, s a királyné azt javasolta neki, hogy ő a királyfit felrúgja éppen a hetedik égig, a hajnalcsillag háta mögé, s ha onnan a várba esik, akkor legyen az övé, ha pedig a vár falán kívül esik le, akkor legyen a Halálé. A Halál beleegyezett a fogadásba. Ekkor a királyfit kiállította a királyné a vár közepébe, a lábát a királyfi lábai alá feszítette, s úgy felrúgta a csillagok közé, hogy egészen odaveszett. De az igyekezetbe egy kicsit megtántorodott a királyné, s erősen megijedt, hogy bizony kívül esik a királyfi a váron, leste hát szorgalmasan, mikor fordul vissza a királyfi. Egyszerre megpillantja, de akkora, mint egy darázs. Méricskéli a szemével, hogy hova esik, hogy éppen a vár falát találja. Megijed a királyné, de egy kis déli szél annyit használt mégis, hogy a királyfi a fal mellé befelé esett. A királyné odaugrott, s mint egy könnyű labdát, úgy felfogta, bevitte az ölében a kastélyba, és megparancsolta az udvar népének, hogy mindnyájan keressenek seprűt, gyújtsák meg, s tüzes seprűkkel seprűzzék ki a Halált a halhatatlanság várából. A Halálnak pedig megparancsolta, hogy oda többé a lábát betenni ne merészelje. A királyfi és királyné pedig máig is boldogul és dicsőségesen él; aki nem hiszi, keresse fel a világ végénél a folyó fölött a levegőben függő várat, a halhatatlanság királynéjának várát.

"Stop, prince, you are in luck! I have been seeking you ceaselessly these thousand years."

The prince glanced back and recognised that the one addressing him was indeed old man Death! Immediately he seized the ring on his finger and turned it, and with the speed of thought he was with the eagle-king, then with the bald king, then the embroidering princess, and required all of them to marshal their forces to obstruct Death; but so fast did Death gallop after him that when the prince set one foot inside the palace of the Queen of Immortality, Death grasped the other outside.

"Stop! You are mine!"

The Queen of Immortality saw what was happening and rebuked Death: what did he want in her kingdom, where he had no power?

"Yes," said Death, "but his one foot is in my kingdom, that is mine."

"Yes, but the other is mine in any case," said the Queen of Immortality, "and what will you gain if we split him? Half a prince is no use either to you or to me. I suggest that you come in and the two of us settle the matter by a wager."

Death consented and went into the palace, and the Queen proposed to him that she should kick the prince into the seventh heaven, behind the morning star, and that if from there he fell into the castle he would be hers, but if he fell outside he would be Death's. Death accepted. Then the Queen placed the prince in the middle of the castle and placed her foot beneath him, and so kicked him among the stars that he disappeared completely. But the Queen staggered a little with the effort and was deeply worried that the prince might fall outside the castle, and she watched closely for his return. Suddenly she caught sight of him, but he was the size of a wasp. She measured with her eye where he was going to fall, right on the castle wall. The Queen was alarmed, but a light southerly breeze contrived for the prince to fall on the inward side of the wall. The Queen sprang to him and like a light ball picked him up and carried him in her bosom into the palace, and commanded the people of the palace all to fetch brooms, set them alight and drive Death out of the castle of immortality with fiery brooms. And Death she commanded never again to venture to set foot there. The king and queen live happily and gloriously to this day; anyone that disbelieves that, let him seek the castle floating in the air above the river at the end of the world, the castle of the Queen of Immortality.

A halhatatlanságra vágyó királyfi
The Prince That Desired Immortality

Hamupipőke királyfi

Volt egyszer egy gazda, annak három fia. Azok közül a legkisebbik kissé együgyű volt. Egyszer is kimegy a gazda a szérűjére, látta, hogy a szalmája szét van szórva. Hívta a fiúkat, összerakták az első nap. Gondolta az öreg: talán valaki bosszúból csinálta, többször talán nem szórja széjjel.

Másnap kimegy az öreg, megint csak szét van szórva a szalma. Akkor szólt a fiainak, hogy:

– Ez így nem jól van, őrizzétek a szalmát.

Az első éjjel a legidősebb ment ki őrizni. Odaült a szalmakazal tövébe, és onnan vigyázott. Közben megéhezett, eszegetett. Egyszer csak egy kis egér jött elő, és ott cincogott körülötte. Fogta a sapkáját a fiú, rácsapott a kis egérre. Az egér eltűnt. De azon szempillantásban álom ereszkedett az idősebb gyerekre és elaludt. Mikor fölébredt, látja, hogy a szalma szét van szórva.

Másnap a fiatalabbik ment ki. Azt mondta, hogy ő majd megőrzi. De az is úgy járt, mint a bátyja. Vacsora közben ott termett az egér, ő is rácsapott, az egér eltűnt. Elálmosodott. Mire fölébredt, a szalmakazal széthurcolva.

Harmadik nap a legfiatalabb megy ki. Bátyjai majdnem megverték, mivel olyan együgyű volt: hogy az tudná megőrizni a szalmát, ők meg nem?

De azért Jankó csak ment. Este, vacsora alatt odajött a kis egér. Elkezdett cincogni. Jankó észrevette, adott neki enni. Az egér megszólalt:

– Te Jankó, ha ügyes leszel, és megfogadod a szót, akkor nem szórják el a szalmátokat – azt mondja az egér neki. – Megjelenik itt egy ló, az szokta mindig a ti szalmátokat elszórni. De te ne ijedj meg – azt mondja –, adok egy kötőszárt, azt vágd a ló nyakába, és ülj föl a hátára.

Prince Cinderello

There was a farmer that had three sons, the youngest of whom was somewhat simple. One day the farmer went out into his farmyard and saw that his straw was scattered about. He called the lads and they spent all day stacking it up. The old man thought 'Perhaps someone has done it out of spite and it will not be scattered again'.

Next day the old man went out and again the straw was scattered about. Then he said to his sons:

"This is too bad, keep watch over the straw."

The first night the eldest went out to keep watch. He sat down next to the rick and watched from there. Meanwhile he became hungry and had a bite to eat. Suddenly a little mouse appeared and ran about him squeaking. The boy took his hat and struck at the little mouse. The mouse vanished. At that moment slumber overcame the eldest boy and he went to sleep. When he awoke he saw that the straw was scattered about.

On the second day the younger boy went out. He said that he would keep it safe. But the same happened to him as to his elder brother. While he was eating his supper the mouse appeared, he struck at it, it vanished and he fell asleep. When he awoke the rick was scattered about.

On the third day the youngest was going to go out. His brothers almost came to blows with him: simpleton that he was, would he be able to keep the straw safe when they could not?

But nevertheless out Jankó went. In the evening, as he was eating his supper, along came the little mouse. It began to squeak. Jankó noticed it and fed it. The mouse spoke:

"Jankó, if you are clever and do as I say, then the straw will not be scattered," said the mouse to him. "A horse will appear, and that is what is always scattering your straw. But do not be alarmed," said the mouse, "I will give you a bridle, throw it round the horse's neck and mount on its back."

Jankó meg is fogadta a szót: jött a ló, bevágta a nyakába a kötőszárt, fölült a hátára, és elkezdett nyargalni. A ló mindig csak a szalmakazalnak akart menni, Jankó meg fékezte. A ló észrevette, hogy már nem bír Jankóval, a szalmához sehogyan se fér. Egyszer csak megszólalt a ló:

– Mivel ilyen vitéz voltál, adok neked három sípot. Amelyik sípot megfújod, rögtön itt terem egy ló nyereggel és huszárruhával.

Adott neki rézsípot, ezüstsípot és egy aranysípot.

Evvel Jankó hazamegy, mondta az édesapjának:

– Én megőriztem a szalmát, nem szórták széjjel.

Az apja azt mondja a többi testvérnek:

– Látjátok, legbutábbnak tartottátok a Jankót, és mégis megőrizte a szalmát.

És többet nem is szórták el a szalmájukat.

Közben a király lánya férjhez akart menni. De volt neki egy kívánsága: A kastély előtt állt egy üveghegy, és az üveghegy tetején egy fenyő. A fenyő tetején egy pálca, és a pálca tetején egy aranypapucs, amelyik éppen a kisasszony lábára passzolt. Aki a papucsot onnan lekapja, ahhoz megy férjhez.

Az országból mindenünnen sereglettek a vitézek. Jankó bátyjai is elmentek, hogy megnézzék, hogy ki fogja azt a papucsot levenni.

Jankó is el akart menni, de a bátyjai nem eresztették. Gondolta magában: „Csak menjetek, én úgyis ott leszek!"

Bátyjai elmentek, Jankó megfújta a rézsípot, ott termett a rézló, és hozta magával a rézöltönyt.

Jankó fölöltözött, fölült a paripára, és az üveghegy felé nyargalt. Mikor látta őt a királykisasszony, mindjárt azt gondolta magában: „Bárcsak ő venné le!"

De bizony Jankó fele hegyig fölvágtatott, és onnan visszafordult.

Megjönnek a bátyjai, mondják odahaza Jankónak, hogy mit láttak.

Jankó azt mondja:

– Én is láttam innen a kőfalon.

Mérgükben bátyjai elpusztították a kőfalat, hogy Jankó máskor ne lásson semmit.

Jankó did as he was told; the horse came, he threw the bridle round its neck, mounted it and began to gallop. The horse tried and tried to reach the rick, but Jankó held it in check. The horse realised that it could not get the better of him and that it would never reach the straw. Suddenly it spoke:

"As you are such a horseman I will give you three whistles. Whichever one you blow, immediately there will appear a horse, saddled and with a hussar's uniform."

It gave him a copper whistle, a silver whistle and a golden whistle.

With that Jankó went home and said to his father:

"I have kept the straw safe, it has not been scattered."

His father said to the other brothers:

"See, you thought that Jankó was the most stupid, and yet he has kept the straw safe."

And their straw was scattered no more.

Meanwhile the king's daughter wished to marry. But she had one desire:

In front of the palace there was a glass mountain, and on the top of the glass mountain stood a pine-tree. At the top of the pine-tree was a magic wand, and at the end of the wand a golden slipper, which fitted only the foot of the young lady. She would marry him that brought it down.

Knights assembled from all parts of the land. Jankó's brothers too went to see who would bring the slipper down.

Jankó too wished to go, but his brothers would not let him. He thought to himself: 'Off you go, I shall be there all the same!'

His brothers set off, Jankó blew the copper whistle and there appeared the copper horse, bringing with it the copper suit.

Jankó put it on, mounted the steed and galloped towards the glass mountain. When the princess saw him she thought to herself: 'If only he would bring it down!'

But in fact Jankó galloped half-way up the mountain and there turned back.

His brothers arrived home told Jankó what they had seen.

Jankó said:

"I saw it too from the stone wall."

In their rage his brothers destroyed the stone wall, so that next time Jankó should see nothing.

Másnap megint kezdődött a verseny, Jankó bátyjai ismét csak elmentek. Jankó megfújta az ezüstsípot, ott termett az ezüstló meg az ezüst huszárruha.

Mikor ment a királyi vár elé, a királylány tüstént észrevette, még jobban szerette volna, ha ez lett volna a győztes.

De Jankó megint csak a fele hegyig vágtatott föl és visszafordult.

Jönnek haza a bátyjai, és mesélik, hogy milyen szépet láttak.

Jankó azt mondja:

– Én is láttam innen a fészertetőről.

Bátyjai mérgükben azt is elpusztították, hogy a Jankó onnan se láthasson.

Harmadnap megint elmentek a bátyjai. Jankó csak nyugodtan várt. Egyszer csak megfújja az aranysípot. Ott terem az aranyló meg az arany huszárruha. A Jankó felöltözött, és útra kelt. A királykisasszony észrevette.

– Most már nincs más – azt mondja, mert az utolsó nap volt –, csak legalább ez venné le azt a papucsot!

Jankó nekivágtatott a hegynek, fölugrott az üveghegytetőig, és lekapta az aranypapucsot. De nem arra jött vissza, amerre ment, hanem eltűnt az üveghegy mögött.

Bánkódott a királykisasszony, hogy hát hová tűnt el az a szép huszár, aki lekapta a papucsot.

Hazament a legény, közben megjöttek a bátyjai, és mondják neki: milyen szép huszárt láttak ők, sokkal szebb volt, mint a másik kettő. Fölvágtatott az üveghegyre, lekapta az aranypapucsot, a másik oldalán meg eltűnt, s a királykisasszony most bánkódik.

Jankó azt mondja:

– Hisz én is láttam!

Bátyjai kérdezik, hogy:

– Honnan?

Jankó azt mondja:

– Felmentem a házra, a háznak a sarkáról.

Mérgükben bátyjai azt is elpusztították.

A király közben kiadta a parancsot, hogy aki elvitte az aranypapucsot, az tüstént jelentkezzék a királyi udvarban.

Next day the contest began anew. Jankó's brothers went once more. Jankó blew on the silver whistle, and there came the silver horse with the silver hussar's uniform.

When he appeared before the palace the princess noticed him at once and would have been even more delighted had he been the victor.

But again Jankó galloped half-way up the mountain and turned back.

Home came his brothers and told him what a fine thing they had seen.

Jankó said:

"I saw it too, from the roof of the shed."

In their rage his brothers destroyed the shed, so that Jankó should not be able to see from there.

On the third day his brothers went out again. Jankó just waited calmly. Suddenly he blew the golden whistle. There was the golden horse and the golden hussar's uniform. He put it on and set off. The princess caught sight of him.

"Now there is no other chance," said she, for it was the last day, "if only he would bring down the slipper."

Jankó galloped at the mountain, sprang right to the top and took down the golden slipper. But he did not come down the way he went up but vanished on the far side of the mountain.

The princess was grieved; where had he vanished to, that handsome hussar that had taken down the slipper?

The lad went home, and his brothers came in and told him what a handsome hussar they had seen, much more handsome than the previous two. He had galloped up the glass mountain, taken down the golden slipper and vanished down the other side; and now the princess was grieving.

Jankó said:

"Yes, I saw him too!"

His brothers asked:

"From where?"

Jankó said:

"I went up onto the house, from the corner of the house."

In their rage his brothers destroyed that too.

Meanwhile the king had decreed that he who had taken the golden slipper should present himself forthwith at court.

Hanem nem jelentkezett senki se. Akkor elkezdtek házkutatást tartani. Közben betértek abba a házba is, ahol Jankó lakott a bátyjaival. Kikutatták már az egész házat. Kérdezik, hogy vannak-e még többen. Bátyja azt mondja:

– Van még egy, de az nem megy sehová se, semerre se, mindig itthon van.

– De mindegy – mondták a király emberei –, azért megnézzük.

Jankónak volt egy kis tarisznyája, amit mindig magával hurcolt, abban volt az aranypapucs.

Amikor a tarisznyára került a sor, hát megtalálták az aranypapucsot.

Akkor néztek a bátyjai, hogy hogyan kerülhetett Jankóhoz a papucs!

Kérdezték akkor az urak, hogy hol van az az öltöny, amiben akkor megjelent, és hogy vette le a papucsot.

Akkor Jankó azt mondta:

– Hogyha akarjátok, az is itt lesz mindjárt.

Megfújta a három sípot, és mind a három ló ott termett a réz, ezüst meg arany huszárruhával.

Jankó felöltözött az aranyba, másik kettőt meg a bátyjainak adta, úgy mentek el a királyi várhoz. Jankó átadta a papucsot, és mindjárt megtartották az esküvőt. Volt ott olyan dínomdánom, ha abba nem hagyták az ivást, talán még most is isznak.

But no-one appeared. Then the king's men began to search for him from door to door. Eventually these reached the house where Jankó and his brothers lived. The entire house was searched. His brothers were asked whether there was anyone else. One of them replied:

"There is one more, but he never goes out, never goes anywhere at all, he always stays at home."

"No matter," said the king's men, "let us see him nonetheless."

Jankó had a little bag that he always carried with him, and in it was the golden slipper.

When the searchers reached the bag they found the golden slipper.

Then his brothers stared! How could Jankó have come by the slipper?

Then the king's men asked where the clothes were in which he had appeared that day and taken down the slipper.

Then Jankó said:

"If you wish, they will be here at once."

He blew the three whistles and all three horses appeared with the suits of copper, silver and gold.

Jankó dressed in the gold and gave the other two to his brothers, and so they set off for the court. Jankó handed over the slipper and the wedding took place at once. There was such revelry that if they have not stopped, perhaps they are drinking still.

Hamupipőke királyfi
Prince Cinderello

Tartalom

Contents